Bloemsdag

Bloemsdag

Erik Bindervoet en Robbert-Jan Henkes

Uitgeverij De Harmonie
Amsterdam

I

Landerig beklom de kalende Frans Doeleman de trap naar de vierde verdieping, met baby in draagzak, omgegord. Vanuit het trapgat zong hij plechtig:

— *Kijk, kijk, wie komt daaraan.*

Terwijl Anton Wachterromans de witte verweerde tuinstoeltjes openklapte, zoog Frans Doeleman de gezonde ochtendlucht in zich op.

— Hollandse lucht. En niet duur.

Minzaam en tevreden bezag hij vanaf het platje aan de achterzijde van het woonblok de met fietsen, huisraad, deuren, planken volgeplempte binnentuin, de burcht van Asscher, de pijp van de Pijp, de slaperige Rembrandttower en daarachter vaag glorend in de heiïge verte de logo's van Philips en Delta Lloyd. Anton, in zijn geknoopverfde narcisgele T-shirt, dat vaag naar zeezout rook, keek mee met zijn wereldomspannende blik. Hier komt de Zonnekoning, buiten op zijn Hollands platje. Zou dat een geschikte Martellotoren zijn voor een Nederlandse *Ulysses*? Goede derde in de nationale wolkenkrabbercompetitie. *Prolegomena voor een roman die als Nederlandse Ulysses optreden kunnen zou.* De Kalvertoren? *A magnificent view of the historic city centre of Amsterdam!* Kan je daar ontbijten? Niet voor tienen en er is sprake van een sfeervolle omgeving waar je kunt genieten. Mij niet gezien. Nooit plek ook. De Montelbaanstoren is bewoond. Maar niet door mij, sujetjonker op drie hoog voor en achter. Met IQ en brilleglazen van min tien. In het Okura kan je wel ontbijten. Chinezen met de LIRA-stichtingsbestuursleden en OPEC-ministers. Mooi panorama ook. En Buck Mulligan was een Japanner en hij schreef alleen maar haaikoes en slimmericks. En we citeren ruim uit zijn debuutbundel Tsjing Tsjong Tsjang (*En Wadden*):

Ik sprong uit de band van Möbius
Na een eindeloze reis
En zag: de wereld is heel anders thans
Na die ferme kloeke sprong.

Ido's huis in het hart van het hart van de nieuwe uitleg, de Jordaan, tussen noord en zuid, in de slecht genezen uitpuilende navelbreuk van de stad? Met de van bouw- en woningtoezichtswege verplichte lift naar boven en scheer je weg! Mondriaan. Breitner. De oude Wester. Schreiers. Zover het derde oog reikt wachttorens op de einder en niet één ontleend aan Kaap Mortella op Corsica en bijvoorbeeld gebouwd onder raadspensionaris Van de Spiegel, daartoe hartstochtelijk aangespoord en gephynancierd door de freule van Dordt tot Holdhuizen. Teegen den moogelijken indringer en oeconomisch asielsoeckende. Fort Europa.

Het constant bulderende asfaltvretende getij van het verkeer leek dichterbij te komen. Snelle schelle lentezon boven het Volkskrantgebouw tussen de Lufthansa en de maagd van het Gemeentearchief. Vlaggen halfstok. De lucht ontwolkt. Stoffelijke resten van vrieskou op het dak en op de ruïne van een stoel. Het werk van de Nachtvorst, de valse oom die Koning Winter de Rechtmatige van zijn troon heeft gestoten, de kroon van 't hooft heeft gerukt.

– Kom op, stijve Jezus. Trek die saggerijnige Joycefrons van je gezicht. We hebben wat te vieren, dacht ik.

– Ay ay. Trossen los, antwoordde Anton jolig afwezig, zijn blik getrokken door de zwartgeblakerde kromgebogen stokjes van de sterretjes van oud en nieuw. Naast de regenpijp was een hamsterkooi met tredmolen neergezet. De baby sliep. Of deed alsof.

– Trossen, avro's, vara's, wat zeg ik, hele incontinenten kwamen los. Immers, men had de steven gewend, want 't want gezwind ontwend en kiel en bakzeil gehaald. Ik kan erover meepraten.

– 1-2-3 in Godsnaam.

Dreef weg met het getij. De leukste thuis. De lekkerbekkende. Sterrenbeeld krent.

– Overigens vind ik het nog steeds niet leuk wat er is gebeurd, maar goed, zand erover. We hebben het allebei laten lopen.

– Wat is er dan gebeurd?

– Ik weet nog precies waar het misging. Toen ik terugkwam van *The Beggar's Opera* met mijn vrienden. Jij met je dronken kwaaie kop in de Jaren. Daar had ik toen gewoon even helemaal geen zin in, op dat moment.

Doe mij maar een cappuccino. Fruiteter op stap met de brood-etende mensen. Uit het onuitputtelijke reservoir. Hoe ze heetten ben ik vergeten. Maar ze zaten erbij als misantropische boertjes met vlektyfus op een spijkerbed in de Keukenhof. Hadden nog nooit van Heinz gehoord. Wisten sowieso en tout court en in het algemeen van niks. Zochten geen confrontatie. Zochten... niets! En dat vonden ze bij elkaar. Het wellustige Niets van de Iedereen. De vrienden van Frans. Elke verjaardag was zijn vrienden- en kennissenkring radicaal omgegooid. Hielden ze het zo kort uit met hem? De vrienden van Frans zijn de vijanden van mij. Oud Portugees spreekwoord. Zijn huis hun huis. Niet het mijne. Bollenboer bolleboos. De Huysmannetjes. Hun vader was bloemist. Maar gestopt met muziek toen de doorbraak uitbleef. De Tesseloïden. Er klonk een brandweersirene, gevolgd door nog een, lange slepende klanken die allengs harder werden en daardoorheen het iets neurotischer geluid van een kleiner wagentje. Brand in de straat?

– Ik ga toch even kijken.

– Tis Brands weer. Ze komen je halen. Kakademia roept.

Hij vindt me een zenuwenlijer. En gelijk heeft ie.

Anton liep over de overloop naar de voorzijde van het pand, naar de zolderkamer waar zijn computer stond en het logeerbed lag. Hij ging op het matras staan en opende het krakkemikkige zolderraam. Geen rookpluimen uit de Nederlandsche Bank. Geen brandbom of gedefenestreerde homoseksuelen in de Arrahman-moskee in het Sint Willibrordushuis. Geen vliegende hoeden in de Hoedemakersstraat. Geen witte gedenkrook boven het Anja Joosplein. Links in de straat, in de richting van de Oranjekerk, aan gene zijde van de Van Woustraat, zag hij een drievuldigheid van brandweerwagens staan. Er was een ladder uitgeschoven naar de tweede verdieping. Geen vlammen die aan de gevel likten of zelfs maar een spoor van rookontwikkeling in het verhaal. Ontspannen brandweerlieden, ongehelmd. Geen paniek. Alleen een dakgoot verstopt met duivestront, herfstblaren, jonge sla en teennagels. Sensatiebak. Aardje naar je vaartje. Ramptoerist in z'n eigen leven. Maar stel evengoed dat de hele boel in de hens gaat. De poederblusser van Bors. Borgpen wegtrekken. Toestel richten. Knijpkraan indrukken. Deze woning is al 's uitgebrand geweest. Maakt dat de kans kleiner? Ja, maar de mogelijkheid op de kans niet. Die blijft, over een eeuwigheid gemeten, altijd honderd procent. *Twillby twillby.* Achter Anton viel een pijltje uit het dartbord. Het bleef dreigend rechtopstaan in de cocosmat. Alles wat je vandaag doet, krijgt betekenis. Let op mijn woorden.

— Loos alarm.We hadden wat te vieren. Je draagt het bewijs op je buik. Is het een hij of is het een zij?

— Het is een meisje. Ze is me op de buik geschreven.

— Hoe heet ze?

— Eva. Tegen mijn moeder zei ik dat ik in de bijbel gezocht had naar namen maar niet erg ver was gekomen.

Our great sweet mother. Weggedreven op de advocaatkleurige zee, geel van wee. Inclusief haar dode onreine koninklijke gebalsemde lendenen afgevoerd in de koninklijke grafkelder, temidden van vijfenveertig andere opgezette Oranjes. Daarom komen ze ook allemaal lijkwit weer die kelder uit. Het gruwelkabinet. Daar staan ze, als grizzly's, in dreigende poses. Open monden. Rinkelende tanden. Holle oogkassen. Springen tevoorschijn. Waah! Aaargh! *The Curse of the Royal Orange Mummies.* Vierennegentig. Het mocht godverdomme ook eens tijd worden. Heel het openbare leven staat stil als uw gecrepeerde demente moeder dat wil.

— Zeg 's, hoe bevalt de legale fictie van het vaderschap?

– Nou ja, eerst wilde ik er niet aan. Maar nu het eenmaal zover is, vind ik het toch wel erg leuk.

Hei hei hei!

Aanpassing van de cognitieve dissonantie. Bekende zelfvoordegekhouder. Is er dan niks veranderd? Ik heb hem toch zeker drie jaar niet gezien. Hij wilde ook al niet samenwonen met de vriendin die de moeder van zijn zoon werd zolang dat financieel niet aantrekkelijk was. Ga dervoor jongen! En hij ging dervoor. Bij. Toen hij uiteindelijk ging samenwonen kon hij handig profiteren van de ellende van anderen. U uit elkaar? Wij bij elkaar. Eén groot huis voor twee kleintjes.

Hei hei hei! De Surinaamse bouwvakker die nonchalant de heipaal op z'n plaats hield in de bouwput op de Nieuwe Keizersgracht. Goed openingsshot. Hei! Ext. Bouwput. Hei! Amsterdammers. Hei! *Nooit meer slapen.* Hei! Een film van. Hei! Hei! H.T. Wachterromans. In Zusammenarbeit mit der Südnordwestdeutschbayerische Rundfunk. Camera loopt. Eeeeeeeeeeeen...... actie!

– Frans, je hebt sjans.

– Waarwaarwaar?

Vanaf een balkon schuin beneden keek een oude vrouw omhoog nadat ze op een keukentrappetje op het dak van het Turkse restaurant onder haar een schoteltje melk had neergezet voor een zwartwitte zwerfkat. De benedenbuurvrouw zwaaide en riep iets onverstaanbaars.

– *Moi aussi!*

De charmante charmeur charmeert met zijn charmes.

Je veux! êtrre!

Ta culooooooootte!

– Hoe doe je dat toch?

– Het is een gave, ik weet het.

Mij heeft ze nog nooit gegroet. Damp uit de schoorstenen, snel vervlogen en opgelost in de wind van verandering. Concentreer je op het voorbijgaande. Het vluchtige. Het eeuwige kennen we zo onderhand wel. Dat is a) dat wat nooit ophoudt, b) dat wat steeds terugkomt c) dat wat was, is en zal zijn of d) het temporele oneindige. Slechts één antwoord is het juiste.

— Of het niet te koud is voor je kind.

— Daar kan ik dan wel weer wat op zeggen, maar dat verstaat ze toch niet. Dus laat maar zitten.

Frans Doeleman wuifde pauselijk terug, nog even minzaam glimlachend, glunderend. Zich altijd ervan bewust te worden gadegeslagen. Het is inderdaad net boven het vriespunt. De wind is matig, boven land nu en dan krachtig. Frisse bries in de frisse buitenlucht. Woont daar iemand op zolder? Een vrouwengestalte achter de vitrage achter de bloemetjes voor het raam. Nee, ze heeft een paardestaartje. Meisjesgestalte. In een huis. Klinkklinkklink. Gouden gereedschappen lichtten witte badkamertegeltjes. Er wordt gewerkt, soms verbouwd, soms gesloopt. Maakt zich op. Zeer privé. Ontwaakt zich. Ontnaakt zich. Is ze. Niet kijken. Ziet me. Betrapt! Terug naar de studio.

Kraaien landden op de rand van het dak. Meeuw, solo. Klapklapklap zeggen de vleugels van de duif. Een aalscholver zeilde in glijvlucht voorbij, wiekte dan weer onverstoorbaar door.

Kedangkedangkedang.

Overal bovenuit klonk de roetzwarte merel.

— Jij bent toch net zo'n 'patafysicus als ik. Alles is even onbelangrijk.

Toen we een pamflet tegen de inval van Saddam in Koeweit maakten trok hij een gezicht als een oorwurm. Veels te serieus! Aanvalleeee! Wat wilde hij dan? Vooruit Frans, maak iets van je leven! Het begint met ambitie!

Ongewild gaf Frans Doeleman antwoord op Antons ongestelde vraag. Wij laten geen vraag ongesteld. Haal de tampons maar alvast tevoorschijn.

— Komop. We moeten iets doen voor het land. Wat zeg ik, we moeten niets doen. Doe niets. Hoera weer een dag naar de klote! Pit en werk! *Petunia non olet.*

Doet alsof er niets gebeurd is. Weer een Platforum maken op de automatische woordspelingenpiloot. Olle kracht ooruit! Naar de haaienkoeienkelderbliksem. Ai ai.

Een kattebak werd verschoond.

Klokken luiden. Ze antwoorden elkaar.

Bing?

Beng!

Tijd om te gaan. Laat de verhuisdozen maar komen.

Uitvreter.

⊣⊕⊗⊕⊗⊕⊗⊕⊢

— Wie wil er wat voorlezen? Niet allemaal tegelijk. Jij Arnoud?

— Liever niet.

— Kom op, iemand moet toch wat willen voorlezen. Jij Franciska?

— Dat hoefde toch niet als je niet wou?

— Joost?

— Het is allemaal alleen maar onzin wat ik heb.

Antons zwakke fletse ogen zochten het lokaal af maar vonden slechts hilariteit en zichzelf. Een reis door de tijd. Al je schaduwen die zich vooruitwierpen. *Tat tvam asi.* Hinnikend lachje. Hij knakt zijn vingers zenuwachtig. Ziel volgt later. Zijn zenuwknak vingert hijachtig. In de vangnetten van een voetbalveldje gewijd aan de Olympus. Opgeslokt door Van Heutsz. Velen van ons zullen zich nog voor ogen kunnen halen hoe op mooie zomerdagen, nog niet eens zo lang geleden, kinderen in de vijver van het monument speelden met bootjes, met ontzag opziend naar de hoog boven hen uitrijzende stenen vrouwenfiguur met twee kleine leeuwen aan haar voeten. Of misschien hebben wij hier zelf wel als kind gespeeld. Of misschien zij wij hiervandaan weggevoerd naar het oosten. Of misschien hebben wij hier in 1967 of 1984 een bommetje gelegd. Dynamietstaven opgehangen bij wijze van kerstversiering.

Het roerige Atjeh. Toen als nu. Nee, toen is nu. Retrospectief futurologisch beschreven. *Semper eadem.* Niet als nieuw. Afgebrokkeld, omstreden en verwaarloosd. Maar: een monument. Op de sokkel wijze viltstiftwoorden van een profeet Mohammed: *Ben Laden is the Daily Shit.* Om 9.45 uur precies was ik daar, in de historische ruimte. Er. Tijd genoeg, dacht ik. Alle tijd van de wereld. De vijver waar ze hun dagelijkse brood opeten. Blauwe tegeltjes, deels bedekt met aarde, zand, grind. Vers gemaaid gras. Voetbalplaatjes. Emotionele feiten. Ontmoet jezelf. Nu voor 29,99 (enkele reis).

Can you take me back to where I came from
Brother can you take me back?

Onder het wakend oog van de Tijdgod nog wat marrend in het gezelschap van twee wilde eenden. Drijvende blikjes in zowaar een laagje water. In een laagje water zowaar drijvende blikjes. Genoeg om te verdrinken? Temidden van de kartonnetjes drinken zonder drinken. Wicky houdt het hoofd boven water, de oren van de kat ferm omhoog, met rietjes bij wijze van poten, *tranquillis in undis sævis.* Aan de overkant een jongen en een meisje in amoureuze dolling. Ze vleien zich tegen elkaar aan op de rand van de vijver. Hij kust haar in de hals. Zij eet ietwat verveeld haar brood met ei (nee geen paardevlees!) op en kijkt mij even aan. Ik knik en keur goed. Liesbeth van 5c. *Libidoremi* in het land van ietsiepizzicato. Fijn besnaard maar slecht gestemd, ga ik op zoek naar een andere dirigent. Dus zo denken meisjes over jongens! Wist ik veel. Voldoet de een niet dan zoek je een ander heer. *Battle of the sexes.*

True love that's a wonder

Hier zet men thee en over de zanderige kust. Het moest er nog bijkomen dat ze een schadevergoeding vragen. Smartegeld ter delging van gedorven levensgeluk. Hij voert de woerd met haar brood. Wakkere kleine maar dappere leeuwen waken. Ganzen gakken in het Noorder Amstelkanaal om mij te manen. Bovenhoofds glinstert de stralenkrans in de zon. Mie met de hondjes. Juffrouw van Heutsz. Een kartonnen doos over haar hoofd zou haar goed staan. Coen en de Coenen. Denkoenen. Volk van slagers en slagters. Dynamiet eronder! Hun kop eraf! Preventief profylactisch! Dat zal ze leren! En komende generaties zakkenvullers! En dan? Versplinterde tegeltjes. Onthoofde beelden. Bebloed schoeisel. Nog meer leegte. Overal goudomzweepte snurk. Een sigaretje onder de poort tussen de rokende leerlingen. In het eerste vredesjaar.

— *Soms heb ik even geen zin om verder te leven*
  Soms verlang ik naar God
  Soms denk ik 'waarom loop ik hier rond?'
  Maar nu — tsjak

— Dank je wel. Heel mooi. Helemaal geen onzin.

Weer is het tijd. Wees hier. Nu! Hier! *Uliffeys aan de Aemstel.* Den *Uylisses.* Hm. Moet nog aan geschaafd worden. Voor de plastiche, de plarodie, de dommage aan *Ulysses.* Thema's: zoon op zoek naar een geestelijke vader. Vader op zoek naar een vleselijke zoon. Eén dag uit het leven van Brahma. En wraakzucht natuurlijk. Haat u naaste als uzelf. Dat idee. Zich afspelend alhiero annonu. Parodie. Pastiche. Plagiaat. De drie P's van pikken. Maar *Ulysses* is zelf al een parodie! Elk boek is een recept. Amsterdam die grote stad. Iks-iks-iks. De x van x-rated, x-tra large en xxx-jes. Doedoei. Nederland Neverland Jeneverland.

Als het maar geen meningen worden. Onverwerkt heden. Grunbergiaanse gezangen. Alles feestelijk.

Des levens gloed bij Vlissingen. Fluorescerend plankton.

Een aeroplane schiet aan de andere kant van de ruit als een prop door de lucht. Wat hij leefde heeft afgedaan. Wat hij schreef bleef ook niet bestaan. Zelfs niet als hogere ontspanningslectuur. Stof zuigt gij.

In de lerarenkamer, bij de soepautomaat, reppen burgemeester en wethouders van kutmarokkaantjes en de teloorgang van het onderwijs. Nochtans oud en wijs genoeg. De oude leraar Duits die mij de les leest over vogelpest en dierenleed. Ferguson van Schotse stock. Het evenbeeld van Van Beek met zijn korte beentjes en z'n kussentje onder z'n voeten, omdat hij anders opsteeg in het goetheaanse Empyreüm.

Expecting to fly

Het zijn geen mensen, het zijn typetjes. Half mens half karikatuur. Bint. De Bree. Talp. Donkers. Remigius. To Delorm. Keska. Vandaag adopteer ik een kip. Eerst de kip dan het ei. De pluimveeplezierende polemist. Op de tafel liggen Volkskranten en folders van de Stichting Lekker Dier. Zijn ze niet om op te vreten? De drie biggetjes, twee van vrouwelijke kunne. Een taartdoos met nog enkele gebakjes en temidden van plukken slagroom de kruimelige resten van hun verorberde soortgenoten. Met de groeten van taartman Arnold Cornelisse. En die van Sapman, vruchtenlimonadefabrikant uit België.

– Die varkens hebben het slechter dan de joden in het concentratiekamp.

Politieke prent. Het blijven natuurlijk varkens. Sharon met slagersmes en bebloede voorschoot. Sabra en Shatilah. 1982 was het. Hoe hoog vallen de varkens. Shakespeare's vader was ook keurslagter voor het morse kakkement. Slachtte kapitale kalveren en van het leer maakte hij handschoenen. Eten en laten eten. Homer Simpson in het Paradijs. Pratend varkentje gaat op zijn rug liggen. Wat zal het zijn vandaag? Koteletje, varkenshaasje, karbonaadje. Tast toe. Ook in de beste man kan zich een geheime genieter van haaievinnesoep verscholen houden. Of van kievitseieren. Of van krokodillebiefstuk. Arme arme geddon.

Uw woorden niet de mijne. De steeïge stijl van Mohammed Rasoul. Niet dokter Gerrit. Vandaag 60. De nestor van de nedlit. Het kan raar lopen. Van kwajongen tot algemeen gefêteerd feestvarken en grijze emanentie. En nog vele jaren.

– Nee, echt. Ik kan daar zo boos om worden. Wat wij mensen dieren aandoen, dat is met geen pen te beschrijven.

Dat is ongeveer wel het stomste wat ik ooit gehoord heb.

– U zegt het.

De ondertanden van de saaie profeet. Vegetarische vampier. Lijden aan 's levens zucht. *Forever old.* Loop niet tappelings in nostalgische abattoirs. Pure poehazie. Verschenen in tientallen bloemlezingen. Ik heb van het publiek geen last gehad. Ze houden hier van mooie dingen.

– Jij kent toch mensen bij de krant? Kan jij niet zorgen dat dit erin komt? Het is een beetje een prikkelend stuk. Echt iets voor jou. De knuppel in het hoenderhok, dat wil jij toch ook? De mensen een beetje wakker schudden, *oder etwa.* Ze aan het denken zetten. Waar zijn we in godsnaam mee bezig met z'n allen. Dat er weer 's wat gebeurt, wat jij? Ingezonden brief. Aan de hoofdredactie. Peta. Koeien, varkens, kippen in nood. *Who's next?* Holocaust. Bioindustrie. Singer. De joden werden tenminste niet opgegeten. Ondergedoken hobbykippen. Aangegeven door hun buren. Die vervloekte volgzame mentaliteit. Volkert van der G. Het verhaal van het pluimvee en de hen. Vegetariërs aller landen. Kom in opstand! Hoogachtend.

– Ik draai niet om de hete brij heen, hè. Ik zeg waar het op staat. Tegenover de dieren zijn wij allemaal nazi's. *Potztausend!* We hebben heel wat te verantwoorden in het hiernamaals.

Don't follow leaders, maar volg mij.

– Wat u zegt. Het ruimen van de joden was volstrekt niet nodig. Er was een vaccin!

– Nounounounounou... Zo ver zou ik nou niet willen gaan. Zorg jij dat het erin komt? Dus jij zorgt dat het erin komt?

Verwachtingsvol keek de leraar Anton aan en er brak een glimlach door op zijn grauwe gerimpelde gelaat. *Luctor et emergo.* Een idee, een idee, mijn koninlrijk voor een idee.

– Jij houdt toch zo van Joyce, hè? Maar wist je dit?

Nou komt het. Vertel me iets wat ik niet weet. Hou je vast.

– Wist je dat *Ulysses* overal verboden was, maar niet in Ierland? En weet je waarom?

De spanning stijgt. Tromgeroffel. Onderdrukte scheten uit het publiek. Vuur!

— Het was niet nodig! Er was geen enkele boekhandelaar die dat boek wilde verkopen! En er was trouwens ook niemand die het wilde lezen!

Oude zak vol nieuwe wijn. Martin Ros op zaterdagochtend stikkend in het braaksel van zijn eigen enthousiasme.

— Het was niet nodig! Het hoefde niet!

Wat is daar nou leuk aan?

Nog naproestend hield hij de deur voor Anton open, met in zijn andere hand een papieren bekertje onbestemd bruin schuimende Chinese kippensoep met een pootjebadend plastic koffielepeltje. Hongerig hapte hij de hete soep van zijn hand, tussen duim en wijsvinger, terwijl de geur Antons neusvleugels bereikte.

⊹⊕⊗⊕⊗⊕⊗⊕⊹

Er is een x zodanig dat $x = y$. Met zijn vlammend zwaard jaagt hij het isgelijkteken uit het aardse paradijs van de logica. Onverbiddelijk. Die ik bent gij. Eigenlijk. Eigelijk.

Cut!

Twee auto's geëscorteerd door motoragenten die de weg vrij maken. Koninklijke bloedjes en prinsenkindjes in de De Lairessestraat voorbijsuizend op weg naar dodenstad Delft. Tomben. Hecatomben. Goede dood wiens zuiver pijpen door mijn verstilde leven boort. Denkend aan de daad kan ik niet slopen. Uit de Hollandse necropool. *Delft la morte.* Wie zijn het? De een en de ander. De argeloze en de boze. Hij is hem en zij is haar. O die. Hou je ogen open. Noteer. Hoedje. Automerk. Is het belangrijk? Dat zal achteraf blijken, ouwe 'patafysicus die ik d'r ben. Kenteken. Weg. Ze worden ergens tussen elf en twaalf uur verwacht en het is geen theevisite. Zien ze de borden die reclame maken voor het nieuwe lovepotionijs en liefde in de Hermitage? Denken ze eraan? Zijn ze bang? Hoe zien ze eruit als ze de rouwkamer binnenlopen? Roken

voor hem afsloeg om van de Koninginneweg op het plein te komen en zich daarvandaan in een noodvaart naar Mokum Motors in de Van Ostadestraat te begeven ten einde enig sleutelwerk te laten verrichten waar hij (de motor) dringend aan toe was. Moet wel. Mis, verstand. Vloeibare verschuivende identiteit. Hij is ander hij nu. Weggebruiker. Antagonist. Een lawaai. Vergeten vijand. Was het wellicht de Ouke Baas van Mokum Motors zelf, tijdens een testrit? Herkende hij me? Schele! Fietsen worden verwijdert. Alle malen zal ik lachen. Vroeaaaaap! Wat zijn we weer beleefd vandaag. Je wordt een heel ander mens op zo'n motor en dat geldt ook voor auto's. Imbeciel! Denkt u dat u er iets mee bedoelt? Of weet u het zeker? Kon ik het anders begrijpen? Kortom: hoe gebruikt u deze uitdrukking? Wat is de mentale begeleiding van uw formulering? Zou u het ook zeggen als ik van de andere kant kwam? Ik kan eetbaar motorrijdertje met je witte kroontje op je kanis! zeggen, met een streep onder <u>kroontje</u>, en precies maar dan ook exact hetzelfde bedoelen, als u het zou zeggen dan. Het zou fijn zijn als we daar afspraken over konden maken. Bovendien, ik reed door oranje. Of was het al rood? Stoppen is waarschijnlijk sowieso beter. Beter voor je hart ook. Stoppen met roken. Stoppen met drinken. Stoppen met doorgaan. Lul. Imbeciel. Noemt u mij een imbeciel? Nee, je bent een imbeciel. De stem des volks. Door mij spreken verboden stemmen. Monddood gemaakte stemmen. De dag begint pas goed als je een keer lekker bent uitgescholden.

À propos, was dat niet de plek waar je in slaap viel op de fiets in de vrieskou na een avondje Soviet Sex in de Winston met je broertje en Ellen ten Damme op viool en op blote knieën? Godnomdeplume! Daar was het, die goot. Geen fraai gezicht. Sterker nog, je hele gezicht naar de maan. Getransformeerd tot een tomatenpureeachtige pulp bij elkaar gehouden door een dronken glimlach en een winterwortel die je bloederige nazineus moest voorstellen. Het was winter. Bitter koud. Je kon schaatsen op de Amstel, met bebloede ijsmuts en winterjas, dientengevolge. Er was een x en die werd y. Onherstelbaar verbeterd. Hé wat is er gebeurd met die maffe rotkop van jou? Hij zag zichzelf schaatsen met zoon en dochter op het keiharde ijs, stram, een oude man met aardappelschilmesjes in plaats van benen, zijn laatste. Een nachtmerrie van Hendrik Avercamp. Uit de diepten loerden de verdronkenen, de gedrochten, de duiveltjes en de koppoters die elkaar te lijf gingen met gebaksvorken en ganzeveren omdat ze jou niet te pakken kregen. Slaap, ik wil dat je slaapt!

Nooit is hij geworden die hij zou worden als hij een ander was die een ander moest worden. Maar dat weet je vantevoren niet hè. Je zou wel een enorme klootzak wezen als je dat vantevoren al toegaf. De filosoof Hennie Stamsnijder.

Er kan niet geslapen worden eer er wakker geworden is. Da's logisch hè. Word wakker dan! Nooit meer wakker worden. De dood is geen onderdeel van het leven.

I've got my blue fingers, blue fingers going all night long

Als de dichter slaapt hangt hij een bordje aan de deur: Hier wordt gewerkt. Anton reed om het plantsoen heen met het beeld van de zittende gehypnotiseerde vorstin opgestuwd en op handen gedragen door zes vrouwenfiguren zoals verbeeld door Lambert van Zijl en onthuld door Wilhelmina op 16 juni 1938. Zelfs de wereld der vegetatie brengt haar roerloosheid hulde. Serenade door narcis en bladgroen, een prélude in smaragd voor trompet en rechterhand, *vulgo* het ruklied.

Rukkerukkerukkerukke!

Rucking all over the world

Slaap, ik wil dat je slaapt! Kan je twee keer in dezelfde droom stappen?

Eigenlijk?

Als basis van een waarheidsoperatie? Is is niet het tegenovergestelde van isniet. De wereld van de conifeer is niet die van de merel en de wereld van de merel is niet die van de rups.

Het was in in Egypte. Ik was er al eerder. Onder oude zandkleurige huizen een kanaal waarin capibara's rondzwemmen en kinderen spelen. Watergepreuzel. Mijn woord tegen het zijne. Jouw woord tegen het mijne. Er was een museum annex bricabracwinkel. Een suppoost kwam een stempel zetten in mijn paspoort. *In Nederland door overmoed.* Hij geeft me een folder en kaartjes voor een tropisch zwemparadijs, met golfslagbad en bubbelbad met eucalyptusgeur. Ik stoot een flamingo van suikergoed om. De toeristen keuren de koopwaar, maar het is echt mooi. Er is een meisje bij. Shirt met Amerikaanse popsterren, rode pumps. Waren het beverratten? vraagt ze. Nee. Was het een coelacanth? Nee. Dan was het een zwartvoetzoenvis! Krek zo is het. Zo is het recht. Perfect. De wereld is mijn voorstelling. Sluit je ogen, draai rondjes en kyk maar, met ogen dicht: die kip zyt ei. *Archeopteryx Spirographica.*

Hondje hondje hondje!

Een lobbes van een labrador snuffelt aan de poten van het groene bankje. Geursporen. Wat zij ruiken zien wij niet. Als wij gestopt achter de tralies van hun voorstellingsvermogen. Nee, niet tegen. Dag hondje.

Een vrouw in lichtblauwe sportoutfit huppelt voorbij met borsten die wanhopig uit de omspanning van haar T-shirt proberen te onstnappen. Molly Malone de kokkels en mosselverkoopster in brons *in Dublin's fair city.* A sale of two titties. Venus van Willendorf in training. Only the balls should bounce. Do you like Kipling? Prehistorische porno. Een jager dagenlang op jacht en ver van huis grijpt naar zijn fetisj als de nacht is gevallen en het vuur in de schuilgrot is aangemaakt. Een ander blaast op een benen fluit. Met de vlam in de pijp. Het artefact gaat van hand tot hand. Groepsgebeuren. In dit teken, medemensen en -mensachtigen, storten wij ons zaad op de rotsen. *Every sperm is sacred.* Sibawayh! Pazuzu! Vruchtbaarheidssymbool me neus. Praktisch nut, meneer. Of zouden ze toen nog genoeg fantasie hebben om het uit het blote hoofd te doen? Met de blote hand. Onder de blote prehistorische hemel.

Wat ga ik eigenlijk doen vanavond? De uiteindelijke eindafreke-

ning. Ober, mag ik even afrekenen? *La mayonaise, est-elle de la région?*
Bweuaap! Hij zette zijn fiets tegen een bankje, maar te schuin op het
grind, zodat het rijwiel met donderend geraas onderuit gleed,
daarbij het hangslot afwerpend. Aan de overkant van de boeddha-
vijver met de drooggevallen en lichtelijk teleurgestelde pier voor
de eenden hurkte een man in het zwart achter een boom. Een gek.
Altijd geweest. Twee vrouwmensen bespraken de situatie.

— She's been miserable for the past two years.

Voetstappen met Walkman puften voorbij. Gekweld joggende
man van smarten. Elke stap kan zijn laatste zijn. Wordt allen voorbijgangers. Of gangsters. Dankjewel Frans. I hear voices. De Doeleman is weer in me gevaren.

Shit!

Waar is mijn potlood?

Een overvolle afvalbak. *Quis est homo?*

Planken om de bomen. Heel het park ging op de schop, met be-
hulp van Blommesteijn, Loon & Verhuurbedrijf uit Zevenhoven,
en Bert Jonk uit Purmerend. Vondelpark Wondelpark, met geruis
en zonder geruis. Met de flam in de pet. De vervelende werveling
aan de macht! Verflucht nogmaals! Verdampt! Bank nog nat van de
dauw. De Asshole formerly known as Adrie van der Heijden. Oude
grap, maar nu is het een openwondmond. Tel de lachers op je
hand. Dikker kan het niet. Met zijn laatste stukje Skandinavisch
wittebrood veegt hij zijn bord schoon van eigeel. Bij Meeuwese
was dat. Een tevreden eter. Schrijven als straf. Als mechanische
productie van *textual matter*. Allemaal willen ze de ultieme *fleuve
roman* schrijven, de Amsterdamse *Ulysses*. Allemaal willen ze Joyce
worden, maar niemand wil hem zijn. Stom trouwens dat de titel
nooit vertaald is. De Grieksromeinsverengelste held zou in Grieks-
romeinsvernederlandste verdolinghe Ulixes moeten heten. Type-
rend staaltje laaglandelijkheid om dat niet te durven. Schaamte
waar is je blos. En dan hebben die Vlamingen de eerste zin ook nog
in tweeën geknipt ook nog. Nee, het niveau is wederom hoog in

Vertalië. Nu wil onze Arie een lintje voor zijn dappere werk aan het front van de cultuur. Een horloge voor vijfentwintig jaar trouwe dut. Dat had zijn vader tenminste nog gekregen. En wat kreeg hij? Een inderhaast in elkaar geflanste advertentie. Het is niet eerlijk. Uitgeverij Querido feliciteert. De homo triplex. Noem mij Ab. Ab Ollo. Ab ollo aan A3. A3 antwoordt niet meer. Kop op, Adrie, niet saggerijnen dan, want daar krijg je dikke benen met spataderen van.

Hij keek omhoog. Wat zien zij?

Ahoy!

S.O.S.!

Er vloog een vliegtuig over, langzaam dalend, naar veilige thuishaven, een eenzaam bulderend luchtschip.

—｜⊕⊗⊕⊗⊕⊗⊕｜—

II

Meneer Bloem at met graagte pistoletjes belegd met kaas en gegarneerd met sla, warme foccaccia-broodjes met een pestosausje en andere deegwaren mits ambachtelijk geprepareerd en met smaak opgediend. Hij hield van de knapperige korst van vers gebakken brood, van de zachte maar stevige substantie binnenin en van de mengeling van smaken die de boter en de opgelegde kaas- of vleeswaren met elkaar maakten.

Wat was dat? Een kleine nachtmuziek speelt op het carrillon van de Westerkerk. Tijd om te blijven liggen. Dan klinken de klokklinkende klokken van Hemony, oordelend.

Meneer Bloem stond op en liep de binnentrap af naar de keuken. Hij genoot van het ronken van de citruspers in de morgen. Eigenlijk is het acht uur. Nee, zes uur. Fantoomtijd. Boos sprongen de sinaasappelschillen terug uit de pedaalemmer op het linoleum.
– Pfflop.

Vaatdoek. Terug in je mand. Op de keukentafel lag een folder met de uitnodiging om naar de keukenbeurs OverHeerlijk te komen. Drie dagen culinair feest. Folderterreur. Lees mij. Triomfantelijk, licht honend gekwinkeleer en gekwetter van de vogelen des stads. Hallo, ik ben hier, waar zit jij, o nou ik ben vlakbij, hoe staat het ermee, hoor je me, ik ben ja hoe oud wordt een merel eigenlijk weet ik veel ik ben twee jaar en ik doe een mobiel na. Of is het een spreeuw. Die doen alles na. Familie van de beo. Wacht. Daar op de schoorsteen. Zwartgeblakerd zwartgevederd. Ochtendboodschapper. Dit is het bulletin van acht uur. De insekten zijn nog niet op dus volgen hier de overige voedselprognoses met de bijbehorende pakkansen. Het levensgevaarlijke monster ligt te slapen onder het tuintafeltje, als vast onderdeel van zijn twintigurige slaapdag, de buurvrouw maakt zich mooi, voor de kinderen is er

Goede Start witbrood met biologische pindakaas en chocolademelk met een rietje. En alles is rustig.

Ze weten precies voor wie ze bang moeten zijn en voor wie niet. Dag poes.

Ze willen dat je naar ze toekomt, dan mag je ze aaien. Net als vrouwen eigenlijk. Elke man jaagt op een vrouw, tot zij hem verschalkt. Vrouwen en poezen behoren toe aan wie ze te eten geeft.

Meneer Bloem deed het lampje aan boven de piano en vervolgens de radio. Aangepaste programmering. File op de A13 bij Delft. Er wordt aangeraden met de trein of met de bus te gaan.

– Op de markt van Delft hebben zich de eerste belangstellenden verzameld. Halverwege de nacht zaten de eersten al bij de dranghekken.

– Als je iets doet moet je het goed doen.

Niets wordt aan het toeval overgelaten. Na een laatste.

– Kluk.

De hele nacht met je kinderen in de rij voor een lijkkoets. Hebben ze een dagje vrij, moeten ze mee om afscheid te nemen, knuffels mee. Waar je zin in hebt. Bij Claus stonden ze ook in de rij. Een stukje eerbetoon. Medeloven. Wat zeg ik. Ik bedoel medeleven natuurlijk. Wordt het erger de laatste tijd? Soms kom ik helemaal niet meer op woorden. Namen net zo. Of ik moet er heel lang over nadenken terwijl het op het puntje van mijn tong zit. Perpendiculair. Duodenum. De accordeonist van Johnnie Jordaan. Jan nog wat. Maar wat kan je eraan doen toch? Verleden wordt nimmer meer heden.

Met de rand van het ene schoteltje schraapte hij het kattevoer van gisteren van het andere schoteltje, en vice versa. Hoog rinkelend ochtendgeluid dat echoot tegen de muren van de binnenplaats. In de gele plastic blokkervuilnisbak op het balkon komt het voer terecht op een oude zwarte Wibrabh. Stond haar goed. Kanten bladmotief, bloemetjes. Waarom eigenlijk? Herinnering aan het Paradijs. De vrije natuur. Hij ververste het kommetje water en vulde de brokjes op het schoteltje bij met een nieuwe hoeveelheid Sensible 33 voor kieskeurige katten of katten met een gevoelig spijsverteringsstelsel, samengesteld uit vernuftig gedehydreerd gevogeltevlees, rijst, maïs, de heerlijkste gevogeltevetten, de onvermijdelijke maïsgluten, ragfijn eipoeder, al even vernuftig gedehydreerd gevogeltelever, vreedzame bietenpulp, gist, mineralen, plantaardige vezels, eveneens plantaardige olie, visolie (dat ook! goed voor vacht en darmwandbescherming: het legt een vliesdunne film over de uitwerpselen), mysterieuze Fructo-Oligo-Sacchariden, diverse sporenelementen, nooitvangehoorde DL-methionine, L-lysine, taurine en de overbekende en o zo belangrijke vitaminen. Alles zat erin! En het was waar — ze kotsten minder. Het hortende kokhalzen van de niet zo kieskeurige kat.

– Kok kok kok kok — bwok.

Alstublieft, speciaal voor u. Opgepompt met de modernste biologische technieken. Wat van diep komt is lekker. Keurig verpakt. Ze leggen ook muizen voor je neer en merels. Relatiegeschenken, een beetje aangevreten maar. Verder nog prima te gebruiken. Als speeltje, in de soep, of als educatief materiaal. Als je ze weghaalt zeg je dankjewel. Een witte kat is het behoud van uw vogels. Minder jaaggraag. Siamese zijn het ergste. Instinct. Knip knip zei de schaar van de kledermaker. Dat verhaaltje vond hij altijd het engste. Vroeger.

Hij schudde zijn hoofd en zette het schoteltje en het kommetje water neer naast de ijskast waarna zijn kat abrupt ophield met kopjes geven en spinnend aanviel.

Meneer Bloem leunde op de witte trap en riep naar boven:

– Zijn er nog waxinelichtjes?

Uit de douche klonk een licht aangebrand maar uit duizenden herkenbaar stemgeluid.

– Kijk eerst zelf even goed voordat je het weer aan mij vraagt.

Hij hoorde een deur dichtgaan. Gedoucht. Met een rode toren van een handdoek op haar hoofd liep ze naar de slaapkamer. Gaat terug naar bed en zet de tv aan. Prins Bernhard komt in een eigen auto naar Delft. Zesduizend militairen en zeshonderd veteranen hebben zich verzameld bij het Feyenoordstadion in Rotterdam. Ontbijttv. Verslaggever Wouter Kurpershoek vliegt straks naar Letland. Hij zei onmiddellijk ja en hoefde er geen moment over na te denken. Je zou gek zijn als je nee zei. Opnieuw slachtoffers in Tasjkent. De NAVO heeft zeven nieuwe leden. Het programma voor vandaag. Om kwart voor tien komt de lijkwagen voorrijden. De bloemenbrik. De bemanning van het begeleidende rijtuig. De vier oudste zonen. De markt wordt 's nachts voor een laatste keer schoongemaakt. Tot zes uur mocht er niemand op de markt. Klapstoeltjes en warme chocolademelk en boodschappentassen vol eten en drinken. Om 11 uur 30 volgt de formatie van de grotere rouwstoet. Het wachten is nu op de lijkwagen die hier aankomt. Geel vaandel. Beremuts. Het standaard van de cavalerie. Lekker typ.

— Ik ga er even uit. Moet jij nog wat hebben? riep hij wederom omhoog het trapgat in terwijl hij zijn gele jasje van het klingelende hangertje onder de trap trok, maar een bevestigend of ontkennend antwoord bleef uit. Nee dus. De tv werd harder gezet. Dan ga ik maar. Hij trok de deur zacht achter zich dicht. Sleutels. Had ie. Zakje aarde. Heb ik. Uitnodiging. In m'n binnenzak. Jauts! Schaaf je niet aan de structuurmuur bij het buiten gaan naar. Opengehaalde knokkels. Ze doen het expres. Door dat kiezelstructuurtje blijven de bewoners tenminste met hun poten van hun mooie muren af. Bloesem boven het witte tuinameublement waaronder nog steeds de witte kat lag te slapen, wellicht te dromen van de opgezette foxterriër op wieltjes die naast hem stond. Kool- en pimpelmeesjes vlogen af en aan. Kinderfietsjes en een tractortje voor de nooduitgang. Alltijd een mooi gezicht. Hij was buiten.

De lentelucht prikte in de neusgaten van meneer Bloem toen hij tussen de Amsterdammertjes door laveerde. Gaan ze weghalen. Strenger parkeerbeleid krijgen we ervoor terug. De automobilisten zullen wel weer vloeken. Maar die vloeken altijd. En anders kankeren ze wel. Als ze straks weer een gracht van de Westerstraat gaan maken, zal je ze ook wel weer horen. Hier zat het Biggetje, waar Patrick Kluivert nog wel eens kwam. Het café met het hoogste percentage onopgeloste moorden. Welgeteld twee. Ze hebben het langer uitgehouden in de straat dan Caroline de Bruyn. Op de hoek van de Egelantiersgracht zong een kanariepietje in zijn kooi achter glas. Kan niet weg. De vrije buitenlucht is zijn element. Niet een doorrookte kooi. Maar ze blijven zingen. Melancholie. Een van de zeven temperamenten. Soms uiting van manische depressie. Goede vriend wiens zuiver pijpen... O ja. Half elf Rembrandtplein. Arme Bertus. Nou ja, beter zo. Waarschijnlijk. Ziekenhuizen gevaarlijke plaatsen. Er overlijden gemiddeld meer mensen dan in het verkeer. Maar het is ook een soort oversteken.

Break on through to the other side

Groen. Slagerij Van Vliet. De vleeshouwer met de K.

You need meat

De boomlange slager staat een opengehaalde stekker weer in elkaar te schroeven.

— Bijna een binnenbrandje.

Vandaar dat de kippen en de grillworsten nog niet staan te draaien en vet te lekken op de stoep.

— Zo'n stukkie?

Hij laat de worst zien.

— Kunt u het snijden?

— Natuurlijk.

De kale jongeman met de koptelefoon die na meneer Bloem is binnengekomen houdt het voor gezien en springt weer op zijn fiets.

— Zeker haast.

— Geen zin om te wachten.

Buiten rijdt een onafzienbare stroom fietsers langs, richting binnenstad. De grote dagelijkse intocht is begonnen. Waar is de brand?

Binnenbrand in de binnenstad. Billen op zadels. Blozende hammen komen voorbij.

Fatbottomed girls

You make the rocking world go round

De glazenwasser nam aan de overkant in enen door de voordeur mee. Ook een vroege vogel. Zou ook de hogedrukspuit voor de graffiti voor z'n rekening kunnen nemen. Natte beroepen. Meneer Bloem stak over op het zebrapad halverwege de Rozengracht en begaf zich naar de pinautomaat. Het wordt een drukke dag vandaag. Beter er snel bij zijn. Geen kans op zaterdag. Sta niet graag in de rij voor geld. Heeft toch iets crimineels, alsof je betrapt wordt op iets. Daarom kijkt iedereen ook altijd ook zo schichtig om zich heen.

– Neem uw geld en wacht op uw transactiebon. Het opnamevak sluit vanzelf.

Alles spreekt in zijn eigen taal. Ook de pinautomaat. Zouden kinderen nog denken dat er iemand inzit? Een Japanner of een dwerg. Daar zijn ze tegenwoordig veel te wijs voor. Ze weten alles al voordat ze geboren worden. Kunnen ons seksuele voorlichting geven waar je steil van achterover slaat.

Een manke kraai kraste en pikte koude bleke friet uit de berg vuilnis aan straat. Haantjepik. Laat zich niet storen. Ouwe vlam van Carla. Dingdong. Goed dat ik er niet ben. Nare man. Manke dameskapper op leeftijd met z'n poedeltjes en z'n kapsonesuithalen met die gruizige grintstem van hem. Straks naar Lowie Kopie voor de uitnodiging. Tulp met de kaart van de stad in de bloembol, met de ringen van de grachten als de schillen van een ui. Binnenin een metrokaartje met onze adressen van de afgelopen vijfentwintig jaar bij wijze van halteplaatsen. Prinsengracht. Egelantiers. Nieuwe Keizers. Van Lennepkade. Govert Flinckstraat. Laurier excuus Laulie. Aalsmeerweg. Anjeliersstraat. Zou een landenbol al eens bedacht zijn? Een wereldbol, een globe, verbeterde meneer Bloem zichzelf in gedachten, maar dan alleen van je eigen land.

[Calypso]

Zo'n globetje als van onze voormalige minister van buitenlandse zaken, die hij op z'n bureau heeft staan thuis. Zo'n petieterig gevalletje. Misschien met een lampje erin. Ideaal voor xenofoben. Of zelfs een stadsbol. Een wijkbol was vroeger al genoeg voor de meeste Jordanezen. Die kwamen nergens anders.

Het beloofde een mooie dag te worden met uitbundige zonneschijn, al was het nu nog een beetje kil en stond alles toch zo'n beetje in het teken van de dood. Het licht dat voorgoed afscheid neemt. Meneer Bloem zette de pas erin in de beschaduwde Akoleienstraat. Winkeltjes verdwijnen. Waar Carla vroeger haar bh's en corsetten kocht in de Eerste Tuindwarsstraat bleef het ondergoed in de etalage nog jaren stof verzamelen. De zon schijnt voor iedereen, maar hier niet. Vrieskou in de lucht. Maar de aarde warmt op en de gordel versmacht. Over tien jaar staat Nederland onder water en zijn er geen bossen meer in Indonesië. Kaalslag. Modderstromen. Kinderen die lachend in open riolen duiken op zoek naar iets bruikbaars. De zoveelste kring in de hel met harten en hoofden op staken van tropisch hardhout. Met klewangs en machetes afgehakte of liever -gehouwen ledematen. Kleurloze karkassen van karbauwen met de poten omhoog. Een desolate vlakte en een vogelloze hemel. Lijken drijven op hun opengereten buik stroomafwaarts, gevolgd door hun ingewanden die eruit hangen. De duivel dekt met zware vlerken een duistere natie toe. De Oost nog slechts een trekpleister voor pedofielen en andere profiteurs die massaal op nog niet door het massatoerisme ontdekte stranden afkomen. Wat te doen? Lid worden van het Wereld Natuur Fonds. Bussen laten rijden op waterstof. Te laat! Treurig treurig!

Er is geen weg terug.

Maar ik kan nog wel naar huis. Wat gaat het mij ook allemaal aan, het wereldleed? Het zal mijn tijd wel duren. Jaja, ik mij mijn. Hij belde aan en wachtte op de zoemer en haar stem. Hoop dat ze me er nog in laat. Dan ga ik even tegen haar aanliggen en. O nee, die uitvaart. Niet in de stemming. En ze krijgt hoog bezoek. Straks de sleutel niet weer vergeten.

— Ik ben m'n sleutel vergeten.

— Heb je nog aan die uitnodiging gedacht?

— Hij was dicht. Tien uur gaat hij pas...

Open ging de deur. Meneer Bloem was weer binnen. In de gang stond een pakketje voor mevrouw Carla Bloem door TNT bezorgd. Van hem voor haar. Nieuw repertoire. Sexy ondergoed. Explosief materiaal. De deur boven stond al op een kier. Weer naar bed gegaan. Hij zette het pakket op de keukentafel en vulde de fluitketel voor de viervruchtenthee. Wordt al zwaar. Genoeg. Hij deed de voorgebakken kaiserbrötchen in de oven en legde de voorgesneden worst in de vleeswarenbewaarbakjes.

Onderweg naar het vertrek waar de computer stond, zei hij in de richting van de gesloten slaapkamerdeur:

— Er is een pakje voor je.

— Ik vin het nu heel fijn om hier te zijn. Het is de koningin waar ik mee opgegroeid ben.

Andere stem. Ander iemand. Zou eng zijn als je niet wist dat het de tv was.

— Ik ga nog even mijn e-mail checken.

— Je gaat je gang maar. O Klaas!

Hij deed de slaapkamerdeur open en stapte naar binnen, de klink in zijn linkerhand vasthoudend. Ze lag in bed, haar bovenlijf gestut door hoofdkussens. Bedliggerig.

— Hm?

— Wat is de Nike van nog wat?

— Wat?

— Op de kalender voor gisteren. De Nike van Samo en nog wat.

— Ah naaik, Nikè. Overwinning. Een beeld van de overwinning. Van de oude Grieken. Waar alleen nog de vleugels van over zijn.

— O. Zie ik je vandaag nog?

— Ik heb veel te doen. Ik bel nog wel.

[*Calypso*]

Nicolaas Bloem checkte zijn e-mail. Na het verwijderen van de boodschappen dat er een virus was aangetroffen in een aan hem gerichte boodschap en de ongevraagde advertenties voor farmaceutische producten liep hij nog even langs in de chatroom om te chatten. Hij las de instructies van zijn kleindochter. Internetverbinding maken. Op groene poppetje met kruisje erdoor klikken (rechtsonder in het beeldscherm). Klikken op sign in. Wachtwoord en e-mail intypen. Klikken op ok en dan is het klaar. Praten maar! Hij logde in onder zijn codenaam Dokter Tulp en zag dat zij on-line aangemeld was, zijn geheime en onbekende correspondente Orgie_Dee voor wie het internet de poort is om naar buiten te gaan. Orgie_Dee zegt: Hallo ben je d'r weer stoute jongen. Dokter Tulp zegt: Maar heel even want ik moet naar de wc en ik heb water op staan. Orgie_Dee zegt: Bah wat onromantisch vertel eens iets wat je gedroomd hebt vannacht. Dokter Tulp zegt: Ik droomde over een ketting van groene edelstenen die ik jou om de hals kwam hangen. Het was heel warm en klam. Ik moet gaan ik ga je hangen doeidoei. Orgie_Dee zegt: Doedoei ik ga me aankleden, doktertje. Rode bh en bijpassende string. Tot befs. Wanneer gaan we weer eens spelen. Dokter Tulp zegt: Mm mmm ai aai aiaiai.

– Klaassie! Je water kookt!

Nu hoorde hij het ook. De fluitketel floot. Een lied van verdriet en heimwee. Does your wife smoke? Meneer Bloem liep zelf fluitend van de weeromstuit naar de keuken, zette het gas lager, liet de ketel pruttelen en begaf zich vervolgens zelf naar het strategisch midden in de woning geplaatste toiletblok. Tijd om te berakken. Mozes in de rapenkelder. Op de binnendeur van de wc hing een stijlvolle poster met daarop een zwartwitfoto van een dame in haar boudoir. Met ontbloot bovenlijf zit ze met opgetrokken knieen op een chaise longue en aait ze haar kat. Streng, maar ook enigszins lusteloos en weemoedig, kijkt ze in de camera. *Madame est seule* staat er in sierlijke letters onder. Lang zitten onmogelijk. Je stinkt weg en je huisgenoten daarbij. Een goede stoelgang is het gezonde begin van de dag. En gezond was de stoelgang van meneer Bloem, als gevolg van een uitgekiend dieet waar geen element uit de schijf van vijf werd overgeslagen. Glanzend, ononderbroken en samenhangend. Gisteren bietjes. Nee hè, wc-papier op. Shit. Maar er was wel wat te lezen. De filosofie-scheurkalender bracht uitkomst. Zijn doortrapte, laaghartige manier om haar wat bij te brengen. Elke dag een feit om op te steken of over na te denken. Of niet, dat gebeurde ook. Waarom doe je niet mee met Weekendmiljonairs? Of Per seconde wijzer? Of Twee voor twaalf? Hij zou op de eerste soapster sneuvelen.

Daar had je haar naaik. Een raceauto is mooier dan de Nikè van Samothrace. Futuristisch manifest. Grrsk. Frrrmmllfr. Het nut. Vfg-vfg-vfg. Van filosofie. Vgfff. Is groter dan u denkt.

En weer verdween er een dag in het riool van het verleden, samen met Emanuel Swedenborg en de Markies de Condorcet, om plaats te maken voor Moses Ben Maimon oftewel Maimonides, op de dag af achthonderdnegenenzestig jaar geleden geboren te Cordoba in het huidige Spanje.

Arme Bertus!

—⊕⊗⊕⊗⊕⊗⊕—

Voor alweer de tweede keer die morgen verliet meneer Bloem zijn woning en sloot hij de gele voordeur van het maisonetteblok door deze rustig naar zich toe te trekken terwijl hij zich zelf al op het trottoir bevond. Het dagelijkse déjà vu. Geen dag hetzelfde toch. Tijd te langzaam. Babymassage. Zwangerschapsbegeleiding. Yoga. Bewegingstraining. De geschiedenis die zich herhaalt in eindeloze deining, ons bedrieglijk wiegend op de baren. Tot plotseling. En dan aanspoelen op een onbewoond eiland. Tussen twee palmen is een hangmat gespannen en er staat een Cuba Libre en een gebraden smient voor je klaar, naast een verrekijker waarmee je naar de fregatvogels kunt kijken, zwevend op de thermiek.

Net als de eerste keer sloeg hij linksaf, maar in plaats van rechtsaf de Madelievenstraat in, liep hij deze keer rechtdoor, aan de even kant van de Anjeliersstraat, aflopend, in de richting van het centrum. Amsterdam s'éveille. Hoewel. De krakers van Kraakwakwou lagen nog op één oor. Ook nog geen Jiskefetters in hun onafscheidelijke spijkerjekkies te bekennen. Nog te vroeg in het seizoen. In de klimop klom nog steeds het gestileerde geveltoeristje omhoog tegen de buitenmuur. Hij klimt en nooit komt hij boven. *Perpetuum amobile*. Dat opgewonden dikkerdje op zijn racefiets. Dat hij er niet doorzakt mag een wonder heten. Druilerige Sanzo Pancha op z'n overbeladen uitgehongerde ezeltje. Kijkt een beetje vuil uit zijn ogen. Altijd even chagrijnig die lui, alsof ze iedere dag met hun verkeerde been uit bed stappen. Moet denkelijk zo zijn: grappenmakers zijn altijd depressief. Compensatie. Leuk is anders. Charlie Chaplin. Wim Kan. Simon Carmiggelt. Benny Hill. Allemaal vergeten. Die ene speelde Johnnie Jordaan best goed. Beetje bekakt, maar een goeie scheve bek en kleppen als een oud wijf. Met een beetje dat verdrietige, dat tragische, dat J.J. ook had. En die goser die die chauffeur van hem speelde, kon zitten als een Jordanees. Kijk, dat is acteren. Zonder dat je één bek open hoeft te doen. Niet dat overdreven geschreeuw de hele tijd. Jonge gast, die komt er wel. Speelde Hamlet. Echt talent. Vroeger kon je weken genieten van zo'n serie, nu jagen ze dat er in een paar avonden doorheen. Gekluisterd zaten we met de hele familie naar De Stille Kracht te kijken en de Onedin Line. Het leek of er geen einde aan kwam. Je kreeg tenminste de tijd om ergens in te komen. Nu moet alles snelsnel.

Kijk: de humor ligt op straat. U de hond, wij de stront. Een nonchalant geklede man en zijn hondje slenterden het plantsoen uit en staken de tijd nemend over. Een man en zijn hond. Een hond en zijn stok. Wat zeg ik, een hele boom sleept hij achter zich aan. Om zijn sporen uit te wissen? Nee, hij luistert naar de baas. Koest. Lig. Blijf. Pak de stok. Zoek de stok. Braaf. Geef poot. Braaf zo. Braaf.

– Kunt u een kleinigheidje missen? Ik ben bij het Leger des Heils en. Ik heb een Zine en een Spits en een Uitkrant en.

– Ik zal even kijken of ik nog wat heb.

April. Tentoonstelling Kubrick-affiches. Cinerama The Return. Dubbeltjes, stuivers, centen, geen hele euro's of twee eurostukken. Wacht, los in mijn broekzak, muntje voor het winkelwagentje in de AH. Nog wat kleingeld erbij. Aardbeien.

– Da's alles wat ik heb. Ik hoop dat je er wat aan hebt.

– Dankuwel. Dan kan ik weer slapen. Dankuwel. Alstublieft.

Meneer Bloem rolde het magazine van het filmmuseum op en stak het in zijn binnenzak. Arme ziel. In elk geval geen officiële Daklozenkrantwederverkoopster, ingehuurd door de Albert Heijn om ons dag in dag uit een prettige dag te wensen. Maar ze had nieuwe kleren aan. En ze was beleefd. De hemelsblauwgrijze P-zuil staat stram en zonder te oordelen op wacht. Met een chipknipoog. Wanneer betaald parkeren. Overal letters. Lees ons. Wij willen gelezen worden. Wij kunnen u zeggen hoe laat het is. Wij kunnen uw toekomst voorspellen: als u niet betaalt, gaat uw automobiel in de wielklem. Als u wel betaalt, kunt u zelf uitmaken hoe lang u wilt blijven staan. Al is het een eeuwigheid. Kies kaartsoort. Met de knoppen geel, rood en groen. Toets. Kies kaartsoort.

Blij dat hij geen auto had, las Bloem een ander leesteken: de februaribloesem in bloei. Zelfde boodschap. Wij willen bevrucht worden. En bevruchten. Zijn er al insecten dan om te bedwelmen? De zwaluwen komen ook steeds vroeger. Geelgeurige narcissen trompetterden hem hun lentewelkom tegemoet. De taal der bloemen lijkt verrassend veel op die van ons. De doerian, welriekend als de vagina. Als een gespleten granaatappel zijn uw borsten. Paaseieren zoeken in de Hortus. Stokstijve stengels, stelen en stammen. Meeldraad en stamper, de hele geslachtelijke huishouding open en bloot, maar zonder stress. Geuren als uithangborden: Hierheen. Drink Mij. Voor den heerlijken vlinder. Langtongig likkebaardendlekkerlessend. Bezwijmelend. St st st st! Het gaat helemaal vanzelf. Onze eerste kus. Bedwelmend. Als Indische geuren. Tamarinde. *Nice and easy.* De lucht vulde zich met de kinderstemmen van de speelplaats van de Aloysiusschool in de Westerstraat. Doppler-effect. Het komt steeds dichterbij of de golflengte wordt korter. Brengt je terug naar je eigen school in Schijndel. *Tempo doeloe*, maar wat was het koud toch. Sneeuw! Een geluid dat alleen maar wegsterft, het verleden. Maak je maar vast op voor je tweede dood. Nirvana. Altijd speelkwartier. Permanent joelen van het schoolplein. Een ijsje dat nooit opgaat. Knikkeren tot je erbij in slaap valt. Een bel die nooit gaat. Klok zonder een klepel. In geuren en kleuren. In pais en vree. *Florever and ever and ever.*

Op de rugleuning van de bank van castingbureau A. Oster rustte de lome kop van een labrador. Weemoedig keek hij tussen de zwarte luxaflex, hoe heet dat lamellen door naar Bloem. Schuin daartegenover kwam een trekharmonica of liever gezegd accordeonspeler uit de gevel gegroeid. Ben je daar weer stoute jongen. Wie heeft Moos gezien? Beloning. Zwarte kat. Bracht zichzelf ongeluk. De deur daarnaast: ik sta voor mijn taak ik waak. Slaperige buldog met lodderige ogen en lusteloze vetkwabben. Schijn bedriegt, ze zijn evengoed waaks. Laten je nooit meer los. Dat is hun kracht.

Bij de buurtdichter zijn de luxaflex achter de cd- en videoverzameling in het venster nog toe. Zeker laat geworden vannacht in de kunstenaarssociëteit waar ze kind aan huis zijn. Waar ze hun sigaren roken en de slome burgers verfoeien. Het zorgeloze kunstenaarsvolkje dat zijn roes uitslaapt. Heerlijk. Laat mij maar slapen. Op het naambordje: M. Orth. Moord. Woord. Indisch? De raarste namen. Kersch. Van den Hoëvell. De Mulders uit Blokzijl die plotseling Van der Meul tot Blockzeijl wilden heten of zo omdat ze in een groot huis woonden en bedienden hadden.

Langs de bloembakken en stoelen en banken met graagte bezeten door moeders die op hun kroost wachten als de school uit is. Voor individueel onderwijs en dikke pret. Neergezet door Agnes.

Prachtige muziek soms. Kamerconcerten voor passanten. Om versteend bij te blijven staan luisteren. Soort goede genius die boven de buurt zweeft met een gouden dirigeerstokje. Heeft elke straat nodig. Op een elektriciteitskastje is Karel nog steeds zoek. Linksaf de tweede Anjeliersdwarsstraat in. Een bedachtzame blik naar rechts leerde meneer Bloem dat het vijf minuten over tien was. De onverstoorbare Oude Wester. Volgt je overal, als de maan. Hij weet wat we denken, kent onze diepste geheimen. Die houdt hij onder de Keijzerskroon. Volksgeloof. Soort God als die er even niet is. Ben over vijf minuten terug. Lange stijve toren hoog in de blauwe lucht. De Pauwen. Daar kan je zitten tenminste. Beter voor de spijsvertering. Al vijfentwintig jaar uw vertrouwde adres voor babi pang en tjap tjoi. Niet dat gehaaste van Kam Wah. Maar een stuk vetter, dat wel. Grote porties, ook. En dan na het eten uitzakken op de bank, alsof je er nooit meer af wil, omdat je niks meer kan omdat je geen pap meer kunt zeggen omdat je bijna ontploft. *Food coma*. Met de chaos van de restanten van de maaltijd nog op tafel: ongeopende zakjes sambal, halfvolle witte bakjes en pakpapier. Pas als je een flinke boer hebt gelaten, kom je weer overeind. Niet kijken. Van de Kooij. Het zandmannetje is in aantocht, komt op z'n dooie akkertje aangesefferd.

– Hallo Bloem. Hoe is ie? Alles senang achter het behang?

– Ik mag niet mopperen.

– Maar je doet het wel zeker. En moeders de vrouw?

– Die ligt koninklijk in d'r koninklijke bed naar de koninklijke uitvaart te kijken.

– Waar je zin in hebt. Nou ja, die van mij komt ook de deur niet meer uit.

Traag verlieten de woorden het bed van zijn mond. Die van mij. Ook niet. Bijna kaal. Je kijkt er dwars doorheen. Haar laatste haren hangen er lijdzaam bij. De hele dag op pantoffels achter de geraniums en petunia's. Buiten gebeurt het. Heel even m'n hondje uitlaten in de maatschappij. Life is what is happening terwijl jij binnen zit. Net als dat kanariepietje van vanochtend. Maar dit pietje zingt niet meer. Uit een jaszak van Van de Kooij stak de blauwe dop van een flesje Spawater. Zijn akwaviet. Lourdeswater. Hij ging er een dagje van maken.

— Staat er nog wat op de agenda?

— Nee niks. Ik moet naar Zorgvlied.

— O gecondoleerd. Familie?

— Nee, een vage kennis. Ik denk niet eens dat jij hem kende.

— Toch gecondoleerd. Maar het is de leeftijd. De een na de ander ontvalt ons. Vorige week was ik op Westgaarde. Een oude boven-buurvrouw. Zat net twee weken in de verzorgingsflat met haar man. Die ken je nog wel. Koreaveteraan. Van de verzekeringsbank.

Meneer Bloem kon hem zich niet meer voor de geest halen. De trage manier van spreken van zijn gesprekspartner had hem bijna gehypnotiseerd. Was dat. Nee, die zat in Indië. Niet geeuwen. Wat wou hij ook alweer zeggen? Laat maar praten. *Be my guest.* Over de schouder van Van de Kooij heen richtte meneer Bloem zijn blik op een op een sportfiets voorbijfietsende jonge vrouw. Daar mag je alleen maar naar kijken. Blauw ondergoed, kantje erlangs. Model string. Kuiltjes in haar rug. Zeg maar gerust kont. De onderrug met bovenham. Uw onderrug is als een granaatappel gekloven in tweeën. Kijken mag. Nederland vrij tot aan de bilnaad. Tot hier en niet verder. Van de Kooij lazer op, je staat in m'n beeld. Voorbij in een flits. Maar opgeslagen in mijn collectieve geheugen. Appeltje voor de dorst. Het is lente. Er is weer van alles te zien en waar te nemen. De mooie meisjes komen weer naar buiten met alles wat ze in huis hebben. En het geile terrasvolk. Gun ze hun verzetje. Het is lente.

— Twee weken zaten ze er. Ze wilden er nooit meer weg. Ze had-den er alles. Hun natje en hun droogje. En toen in één klap bam. In d'r slaap. Een mooie dood.

— Jaja. Zo gaat het. Zo gaat het, antwoordde meneer Bloem, enigs-zins nietszeggend.

– Als je geluk hebt.

Er werd even gezwegen. Bloems gedachten dreven af naar de activiteiten van de dag. Je moet bezig blijven. Nederland in beweging. Goed voor je hersens. Houdt Alzheimer buiten de deur. Niet meer weten wie wie is en een beetje kwijlend voor je uit zitten staren naar figuren die van alles van je willen. Dat blijkt dan je familie te zijn. Je liefhebbende echtgenote. Je kinderen die je niet meer herkent. Hele hersenschorsen vallen er gewoon af. Spreken wordt moeilijk en op het laatst verkeer je weer in het gelukzalige stadium van het embryo. En het infuus is je navelstreng. Kan je de hele dag naar staren. Kinds aan huis. Van de Kooijs gedachten dwaalden af naar de ronde vormen van mevrouw Bloem. Vroeger had hij daar ook nog wel eens tegen aan willen kruipen. Nu interesseerde hem dat allemaal hoegenaamd geen ene malle moer meer. Nog maar heel af en toe werd hij nog wel eens ergens warm van, van binnen, als er zo'n lekker jong ding als toennet langs kwam, maar daar bleef het dan ook bij.

– Wat is geluk? zei meneer Bloem terwijl hij zijn hand al omhoog bewoog om gedag te zeggen

– Precies. Als je maar gezond bent, zeg ik altijd maar. Dan kan de rest je aan je reet roesten. Kunnen we mevrouw Bloem nog ergens zingende bewonderen een dezer dagen?

– Daar zijn we nog over bezig. Als het zover is, laat ik het je wel weten.

– Graag. Doe dat. Altijd leuk. Mazzel.

Op de hoek van de Westerstraat stond een groepje jongens en meisjes van de roc-school vivitdrinkyoghurt te drinken of eten, voor de broodjeszaak waarin vroeger de hoeden- en pettenwinkel van Smid gevestigd geweest was, waar mevrouw Bloem nog gewerkt had tot Smid ermee uitschee. Groeien op om galg en rad te maken. Voor gebak en taart. Het is het College voor Hotel en Gastronomie. Iets doen met je handen. Oude ambachten en vaardigheden die je verleerd worden. Laat ze nou maar wat rondlummelen. Tijd genoeg om de handen uit de mouwen te steken. Goed tehuis gezocht voor Daantje. Hij is dol op boerenkool. Voor inlichtingen contact opnemen met minister Verdonck. Ironie? Heroine? Non, merci. Vanaf zaterdag zullen wij handhavend optreden. Moet nog zeep halen. Een lekkere damesgeur. Of een stuk irriterende zeep.

Meneer Bloem stak ter hoogte van coffeeshop The Spirit over tussen de auto's die schuingeparkeerd stonden op de Westerstraat waar vroeger de Anjeliersgracht liep. En misschien binnenkort wel weer. Opnieuw jaren herrie. Houdt het dan nooit op met verbouwen. De stad is een verzaemling littekens. Een Volvo stationcar 850, een Renault Scénic, een Mazda 323 en een Nissan uit het land van de Rijdende Zon. Goeie. Staat hier prima op z'n plek, voor Hermanusje van Alles. De ouderwetse drogisterij-uitstraling. Museum van pleister en keelpastilles. Geen ochtendhumeur, maar ochtendhumor. Een etalage vol visuele woordspelingen. Slaapmafker. Schaakmat: een matje met schaakstukken. Persfoto: citruspers met op enige afstand een fototoestelletje. Zeepbel: stuk zeep met een fietsbel erop. Slotconcert: beugelslotje met daarop een aapje met twee bekkens. Exportglas: een stukgeslagen portglas. Kan ik dat ook? Fietspad. Neusvleugel. Pa's H's. Droplul. Hij was begonnen met de zwarte Lola. Een zwartgeschilderde afwasborstel van het merk Lola. Razend populair. Vanwege het sentiment dat erachter zat. De goeie ouwe tijd. De tijd van Hadjememaar en Jan-Poep-Een-Uitje. Nostalgie naar een tijd die nooit bestaan heeft. Juffrouw Saartje in d'r keukentje met oud-Hollandse tegeltjes. Sapristie. Ze gingen als warme broodjes over de toonbank. De deur is bijna verscholen achter een stellage met Afrikaanse Bahiaborstels, vloertrekkers van 35, 45 en 55 centimeter, kunstvezelbezems, cocos kamervegers, schuiers, zwabbers, ploppers, schrobbers, boenders, ragebollen en wc-borstels. De echte Spaanse emmer, 14,95!

Ansichtkaarten van muur tot muur, werkschuwe paraplu's, trendy teenslippers, agressieve geurvreters. Alles is benoemd. Hoeveel kilometer zou je er eigenlijk op kunnen lopen? Ik word al moe van de gedachte.

Klintingeling.

De geur van algehele drogisterkenning en breed assortiment greep meneer Bloem bij de neus en trok hem naar de kast met zeep. Pears Soap. Waar ruikt dat naar? Zal wel naar peer zijn. Lodewijk de Veertiende is heel zijn leven maar drie keer naar bad geweest. Stinkende Zonnekoning. Verdroeg geen parfum of had dat helemaal niet nodig. De nieuwe geuren van de keizer.

— Wat kan ik voor u doen?

— Deze zeep en wat drop graag.

— Wat had u gehad willen hebben?

— De hoestbonbons, de jujubes. En doe nog maar wat heksentengels.

— Zeventig en twee euro vijfentwintig dat maakt twee vijfennegentig.

— Alstublieft.

— Dat is drie, vijf en met z'n vijfjes. Kijkt u eens.

— Dank u wel.

— Tot ziens.

— Tot ziens, zei meneer Bloem.

Tinklingeling.

Langs het fietsenrek met de mededeling parkeren fiets eigen risico, liep meneer Bloem verder over de zonzijde van de Westerstraat.

Keep on the sunny side

Honkvaste mengse, Jordanezen. Zeer autarkisch. Hebben niemand anders nodig. Ik ga hier nimmer van mijn levensdagen meer vandaan, zolang de lepel in de brijpot staat. Wonen op een woning. Waar de bloemen voor de ramen staan. Ome Jopie woonde z'n hele leven onder de Noorderkerk, maar toen ik hem een keer vroeg of hij er ooit wel eens binnen was geweest, keek hij me aan of ik van lotje getikt was. Tegen die tijd warmde hij z'n blikken met erwten en witte bonen in tomatensaus al niet meer op. Waarvoor? Het zou toch weer afkoelen in z'n maag.

De caféfuik. Wie door de mazen van Het Monumentje komt wordt in de netten van De Blaffende Vis gevangen. Vroeger café Arie. Stamkroeg van de Heinekenontvoerders. Hij leerde zijn volk zich helemaal van de dijk zuipen en werd toen gekidnapt door de zoon van een van zijn minnaressen. Een hele harem van heerlijk heldere hoeri's. Zat thuis en zag hoe zijn moeder en later zijn zus werd afgevoerd door auto met chauffeur naar hetzelfde Weteringplantsoen waar hij vele jaren later de biermagnaat en zijn chauffeur zou opwachten met zijn maats. De Poes. Flipper. De Neus. Het Heinekentunneltje. Amsterdamse humor.

Gezeten op een doos zat een straatmuzikant accordeon te spelen voor Super de Boer. Vanaf zijn fiets vroeg een politieagent, blootshoofds:

– Where are you from?

– Rumania.

– You may stay hier voor thirty minutes. No longer. En hij stak zijn twee handen drie keer naar voren om het allemaal nog begrijpelijker te maken. Thirty minutes. Geen forty minutes en geen twenty minutes maar thirty minutes.

De accordeonist knikte dat hij het begrepen had. Gastvrij land. Nederland. Dertig minuten mag je hier blijven. De knusheid die van binnen hard is en van buiten zacht. Toen wij na een Bijbelse dertig dagen aankwamen in de regen in de kou in de drup met de Johan van Oldenbarneveld. En met mijn klamme voet Hollands vaste wal betreden. En vervolgens mijn leden kromgesloofd op haar uitgestrekte bodem. Grauw, dor, saai. Eén bangsa, één volk, het mocht wat. Dat we toen met veel pijn en bloed uit elkaar zijn gegaan, ja dat is erg.

Achter het raam van de Clean Brothers zit een vrouw op haar gemak een roddelblad te lezen op een witte tuinstoel, wegdromend bij het grote en kleine leed van bekende en onbekende

Nederlanders, filmsterren, voetballers, voetbalvrouwen en vorstenhuizen. In de zevende hemel. Hogere sferen. *Those were the days my friend.*

– Mo moe mé, zei een van de breedlachende negers met wijd uiteenstaande hagelwitte tanden die Bloem passeerde.

Bij garage Van der Liet stak Bloem wederom over, zij het in omgekeerde richting, denkend aan de hallucinerende werking van benzinedampen en godsdienst. Ook een vorm van bedwelming. Zelfde idee: smerigheid, chemische substanties, zonde, hel en verdoemenis en toch denk je aan iets anders. Sinful, vol zin maar niet per se zinvol. Zwendelingen in het hoofd. Van hostie tot xtc. Het nieuwe mirakel van Amsterdam: bij een houseparty wordt een pilletje uitgebraakt in een kampvuur en als dat de volgende ochtend wordt opgerakeld, blijkt het pilletje nog geheel ongeschonden, inclusief het crucifixlogo dat een gouden gloed verspreidt. Hosanna! *Une rave partie!* Processie van extatisch bevende en schuddende en trillende pelgrims over de Heilige Weg naar Spaarnwoude, het Canterbury van de Lage Landen. In kooien op wieltjes worden dansende eunuchs meegevoerd. Een zachte regen daalt neer over hun hoofden en schuilend onder paraplu's, vuilniszakken en bouwplastic vinden zij verlossing, vergeving, verdraagzaamheid. Liefde.

Op de stoep voor de Island Bookstore rook het naar de drukinkt van verse kranten. Hij kende mensen die er daarom waren gaan werken. Voor de geur en niets anders. Hoger honing. Mensen die hun neus openhalen om aan nieuwe boeken te ruiken. Morgen wordt het tabloid. Handig. Gezellig. Zal mij benieuwen. De terugkeer van de onnavolgbare stripkater Heinz op de oude kattenbak. Negen levens. Krantenknipsels in de etalage: Op naar de eicel maar zo simpel is zwanger worden niet meer. Nieuw leven maken is een project. Geur geeft de doorslag, ook bij de partnerkeuze. Het is allemaal chemisch bepaald. Hoe deden ze dat ook alweer? Ze lieten proefpersonen aan T-shirts ruiken en dan moesten ze zeggen

welke ze het lekkerste vonden ruiken. In negen van de tien gevallen bleek het van iemand te zijn met wie ze heel goed konden
opschieten en bij wie ze genetisch gezien het beste pasten. De
natuur weet het het beste.

Op de Prinsengracht slaagde de zon er langzaam in de kou te
verdrijven. De dag is nog jong. Hier ruikt het naar niks. Kan dat
eigenlijk wel? Komt het door de drop die ik aan eten ben? Of kan
ik het gewoon niet benoemen? Soms stinkt het naar een of andere
fabriek in de buurt. Iets chemisch. Vuilverbranding misschien.
Drop is het niet. Als de wind verkeerd staat. Zou uitgezocht moeten worden. Geurkaart van Amsterdam en omstreken. Nu ruikt
het hier naar niets, naar een stralend witte peperbus en die meldt
in een bedaard reukloos typelettertje: de stad is van ons. Met recht
smart for two. Belachelijk. Ons. Net als Ons Indië. Nooit van mij
geweest. Van wie wel? De Westermannetjes. Jan Pieterszoon Coen.
Linksrechts linksrechts. Kadaverdiscipline, blinde gehoorzaam-
heid. Bevel is bevel. Het land van de rekbare tijd en de rekbare
Achillespezen. Djam karet. Pondok Indah. Nederlands-Indië m'n
moeder. Hoe zuidelijker je komt, hoe groter de morgen. Mijn
apentaaltje: absurd hoe ik in een harem van louter sigarettenro-
kende fotomodellen zonder bestek gratis hutspot kan eten, met
vla toe, met elan en geprikkelde testikels seks kan hebben op het
matras en mijn urine kan laten lopen in de marmeren wastafel,
terwijl opa en oma als rimpelige paters van de kansel preken en
mondeling fabeltjes rondstrooien over bommen en tanks, be-
stuurd door skeletten in lange jassen, gestuurd door het kabinet,
ter bestrijding van fraude met belasting, rekeningen, nota's, inkla-
ring en giro, een drama, wat zeg ik, een flop! Café Het Bruine
Paard, dat is Holland. De grauwe eeuw. Beknopte iepen. Een gele
sticker op de brievenbus, een verdrietig no nuke-zonnetje dat zegt:
Jahre 80? Nein danke.

De laaving staat gereed
Waar is het dorstend leed

Opgegaan in bier en rook, murw gesmoord in de Vermeerrode Perzische tapijtjes van P96.

Meneer Bloem vergeleek de vers gebreeuwde boot, nazaat van de grote Amsterdamse uitvinding, de kogge, een klomp met een mast, met een modern transportmiddel, even grote peiler van de welvaart, de blauwe Daftruck 75 CI, kenteken BL-DL-37, van Schijf uit Uithoorn die zijn puinbak kwam ophalen en daarbij het verkeer op de Kees de Jongenbrug over de Egelantiersgracht danig blokkeerde, lamlendig getoeter tot gevolg hebbend. Exit commerciële peuteropvang. De zoveelste container peuterpoep. Anderhalf jaar hebben ze het volgehouden. Meer niet. Ernaast bij de Twee Zwaantjes wordt geschilderd waar eens werd gezongen. Daarnaast wordt verhuisd. De eerste alcoholisten verzamelen zich daadwerkelijk routineus in café de Westertoren. De muze van Teun de Vries in ochtendjas in het open raam. Zij heeft een half jaar geslapen. Een zwartwitte kat komt haar kopjes geven.

Dag poes.

Val niet, meisje.

De studentenflat waar Frederik.

Meneer Bloem wendde zijn hoofd abrupt naar rechts, van de Leliesluis af en bleef staan voor een kunstig houtsnijwerk met relaxte Boeddha's, scheppende en vernietigende Shiva's en beslurfte Ganesha's. Het summum van vergetelheid. Pijn, verdriet, het is allemaal illusie. Driemaal daags een vergeetlepel. Wil je gelukkig zijn wees het dan. En ga anders maar zo'n houtsnijwerkje maken. Als je daarmee klaar bent, kom ik het stuk maken. En als je het vertikt, kom je terug op aarde als die kale man daar die in de beslotenheid van zijn huiskamer op internet op zoek is naar een haargroeimiddel. Of anders zet ik je in de lange lange rij met terreurtoeristen voor het Anne Frankhuis en dan mag je van geluk spreken, voor hetzelfde geld sta je in de rij voor een veewagon of mag je het spoor zelf aanleggen, van Ban Pong naar Thanbyuzayat. Of ik laat je kneuterig *Old & New Delftware* verkopen uit de Royal

Factory. Je zegt het maar. U vraagt, wij draaien. *Aldus sprak Zara-thoestra.*

De zon van achter de Westerkerk begroette zijn evenbeeld Helios in het huis de Eikeboom, terwijl Bloem wat treuzelde voor de toonbank van Simon Lévelt sinds 1817. Wat zal ik nemen? Lentethee. Lapsang souchong. Lemon grass green tea. Iemand ging hem voor en rekende een pakje lentethee af met vijftig euro.

— Ik heb het alleen maar zo.

— Daar zijn wij niet kinderachtig in, antwoordde een van de twee vlotte verkoopsters die meer weghadden van studentes snedig. Met zijn groene thee, zijn zakje aarde, zijn zeep, een slinkende hoeveelheid drop en zijn tot mergpijp opgerolde magazine besloot Bloem de donkere en kille Bloemstraat te nemen. Geen twee keer dezelfde weg nemen op één dag.

Over de kruising met de Bloemdwarsstraat reed een fietser die schichtig naar links en naar rechts keek. Deerniswekkende eikel. Andere Jiskefetter. Komodovaraan op een fiets. Ook niet het zonnetje in huis. Ook het wiel niet uitgevonden. Nou ja, ze bezorgen veel mensen plezier.

Op de hoek tegenover het café waar Hans Wiegel moppen leerden tappen, moppen met een hele lange baard ongetwijfeld, bleef Bloem staan kijken naar de platenhoezen in de etalage bij de Wentelwereld. Achterhaalde kunstvorm. Platenhoezen en hoeze-poezen. Altijd leuk. Doe dat. Graag. Ouwe platen. Wie draait ze nog? Scratchers misschien. Calypso à la mode. De filmmuziek van Emmanuelle. The story of Marilyn Monroe. Een verleidelijke vrouw die half wordt opgegeten door een tijger, dronken van bloeddorst. Candy, Nederlands eerste enige en echte sex-elpee van Peer Mullens en de Vrolijke Trekkers, enigszins onttrokken aan het zicht door de zelfgeschreven mededeling: fietsen worden verwijderd. Met nog een toefje schaamhaar van de derde dame die scheel van bewondering naar de sekstroubadour opkijkt. Stoute jaren zestig. Of zou het al zeventig zijn? Kinderporno kon je toen aan de straatstenen niet kwijtraken. En nou is het niet aan te slepen.

– Hallo Bloem, sta je weer naar vieze plaatjes te gluren? weerklonk de zelfgesproken mededeling van een volledig aan Bloems zicht onttrokken Jan de Bruin.

– O hallo, dag Jan, ik had je niet gezien.

– Dat zag ik. Je gaf je ogen anders goed de kost.

– Inderdaad. Ik bewonderde een volstrekt verouderde kunstvorm uit onze jeugd. De platenhoed. Hoes.

– Maak dat de kat wijs.

– Ik was op weg naar Lowie Kopie. 't Is voor onze bruiloft. Veertig jaar alweer, aanstaande juni. Maar we houden het klein. Dit wordt hem. Zie je, de tulp is haar lievelingsbloem, met in de bol een plattegrond van de Jordaan. De grachten zijn de schillen, snap je. Elandsgracht, Rozengracht, Bloemgracht, Egelantiers, Anjeliers, Linden, Palm.

– Ah, een kaartje.

Kaarten maken. Drie generaties Blaeu woonden hier ergens op de hoek. Zit de buurt in het bloed. Hier ben ik. Dit is mijn territorium. Geeft toch een gevoel van vastigheid.

– Indrukwekkend. Krijg ik er ook een?

– Jaja, natuurlijk. Maar we houden het klein. Geen poespas. Geen kouwe drukte. Geen toestanden. Daar houden wij niet zo van.

– Ik begrijp het. Bedankt alvast!

Jan de Bruin maakte zich uit de voeten: hij had haast: hij moest z'n tram halen: hij ging naar Artis met de kleine.

Kan er niet mee praten, ik weet niet wat het is. Of eigenlijk wel. Doe het later wel. Meneer Bloem liet van de weeromstuit zijn straat links liggen en niet rechts, wat hij oorspronkelijk van plan was.

De plantenbakken die van het verbrede trottoir weer een smal stoepetje maakten waar je ternauwernood langs kon, leidden de weg naar coffeeshop Paradox. Een grammetje Casablanca Modern, één euro tachtig. Zou wonderen doen. Welke wonderen? Vergetelheid, verdoving, relaxatie. *Let it go. Let it flow.* Terwijl je hart in feite sneller gaat kloppen.

Pijn is ook een soort verdoving. Tattoos: klaar terwijl uw wacht. Hij sloeg de fluwelen gordijnen opzij en begaf zich naar de verre hoek. Daar ging hij zitten op de rode kussens en liet zich de spijskaart brengen. Met zorg koos hij de smaak die paste bij het moment. In lotushouding verkruimelde hij het geurige plakje hars, geperst uit de gedroogde topjes van de vrouwelijke hennepplanten. Hij verspreidde de kruimels over de tabak die hij op het vloeitje had gelegd en draaide zijn sigaret. Langzaam belikte hij de plakrand en verwijderde de uitstekende plukken tabak van de uiteinden. Hij ontstak zijn sigaret en liet de tetrohydrocannabinol kronkelend en slingerend naar zijn hoofd stijgen. Iedere loze ruimte in zijn hersenpan werd gevuld met mildmakende rustbrengende onthaastende rook en vandaaruit verspreidde zich in slow motion het lome weldadige gevoel over al zijn ledematen. Hij werd weer een met zichzelf. Een met het universum.

Naar binnen? Vijf keer diep ademhalen werkt ook. Meneer Bloem snoof aan zijn vingers, die roken naar de zeep in de binnenzak van zijn jas en liep door. Beduusd en beneveld, zijn hoofd in een warm bad, omgeven door knisperend perenbloesemschuim waarin lichtvlekjes geruisloos verdwijnen.

—⊕⊗⊕⊗⊕⊗⊕—

Maarten van Bemmel stuurde als eerste zijn rammelend voortrollende fiets schuin voor restaurant Jayakarta de hoek om op het Rembrandtplein, behoedzaam gevolgd door meneer Bloem op zijn zwarte Burco met kilometerteller en fietstas met daarin stilletjes killetjes in het duister plakspullen en groene regenkleding.

— Na u, zei meneer Bloem.

— We komen er wel, zei Maarten van Bemmel. Hij loopt niet weg. Geen haast. Heden ik, morgen gij. Magere Hein zit ons constant op de wielen, hoe hard we ook gaan. In een gestrekte draf of op z'n elfendertigst. Achter hen klonk nog het staartje van de wegstervende tonen van de ochtendraga van sitar en gitaar, ten gehore gebracht door twee muzikanten in kleermakerszit op het plaveisel voor café Het Luifeltje. Of heette het La Madonnina? Dat staat er ook boven. Wat is het nou? Wat ken mijn het eigenlijk verschelen. Eeuwenoude klassieke muziek is het met een lange traditie en nu, hier, op de westerse keien voor een grijpstuiver. Hoef ik bij Carla niet mee aan te komen. Zet in Jezusnaam dat ouwe Catzgehuil af krijg je dan. Kon zo snel niet horen of die jongen er wat van kon. If you like the tuning so much... Meestal is het niet veel soeps wat je hier hoort. Afgeleefd repertoire.

– Ik had hem al in geen tijden meer gezien.

Meneer Bloem laveerde zijn fiets langs een taxi die met de motor aan stond te wachten voor hotel Schiller. Zit de chauffeur er nog in? Als zo'n portier openslaat, ben je in één klap in de andere wereld. Je moet je er maar weer doorheen zien te wurmen. Veilig. – Je hoeft je niks te verwijten. Hij was heel erg eenzelvig de laatste tijd. Na het overlijden van zijn vrouw had hij er geen zin meer in.

De overledene. Zo in ene dood van een barkruk gevallen in een bak hondebrood. Het hele plein in rep en roer toen Pisuisse hier vermoord werd met zijn vrouw. Vuurgevaarlijke plek voor zangers van het levenslied en hun Muze. Jenny Billiams heette ze. Dat heb ik tenminste onthouden. Zo slecht is het dus nog niet met me gesteld. Parabellum. Katafalk. Hun dodenweg naar de *Mille Colonnes*. Haar ex-man of minnaar wat was het staat ze op te wachten. Swiep voor intimi slaakt een angstkreet. Hij roept: Politie help! Hij schiet! Ah! Ik meur! Omstrengelt onmiddellijk zijn echtgenote om haar voor het moordend vuur te dekken, maar helaas tevergeefs! De dader schiet zich door het gebroken hart met zijn parabellum, alles in nog geen paar seconden tijd en achter de rug van onze nationale trots en misschien wel grootste Nederlander aller tijden Rembrandt van Rijn. Hulde aan het nageslacht. Die had er een mooi schilderij van kunnen maken. De moord op Jean-Louis Pisuisse en zijn gemalin. Mens, durf te leven. Ja, je moet maar durven.

– Je leeft maar eens.

– Maar ieder mens gaat twee keer dood, las ik laatst ergens. Eén keer echt en de tweede keer als iedereen je is vergeten. Of als iedereen die je kende er ook niet meer is.

Maarten van Bemmel lachte instemmend en haalde een hand van het stuur om zich onder de oksel van zijn fnazelige jasje te krabben. Voor de gelegenheid had hij een rode das aangetrokken.

– Of als ze zo'n standbeeld voor je neerzetten.

Het beeld van de groenuitgeslagen en ietwat al te atletische en slanke schilder was inderdaad niet fraai, maar niet meer van het plein weg te denken. Met zijn dode visseogen.

– Maar het is dus goed dat we gaan.

Bloem zette zijn kiezen op elkaar en maakte een dunne, schuine streep van zijn lippen. Hij knikte een paar maal berustend.

– De laatste eer.

Van nachtclub en casino Femina stond alleen nog de voorgevel overeind, verscholen achter steigers en een in opdracht van de naamgever van het Maupoleum vrolijk beschilderde houten afscheiding. Een schone lei, na de witwasschandalen. Zat die bankier, Renstra of hoe heette hij er soms achter? Liquide middelen, wie had ze tegenwoordig? Daar werd je voor geliquideerd als je niet oppaste. Met het puin dat plaats moest maken voor een nieuwe fundering werden oude herinneringen naar boven gehaald. Topavond voor Los Trovadores Tropicales toen de Beatles. Drie Beatles en Jimmy Nichols de reservebeatle. De Blue Diamonds waren onze helden. In Hamburg hebben de Fab Four alles van ze geleerd. Weten veel mensen niet. Nu zijn ze allebei gehalveerd. Ringo en Paul. Ruud en Riem. Riem zonder Ruud. Maar met zoon Steffen in Vredenburg. De New Diamonds. Met nasi in de pauze. Groot familiefeest. Tot de nok toe uitverkocht. Ramona.

Blokken met gele strips bovenop versperren de voormalige taxistandplaats, de voormalige witkarrenstandplaats. Een driemaal doodgeboren kindje. Mensch ga toch lopen. Weer een scherpe hoek, nu naar rechts. Ze scheerden langs de tramrails. Hier mag je al heel lang niet meer fietsen. Waarom vergeet ik dat steeds? Maar als je rechtdoor gaat, krijg je al die bruggen. Zeven bruggen te ver. En dan fiets je tegen het verkeer in, wat ook klote is. Maar het mag wel, dat is het gekke.

– Waarom ga je eigenlijk zo?

– Ik ga altijd zo. En ik ben een traditioneel ingesteld mens, Bloem, dat weet je.

Op de hoek bij boekhandel Veenstra where Joop met Liesbeth ligt buiten in de bakken met aanbiedingen en goedkope pockets de zilveren reeks terwijl in de etalage de gouden reeks prijkt, omringd door goudensierlijstjes met daarin teksten over de desbetreffende auteurs. Vestdijk. Wordt niet meer gelezen. Dan ben je als schrijver pas echt dood en begraven. Stoffige oude zeikert. Niet om door te komen. Veel te moeilijk. Een pak vla waarvan de houdbaarheidsdatum is verstreken. Op zijn sterfbed wilde hij nog van zijn vrouw af, schijnt. Op zijn begrafenis werd de *Mondscheinsonate* gedraaid. O maneschijn, o nacht.

Uit een ooghoek zag meneer Bloem door het glas van het tramhokje van de halte Keizersgracht iemand die hem vaag bekend voorkwam de andere kant opfietsen, gekleed in een sportief windjack, met schuin hangend tussen stuur en middelbare buik een baby in een draagbuidel. Schim uit het verleden. Een van de studievrienden van Frederik. Sympathieke jongen. Wijs ook. Bleef grappen maken tot op de crematie. Lach om het leven. Hoe ging het ook weer? Sommige mensen zijn zo verknocht aan het leven dat ze zelfs in een crematorium niet weg te branden zijn. Vrolijke noot. Kennelijk net vader geworden. Zo gaat het. Zo gaat het. Hoe zou F. Wat zou die doen voor de kost? Of zijn vrouw werkt. Zo doen ze dat tegenwoordig. En hij doet in zijn vrije tijd vrijwilligerswerk als traumaclown in het Emma Kinderziekenhuis. Ik bedoel cliniclown.

Wat ik verkeerd gedaan heb?

Op de abri: Dublin voor 29,99. Dertig maal 2,20 is 65 piek. Geen geld. Moet er toch eens heen. Schijnt een leuke stad te zijn.

Bij de begraafplaats gilde plotseling Rooie Bart
Die dooie Nelis staat nog onder 't biljart!

Maarten van Bemmel was gaan zingen, met de bijbehorende geluidseffecten.

Aan de overkant parkeert een autootje van Karman Electra voor coffeeshop Stix. In een portiek hield een bedelaar met gehavende neus zijn hand op. Gevallen of gevochten. Heeft er waarschijnlijk niks van gevoeld. Houdt z'n hand ook op als er in de verste verte niemand te bekennen valt. Arbeidsethos. Heren, keizers, prinsen, paupers. Ze naderden de in de as van het Paleis voor Volksvlijt verrezen Nederlandse Bank. Ook daar de vlag halfstok. Passend rouwbetoon voor een van de rijkste vrouwen ter wereld. Half New York was van haar. Kunst! Met 1,3 miljard op m'n bankrekening kan ik ook gewoon blijven. Maar ja, je kan het niet met je meenemen. En zo'n lollig leven heeft ze toch nog nooit gehad. Onze moeder, balkte Balkenende. Ballekie! Zo hoort het te gaan, melkmuil: kinderen die hun ouders begraven.

Viel Ome Gerrit, met een plons,
Bij Nelis in de kuil.

Het doorgaand verkeer over het Frederiksplein was toepasselijk gestremd in verband met wegwerkzaamheden, bestaande uit het verbreden van de taxistandplaatsen, het ruimen van struikgewas en het vernieuwen van het asfalt van zowel de rijweg als het fietspad. Er was een omleiding, over de weg die het plantsoentje doorsneed en waar de taxi's nu gelaten wachtten. Onmogelijke verkeerslichtsituatie. Je kunt hier honderd bonnen in een half uur uitschrijven als je er even aan trekt. Er rijdt hier een hele ambitieuze motoragente rond, die haar uiterste best doet om het bonnenquotum te halen in het kader van het prestatiecontract met de minister. Een chauffeur las leunend tegen zijn auto de krant. Een ander kwam uit zijn auto gestapt, zijn broek ophijsend.

Ik wou dat ie ophield met zingen. Vandaag komt die andere manke. Zijn liedje zingen. En zij mag d'r deuntje meeblazen. Sabberiejosija. Wie heeft er zeepsop in de pruimenpap gedaan.

11.32 uur. Tegen de zon in reden ze over de Amsteldijk Oud-Zuid langs bejaardentehuis Tabitha. Eindpunt. Allemaal uitstappen. Niet goed geld weg.

Ze haalden een langzaam fietsende dame in die heel voorzichtig haar trappers rondwentelde. Rijdt moeilijk. Misschien aambeien. Napoleon had ze ook. Is de hele wereld afgeweest voor z'n obatje. Heeft het nergens kunnen vinden. Dus haal muziek in huis. De reiziger is thuis. Een glazenwasser zeemde en lapte hier jaar na jaar na de ramen. Lap lap. Wat was het? Enka? Elke dag dezelfde nieuwe, ouwe gezichten. Je mist ze pas als ze weg zijn. En dan weet je niet meer hoe ze eruit zagen. Net als bij gesloopte huizen. Wat stond daar? Café de Unie is er ook niet meer. Vijfennegentig vierkante meter wordt nu aangeboden als huis met een woonfunctie.

Het Gemeentarchief. De reïncarnatie van het gemeentehuis van Ouderamstel. Hier neergezet uit angst voor Amsterdamse annexatie. De maag, de maagd van Amsterdam. De maagd op de gevelrand, klaar om springen van de hoge duikplank. Ik val neer, volg mij. Doe het niet, meisje. Er is nog zoveel om voor te leven. Een vers bakkie thee. Een plek onder zon. En altijd iemand om me heen die van me houden kon. Maar dat niet deed.

Aan de einder rezen op de drie piramides in het dal der topmannen. Zou hij een levensverzekering hebben afgesloten? Voor wie eigenlijk? Z'n vrouw is dood en kinderen had hij niet. En levend word je er ook niet mee. Bangmakerij is het.

Poing. Jij bent weer levend.

Kromme Mijdrechtstraat. Waren we bijna gaan wonen. Levend begraven. Geboortegrond van Carla's stiefvader, de kolonel b.d. uit het Knil. Werkte bij de inlichtingendienst voor Westerman. Nooit geweten wat hij daar allemaal uitspookte. Er zijn de vreselijkste dingen gebeurd. Wist er in elk geval meer van. Habesnichtgewoest. En van die neergeschoten piloten in Nieuw-Guinea. Wou er niks over kwijt. Alleen dát ie er meer van wist. En dat het bij de oorlog hoorde. En dat ie er niks over kwijt wou.

Martin Luther Kingpark op de schop. Met overheidssteun van Koop Tjuchem. Beton, weg en waterwerken. Planken tegen de bomen. Overal hopen. Grafheuvels. Tumuli. Of zijn het cumuli? Een man met een oranje kettingzaag en een oranje hesje en een oranje helm hangt in de touwen in de bomen, terwijl zijn collega's naar hem kijken zittend op een kunstwerk, roestig modern. Ongelukkige bank. Het Boomverzorgingsteam van Zuideramstel. Boze boomzalvers. Doen goed werk. Het is lente maar het ruikt naar de herfst. Herfstbladeren die beginnen te broeien in de zon. Dood hout. Maar de boom leeft verder. Overleeft ons allemaal.

De rivier lag er weer mooi bij. Glinsterend als een avondjurk met lovertjes. Roeivereniging Charon. Enkele reis only.

De Sint Donatus. Woonboot. Wallekant overwoekerd met klimop. De laatste nomaden wonen op woonboten. Zo arm zijn ze in het kapitalistische westen dat ze moeten wonen in boten.

In zuidzuidwestelijke richting daalde een vliegtuig neder oplichtend in de zon. Vliegende doodskisten. Als we gaan dan gaan we samen. Leg je lot in handen van Captain Speaking. The non-flying Dutchman: vliegangst. Eerder valangst. Helemaal nu het met de Franse slag gaat.

Zorgvlied. Versteende hond houdt de wacht bij de invalidewagentjes bij de ingang. Een annonce: de kerstspullen worden per 15 maart van de graven verwijderd.

Verse viooltjes. Magnolia's in de knop. Gezonde grond. Vers bloed. Slagvelden ook. De Grebbeberg. De Waalsdorpervlakte. Hastings.

Het moment waarop het einde overgaat in het begin. Raadselachtige tekst. Het moet wel in één keer duidelijk zijn. Voor wie is het een nieuw begin? Voor de nabestaanden. Of bedoelen ze het leven na de dood. Strikt voor de vogeltjes.

Er was geen eind en geen begin toen Aeneas werd geboren

Achter het graf van vrouwe Johanna Elisabeth Sophia Knoll staat de Holder Cultivac A50 Turbo de gezonde graflucht te verpesten uit een zwartgeblakerd schoorsteentje op de voorplecht. Stinkt! Hierin lijen zij. Tractorretje dat puft in de ochtendbries. Zerkreiniging. Schoonmaakspullen achterop.

Waar geen zon schijnt, als de naakte molrat of de dieren van de nacht.

In de aula. Geen dienst voor Bertus Karelse maar voor een naamloze onbekende, een zekere Egbert Meijer.

— Ik heb me vergist, om met Troelstra te spreken, zei Maarten van Bemmel. Het was morgen. Sorry. Hier heb ik het kaartje. Tjeesus, het spijt me ontzettend. Dat ik je heb meegesleept.

Komt natuurlijk door die koninklijke uitvaart. Benevelt iedereen de hersens.

— Geeft niks. Volgende keer beter. Laten we blijven luisteren.

— Nu we er toch zijn. Sorry hoor. Vermensen is gisselijk.

Er weerklinkt het *Gloria*, de twaalfde mis van Mozart. Dan spreekt de dichter.

Raspende stem. Nee, meer krassend. Kraspend zou het moeten zijn. De kraai spreekt. Of meneer de Raaf. Maar daar zijn er niet zo veel van. Ergens in een eng bos in Drente in een kooi. Ook levend begraven. De laatste Nederlandse raven en niet eens wit. Laatste vaarwel voor onbekende onbeminden. Goed initiatief. En de dichter van dienst verdient er ook nog wat aan.

Egbert Meijer. Je werd gevonden in je woning

Daags nadat de koningin ons allemaal ontviel

Zeg het met bloemen. Driehonderd euro, drie maal tweetwintig, is 620 gulden. Kan zo'n jongen goed gebruiken. Huur. De vaste lasten. Vrouw en kind misschien. Komen anders om van de honger. Bloedjes. Of het gaat op aan drank. Alles wordt duurder en niet goedkoper, meneer. Nee, tegenwoordig krijgen ze allemaal subsidie. Eerst de subsidieaanvraag de deur uit, dan dichten. Moet ook gebeuren. Goed dat het er is. Als zij het niet doen, doet niemand het. Anders wordt het zo'n dooie boel. Stem van Pietje de dood zelf. Zulke stilte heeft niemand verdiend.

Niemand weet niemand weet

Dat ik Repelsteeltje heet

Door merg en been. Past er goed bij.

Er is een bloemstuk van de dienst, er zijn vier dragers en de uitvaartleider

Als de dichter is uitgesproken, weerklinkt een tweede aria, de Zeven laatste woorden van Mercadante, en bij het duet uit Pergolesi's *Stabat Mater* is de tijd gekomen op te staan.

Quis est homo! Dat opent je hart.

— Mooi. Eerst werd hij wit, toen werd hij rood, toen zei hij stik en toen was hij dood. Zoals een rechtgeaarde Amsterdammer past, zonder waarschuwing ineens de geest gegeven. Midden in het leven staan en er ook zo weer uit piepen.

— Maken we nog een rondje? vroeg meneer Bloem.

— Dat kan geen kwaad. Het weer zit mee.

Hoog in de kleine Sequoiodendron Giganteum zit een vogeltje Piep dat zingt alsof hij een boom omzaagt.

Zerken. Jezus zegt: wie in mij gelooft zal leven ook al is hij gestorven.

— Dat is sterk, zegt Maarten van Bemmel.

— Dat is de troost. Dat niet alles ophoudt, dat idee.

— Dat je er zelf ligt is nog te verteren. Maar wat een verdriet dat oplevert.

Vrouw net uit het ziekenhuis in Gouda. Maar it's getting better met haar. He feels fine, dus.

— Behalve die hele erge oude mensen die maar niet dood willen gaan. Dan is het een soort verlossing.

Vierennegentig! Kon dat nou niet in besloten kring plaatsvinden? Zonder vijfentachtig camera's. Circus de Dood. Stille tochten. Met z'n allen allemaal aan de goeie kant. Onze kant. Applaus voor het lijk!

– Sorghvliet. Zo heette het huis van raadspensionaris Jacob Cats, dat later Catshuis ging heten. Hij had uitzicht op de gemeentelijke galgen, maar door bomen en heggen te planten hoefde hij de kadavers niet elke ochtend bij het opstaan te zien.

Meneer Bloem luisterde met een half oor. Zorgvlied. Beter dan Wormlust. Of Lijkrot. Of Aasgeur.

Op de hoek bij deelbord 4 het graf van Annie MG. Moeder des Vaderlands. Ook Fiep is hem gepiept. En Fanny Blankers. En Lily Petersen. Kleutertje luister met de kinderen op schoot. Voorlezen uit de Donald Duck. Bij papa op schoot. Over de neefjes en Oom Donald. Doorzichtig graf. Goed idee: daar ligt gene zijde. Zodat je beseft: daar is gewoon hier. De overkant, de andere kant. *The point of no return.* Of passeren we dat al als we geboren worden? In het leven geworpen. Vang! Dacht eerst dat het een spiegel was. Dit zijt gij. Vanitas. Knuffels. Teigetje in een struik. Narcissen, hyacinthen, viooltjes, blauwe druifjes. Kleurige badkamertegeltjes. Meissnerporseleinen herdertjes.

Wie zijn er nog over? Mary Dresselhuys, inmiddels bijna honderd. Thea Beckman. Hedy d'Ancona.

– Zodra je uit de kut van je moeder wordt opgehoest, ben je al bezig met je stervensbegeleiding, zei Maarten van Bemmel.

Meneer Bloem keek naar de vier Vlaamse gaaien die van de ene boom naar de andere vlogen. Er zitten al knoppen aan. Katjes? Nee, dat zijn wilgen. Schoonmaakmiddel in familieflacon achter een grafsteen. Achter een andere een gieter en borstel. Handig. Hoef je niet elke keer mee te sjouwen. Mike, onder de voet gelopen door Johnny Walker.

– Altijd als ik hier ben, zoek ik een plekje voor mezelf uit.

– Mij mogen ze cremeren. Neemt minder plaats in beslag.

[Hades]

– Je weet niet wat je zegt. En de frisse buitenlucht dan?

– Daar heb je wat aan als je onder de groene zoden ligt.

– Ik bedoel niet voor jou, maar voor je nabestaanden.

Het is pure inflatie, naar mijn creatie. Caramelliseren zeggen de koks. Gastronomisch cremeren. Overheerlijk.

You can get in, but you can't get out.

– Dooie bedoening hier. Geef mij maar wat reuring.

Riek Romijn: Zij is zo goed en lief voor ons geweest.

Gelijk het gras is ons kortstondig leven. Ome Dolf de schoenpoetser ligt hier ook ergens. Hield van psalmen zingen en drinken. Als hij iemands schoenen had gepoetst zei hij altijd: ziezo poetst u nu maar de plaat. Ik ben zo geleerd omdat ik de hele dag in het leer zit. En opoe Pieterse. Iedereen gaat om zeep. Liggen in de kouwe Hollandse grond. Grauw als de dagen. Het familiegraf in Palembang. De zon door het bladerdak, diffuus. Alle graven overwoekerd. De natuur herneemt zijn rechten. Een land van verval. Geen jaargetijden. De allesdoordrenkende moesson. Hoeveel heb ik er al weggebracht? Wanneer ben ik zelf aan de beurt? Elke dag kan je sterfdag worden. Vandaag nog. Neef Alphonse was de eerste. Achtervolgd door het noodlot. Toen hij drie was viel hij met verstoppertje in een schuilkelder. Nooit meer goed gekomen. Meteen van de boot naar de inrichting in Heiloo. Liep weg toen hij hoorde dat z'n moessie ziek was en werd toen aangereden en tientallen meters onder de auto meegesleurd waarna z'n been eraf moest. Toen hij daar een beetje van hersteld was, kreeg ie een longontsteking en was het gedaan met hem. Waarom, waarom? Nergens om. Om daarom. Achteraf blijkt dat het de gewoonste zaak van de wereld is. Het gebeurt elke dag.

Like a newborn baby.

In het midden van de concentrische cirkels van de begraafplaats ligt een magische Keltische kring, gemaakt door boomstammetjes. Offerplaats. De drievoudige dood van de Germanen. IJzer, water, vuur. Plengoffers om de voorouders gunstig te stemmen.

Lieve pa, fijne opa.

Beeld: vader met poepend kind van de hand van Jelle Schepers. De kinderkopjes worden nog gelegd.

— Toch is het een sick joke. Het leven. Je bent je hele leven bezig er wat van te maken en als je het voor mekaar hebt ga je de pijp uit. En soms zelfs nog eerder.

Gelijk een bliksemende straal.

— Maar in de tussentijd gebeurt toch ook heel wat. Je moet niet iets vinden waar je plezier in hebt als je het gedaan hebt, maar iets waar je plezier in vindt om het doen.

De eeuwigheid in het leven. Zoiets. Met vallen en opstaan. Met hangen en wurgen. Je leeft toch niet om dood te gaan? Darwin: om te. De dood is de motor achter de evolutie. Als we onsterfelijk zouden zijn waren we nog allemaal amoeben. Dat toont al aan dat er iets niet klopt aan die theorie.

— En als je dat niet vindt, moet je d'r maar een eind aan maken zeker. Vijftienhonderd per jaar doen het. Vier per dag!

Bloems gezicht betrok. Weet hij het? Voor zijn tijd. Hij kwam in zevenentachtig bij de krant. Tweeëntwintig plus twintig. Tweeënveertig.

De crematie. Carla in shock.

— Het hele concept zelfdoding begrijp ik wel, hoor, ging Maarten van Bemmel volautomatisch verder. We hebben allemaal wel 's een baaldag. Maar wie denkt er aan de achterblijvers? Aan de machinist op de trein? Kortom: wie ruimt de rommel op? Bovendien: het is zinloos. Het leven is al zo kort. Een eendagsvlieg op de rok van het universum, veel meer zijn we niet. Dood ga je toch. En al dat gedoe. Kist, volgwagens, lijkredes, koffietafel, als je tenminste een basis-natura-uitvaartverzekering hebt afgesloten...

Gelach van achter de struiken. Doodeng. Werklieden in blauwe overals. Hun gezichten aangevreten door de dampen des doods. Niet meer aan denken.

Ligt u hier al lang?

[Hades]

Luchtgaatjes? Nee, daar kun je bloemen inzetten.

Tuinstoeltjes voor het graf van Klaas en Aartje Kaat. En bij Ria Janus: een deur in marmer, op een kier. De laatste deur.

Wat een rust! Wrede rust. Kerkhof rukt op naar de A2. En dan? Vreemd eigenlijk. Kerkhof zonder kerk.

– Er is een Ierse heilwens die zo gaat: Dat je mag leven tot je de kip eet die rondscharrelt op je graf. Meestal aangevuld door: En dat je je je vrouw nooit in weduwenrouw mag zien.

Ze lachten zacht. Besmuikt. Gezellige bijeenkomsten, begrafenissen. Je ziet de familie weer eens. In de oude liedjes draait het altijd op knokken uit. Tijd die nooit bestaan heeft.

Foto's in mapjes. Boek in plastic bij het graf. Heb je wat te lezen als je handen boven het graf groeien. Komt een vrouw bij de dokter. Meneer Kluun. Ook een manier om reclame te maken voor je boek. Sluikreclame. Fles wijn op het graf van Broerse. Gran Vos. Pak kaarten erbij, Een half verteerde sigaret. Hij kaartte zich dood. Toch zit er wat in, al die spullen bij het graf. Zou je meer mee kunnen doen. Begrafenis als een speurtocht waarbij elk onderdeel je herinnert aan de overledene. Sta hier stil bij het lot van de dieren als de overledene een dierenvriend was. Bij de opgezette barzoi, zijn geliefde huisdier. Draag hier zijn favoriete regels uit *Pyramus en Thisbe* voor.

Roseanne! Roseanne!

Drink hier zijn biertje op zijn kruk in zijn nagebouwde stamkroeg. Loop verder over zijn gedroomde uitvinding: de roltrap met bochten! Maak een praatje met zijn oude klasgenoot Henk Groot die een hekel heeft aan Shakespeare. Neem wat van zijn favoriete snoep. Wijngum. Zoute griotten. Om uiteindelijk met de andere rouwenden uit te komen bij de kist. Heb je wat te doen. Interactieve hands-on begrafenis. Ook leuk voor de kinderen. *This was your life.*

– Ik krijg er zo langzamerhand de kriebels van. Te lang hier ronddwalen is ook niet goed.

[Zesde episode]

Maarten van Bemmel oriënteerde zich op de zon om de richting van de uitgang te vinden.

— Het moet ongeveer die kant op zijn.

Denk aan mij. Wit marmer met bloedrode letters erop. Een windcarillon.

Dood. Dood voor altijd. Stront zijt gij en tot stront zult gij wederkeren. Familiegraf. Schik eens wat op. Hier leit het hele hussie. In de aarde. Geboorte- en doodgrond.

Bloem voelde in zijn broekzak. Zit er nog.

Nou leg je in het slijk. In een kist met zilveren beugels. Altijd knokken en zuipen in het Jordaanlied op zo'n begrafenis. Altijd heibel. Bonje. Kiezen op het troittor, tanden vliegen in het rond, gebitten door de ruit. Jordanezen: de slechtste gebitten van Nederland. Eigen schuld dikke bult.

De eerste hommel. Dus toch. Ziet er al behoorlijk dronken uit. Stuifmeel. Het zijn allemaal sexferomonen. Spinnen doen het ook. En de wind. Lang niet alles ontkiemt. Al dood voor het leven intreedt. De grote verspilling. Elke zaadlozing is een slachting. Een bloedbad.

Rood amsterdammertje met Ajax-vlag. Picornie? Nee, die ligt op Westgaarde, naast wie ook maar weer.

Maarten van Bemmel keek om.

— Nou hebben we de zon toch weer in de rug.

— We lopen in rondjes.

— We komen er nooit meer uit. Het is een doolhof.

De maalstroom uit. Je moet je aan zware voorwerpen vastklampen, die zinken langzamer.

In een boom hangen vogelhuisjes en vogelvoer. Omdat hij daarvan hield waarschijnlijk. Een rollerskate. Giraf. Windmolentje. Voetballen. Hartstikke nieuw. Eremetaal. Eerste prijs tournooi. Hoeveel jeugd ligt hier begraven. Droefenis aan de groefenis.

Heart and soul. One will burn. Er is een punt. Dat briefje. En toen ging ie eten en toen liep ie het water in.

— Ober, nog één laatste koffie!

Nooit zeker.

Nooit echt opgehelderd.

Er zit een eendenpaartje bij een van de waterputten waar je water kan halen om de graven schoon te maken. Nergens bang voor. Geen weet van de dood. Of toch? Ze ruiken het. Schapen en koeien bij het abattoir. Mand met weggegooide bloemen. Daarachter een steenhouwer die een naam beitelt. Kijkt verstoord op van zijn werk. Houdt niet van pottenkijkers. We vragen het.

— Weet u hoe we er hier uitkomen?

— U bent niet de eerste die mij dat vraagt.

Hij wijst met zijn beitel voor zich uit en gaat meteen door met werken.

— En zeker ook niet de laatste.

Jan Aristides Douwes vermist in de Himalayas. Geen Nederlands dat. Die komt zeker spoken om die overbodige s weg te laten bikken. Pijnlijk, spelfouten op een graf.

— De deelborden lopen alweer af. We zijn er bijna. Ik voel het aan mijn theewater.

— Het komt me hier anders nog niet bekend voor.

— Jawel, kijk, daar heb je dat gekleurde graf. Daar zijn we langsgekomen.

— Maar aan de andere kant.

— Die kant op. We moeten zo.

Mensen die met hun beroep vermeld worden. Patrick Iliohan. Kleinkunstenaar. Zijn leven was werken. Zijn werken was leven.

— Zie je wel?

Niet omkijken nu. Steen met motorrijder. Een reuzenhoofd op het graf van Jannie Tineke Smit-Lub. Het praalgraf van Dorrepaal. Aristocratisch bushokje.

Uitgang. Wij wel. Langs de bolderkarren en de kruiwagens. Langs de oever lopen twee jonge moeders met een kinderwagen.

Ze pakten hun fietsen en reden weg. In stilte zwijgend. Op de vangrail van een bruggetje staat While you sleep. In de Amstel dreef een dooie rooie boemerang. Komt nooit meer terug.

—|⊕⊗⊕⊗⊕⊗⊕|—

AAN DE RAND VAN HET HART VAN DE LAAGLANDSE METROPOOL

Voor het Amstelstation, voorbij de zwier van de rivier en onder het azuur van het zwerk, reed lijn twaalf opgetogen klingelend voor de neus van twee aanhollende schoolmeisjes weg.

– Hé! Wacht even! Wacht nou effe man!

– Shiiiiiit!

Achter het Amstelstation stonden de internationale bussen klaar op het omhekte rangeerterrein van Eurolines. Londen Parijs Berlijn Waardanook. Het stad- en streekvervoer stond onder het afdak van de lange pier te ronken en te tuffen, te puffen en te bonken terwijl een gestage rij mensen de stationshal uit kwam druppelen en zich willoos, moedeloos naar de sissend opengevouwen deuren van de grote gelede rups van buslijn vijftien liet leiden. Er reed een wagen van de archiefvernietigers van Brantjes voorbij: iedere dag snipperdag. De snipperaar verdween uit zicht, op weg naar ongetwijfeld alweer een tevreden klant.

– Bloedlijer!

– Zak tabak!

Hetgeen niet langer bewezen hoefde te worden.

WAT, JAMES?

Onder het koetochtig viaductje dat langs kronkelweg uitkomt op de James Wattstraat en het kantoor van woningbouwvereniging De Dageraad fietste nee velocipeerde nee rijwielde burcobloem, afscheid genomen hebbend bij het stoplicht op de winderige Weesperzijde van bemmelbrik, zich verafscheidend met de welluidende woorden

– Ik ga nog even.

waarop brikbemmel bloemburco van repliek diende met de rammelende, maar even cryptische als enthymemische afscheidsgroet – Ik ga zo. Dus het was nbloem40@xs4all? Morgen weer een dag!

DE VLAG HALFSTOK

Daar, dewijl het een openbaar gebouw was, hing de vlag halfstok uit eerbied en respect en ontzag en piëteit en fatsoen en gewone ouderwetse goede smaak. Bij het halfstok hangen gaat de vlag eerst in top, waarna deze langzaam en statig een stuk wordt neergehaald. De onderkant van de broeking (dat deel van de vlag dat aan de zijde van de mast zit) dient zich op de helft van de masthoogte te bevinden. Veel mensen weten dat niet. Op de Dam is dat vanmorgen misgegaan: het waaide te hard dan dat de vlag helemaal gehesen kon worden alvorens langzaam en statig te kunnen zakken.

Anton is net naar boven, opgehaald bij de draaipoorten door de journalist Haviksman. Door Haviksman de journalist bij de draaipoorten opgehaald net naar boven is Anton. Hij volgde het zwiepende staartje van zijn voorganger antimetrisch de trap op, tegemoetgekomen en ingehaald door collega's die hongerig of voldaan van en naar de kantine gingen en kwamen.

– Wil je koffie?

– Dat lijkt me lang geen slecht idee.

– Hier zijn ze allemaal naar de, zei Haviksman terwijl hij de deur opende.

LEZEN DOET DE MENS GOED

– Goeiemiddag Roy, zei meneer Bloem tegen de portier die de draaihekjes bedient opdat er geen ongewenste bezoekers binnenkomen.

– Goeiedag, Klaas. Lang niet gezien, zei Roy terug.

– Ik kom weer eens aanwaaien. Even in de kranten kijken en koekeloeren.

— Wees mijn gast.

In de hal van het hol van de luis in de pels van de leeuw in het land stond een leestafel met de kranten van de dag. Daar gong meneer Bloem zitten, terug van zijn trip naar Zorgvlied. Terug in de oude haven. Hij werkt er al lang niet meer, maar komt er nog elke week. Zoals een schip dat na lange omzwervingen over woeste zeeën vol gevaren aangevaren komt om aan te meren aan de vertrouwde kade, de scheepstoeter klinkt, de ketelbinkies springen al van boord in de armen van hun dolgelukkige moeders nog voordat de loopplank goed en wel is uitgelegd, de kapitein puft tevreden aan zijn Goudse kleipijp, een glimlach speelt om zijn mond als hij denkt aan de warme prak die hem straks thuis wacht, bedenkend dat het doorstane leed dikwerf in evenwicht is met de opluchting en vreugde na afloop, al betrekt zijn blik toch weer enigszins bij de gedachte aan de matrozen die hij onderweg verloren is als prooi aan de golven, als de krant even zo vele lezers en advertentieruimte aan het geweld van gratis verspreide Metro's en Spitsen, zo zette meneer Bloem zich op zijn vaste stek aan het lezen van zijn dagblad. Douwe Egberts gaat duurzame koffie schenken. Een Majesteit wordt begraven. De spraakverwarring over de Nederlandse identiteit. Ook Seedorf meldt zich af.

WAT TE DOEN

Nu eens even denken. Wat te doen. Hulde aan het bruidspaar op een kartonnen schild boven de deur. Al te afgezaagd. Wie zou dat toch altijd verzinnen? Een verrassing die geen verrassing is.

We laten hem alleen en gaan met de lift naar de bovenste verdieping. In de goederenlift worden lange houten planken geladen. Op de tweede verdieping zat tot voor kort dagblad annex middagkrant van Amsterdamse signatuur Het Parool maar die zijn de binnenstad ingetrokken. Wat zou er nu zitten? Een lege redactie. Spookhuis. Rinkelende telefoons die niemand opneemt. De krant van morgen.

DE LUIS IN DE PELS

Rechts de typhokjes, links de redactie, rechtdoor de voormalige telexkamer, achter mij de hemel. De onbelemmerde vrijheid. Vrij als een vogel. Als een verdronken vlinder.

— Hij is gek! Goed gek!

Een dame met een map onder de arm ijsbeerde voor het planbord in de vergaderruimte rechts van de tikkotten heen en weer en weer en heen.

— Is dat besmettelijk? vroeg Anton snel, in het voorbijgaan.

— Vooralsnog niet.

De als gek bestempelde kwam langzaam, aapachtig, territoriaal achter zijn bureau vandaan terwijl de armbemapte dame in de deuropening bleef staan met de map onder haar arm. Onder haar arm, in één stilstaande beweging, kwam de map in haar andere hand terecht.

— Hij heeft nog minder hersens dan een walnoot. Daar ligt het aan.

Hou-ou je vast voor de derde versnelling. In de achtbaan. Elk woord wordt hier gewikt en gewogen en onmiddellijk tegen je gebruikt.

De luxaflexen klapperden als gestoken. Vinnig.

Op de haviksmenselijke vraag naar Wind antwoordde zij, met een vage glimlach, op zijn vraag:

— Is gesignaleerd.

TRING TRING GAAT DE BEL

De niet-particuliere en voor gemeenschappelijk gebruik bedoelde typhokjes, tikkotten, tukkotten, peeskamertjes, met andere woorden werkcabines waar de serieuzere stukken werden geschreven, hergeschreven en nogmaals hergeschreven, waren grotendeels onbezet. De pen die nooit sliep rustte. De roep der natuur had de inwendige mens in grote getalen naar de kantine beneden geroepen.

De sirene van Antons mobieltje ging over. Ben ik dat? Ik ben het!

Het was Antons sirene. O God hoe werkt zo'n ding ook weer.

Sinds hij lesgaf moest hij bereikbaar zijn. Het was Cathy, die het compositiegedeelte van het school-en-muziekproject voor haar rekening nam. Morgen ging ze terug naar Berlijn.

— Half vier Het Schuim. Dan zie ik je daar. En niet verkeerd lopen, verhief Anton zijn stem omdat hij vreesde anders niet verstaan laat staan begrepen te worden.

— Nou ja zeg, hoorde Antons oor voordat hij op het gesprek beëindigen OK-knopje drukte.

Op dat moment kwam er een vrouw een van de werkcabines uitstappen. Boos.

— Zeg kan het misschien wat rustiger. Er proberen hier mensen te werken.

O sorry. Ik wist niet dat je kwaad werd.

HIJ IS ER

Klopklop.

— Nee, dit is de administratie, zei een vrouw op een ultramoderne draaistoel. Wij houden dit zootje hier organisatorisch en administratief in het gareel.

Ze kreeg antwoord van een onzichtbare mannenstem van achter een groot computerscherm.

— Volgens anderen kunnen we allemaal zo wegbezuinigd worden.

— Voor één miljoen zien ze mij nooit meer terug. Maar dan wil ik het daarna nog wel 's zien als ik weg ben. Dan wil ik nog wel eens zien wie hier de rotzooi opruimt.

Anton liep de voormalige telexkamer in waar niemand was. Daar stond de Grote Plotter eenzaam proefpagina's te weven. Weef, wever van de wind. Voorproefjes van de dag van morgen. Hier niet.

MAAR WAAR

Voorbij het gevreesde wassende water dat ook laaft liep hij de grote zee van de redactie in. Een werkvloer met lange bureaus, opgesteld in niet-afgemaakte ringen. Tv's staan afgestemd aan op de uitvaart. Bezetting: minimaal.

Bij het steen, waar vroeger de loden pagina's opgelegd werden, werd nagekaart en voorbeschouwd door twee noeste blijvers.

– Het viel een beetje tegen.

– Bernhard moest zijn bril afzetten. De preek was niks. Typisch remonstrants. Geen enkele diepte. Zielig zelfs.

– Wat had je dan verwacht? Juliana je bent een zondares en je zal branden in de hel?

Een griezelig griffermeerde lijkrede. Zwarte kousen met een ladder. Alles beter dan het gezever en gezalf en het panta kala lian van nu. En alles zal goed kommen. En alles zal recht kommen. Meer burger dan de burger. Normaler dan normaal. Laat me toch niet lachen. Zij laat een volle leegte achter. Juul.

Onder het steen: dozen, manden, kisten drank voor de vrijmibo. Maar het is pas de dimilu. De bijzetting is om half twee. Acht minuten later komt iedereen weer boven. Lijkwit. Alsof ze snot hebben zien branden. Rondje griezelkabinet. En om 13.44 u. kunnen kinderen en kleinkinderen en partners met z'n allen yoghurt eten in de koninklijke bus. Behalve het spreekwoordelijke zwarte schaap, maar die is niet eens uitgenodigd.

De hoek achterin wenkt. De afdeling filosofie-religie, voorheen de kerkpagina.

ZIJ DIE STREVEN GAAN GROETEN U

Anton liep langs steelse blikken achter computers die zeiden:
– Hou mij van mijn werk! Pluk mij wijl ik bloos!

De warme en de koude opmaak. De opmaker is het hart van de krant. Nee, de redacteur is het hart van de krant. Nee, de journalist is het hart van de krant. Nee, de administratie is het hart van de krant. Nee, de abonnee is het hart van de krant. Nee, de adverteerder is het hart van de krant.

Vermoeiend beroep. Moeten achter de feiten blijven aanhollen. Oorzaken vinden die het bestaande verklaren. Soort darwinisme. En geschiedenis. Het is zo want het is zo gekomen. Maar ik zeg: en toch draait zij terug. Zo is 't.

Deze Mac moet uit! Zum Befehl. Hij staat aan maar er zit niemand achter. Een A3-scherm met de opmaak van de eerste bladzijde van De Verdieping. gnipeidreV eD. Alles in Memphis, een taal die je alleen met de computer spreekt, anders begrijpt hij je niet. Er liggen foto's naast van diverse bekende Nederlanders, Paul Witteman, Birgit Maasland, Monique van de Ven, Linda de Mol, Cees Driehuys. En alles moet om acht uur af. Gekkenwerk. Derhalve moet je gek zijn.

Een meisje met een hoornen bril mompelt dat ze uitgebuit wordt. Mischa Steinmetz. Jij kent mij niet maar ik ken jou wel. Je zus werkt bij Westhoff advocaten bij mij tegenover en je komt er wel eens binnenwaaien. Toeval is logisch. Misschien familie van Thérèse? Grote heldin van paps. Dat zigeunerachtige temperament.

De Nieuwsdienst.

Mijn doel is tweeledig. Tweeledig is mijn doel. Ik kom ingezonden brief bezorgen en idee bespreken om rubriek te openen, eerste woorden laatste woorden. Herhaling.

Misschien kan ik beter.

IN MEMORIAM PATRIS ET FILIIS ET SPIRITU SANCTU

– Het precieze moment gepinpoint dat je niet meer verder leest. En waarom je dan niet verder leest. Negatieve esthetica. De laatste woorden. Het moet heten: eerste woorden laatste woorden.

En die dag lazen zij niet verder. Het juiste woord op de verkeerde plek.

– Volk, verwacht een ander heer, zei Pen.

– Je kent het grafschrift van Multatuli op Thorbecke? vroeg Vandevleugte.

– Hier ligt Poot, hij is dood. Nee, hier ligt een kloot, hij is goed dood, opperde Haviksman, die zich plotseling vaag meende te herinneren dat Thorbecke geen Poot heette.

– Fout. Goed fout. De man die hier begraven leit, stak uit in onuitstekendheid, zei Vandevleugte die zijn vinger hoog in de lucht surveillerende rondjes liet cirkelen.

– Thorbecke was een achtenswaardig man, zei Pen met een diepe diepe zucht. Maar over onze huidige liberale voormannen zou niemand zelfs zo'n simpel grafschriftje invallen. En niet alleen omdat simpel het moeilijkst is.

Haviksman was al aan het nadenken en zei:

– Over Van Aartsen: hier ligt liggend gelegen een oplichtend voorbeeld, ongelegen gelicht uit de laden der geschiedenis.

– Waaruit blijkt en waarmee bewezen is: moeilijk is het simpelst, was het commentaar van Vandevleugte. Iedereen kan het.

– Zelfs mijn neefje van vijf.

– Aangereden door een verwarde vrouw die geen andere oplossing meer zag dan moord, vulde Pen het impromptu gegeven grafschrift voor de voorzitter van de volkspartij aan.

– Dus toch niet zo verward. In elk geval met het hart op de juiste plek.

– Een karretje over een zandweg reed en de minister in het stof beet.

– Hij leerde zijn volk niets. He put the bla back into the blabla. Je ziet het pas als je het doorhebt.

– Ook een goeie: hij miste nooit een kans om een kans te missen.

– En zijn laatste woorden?

– Bier! Meer bier! De laatste woorden van de Olympiër, de man uit Weimar.

– En Julius Caesar zei: Et tu, Brute? Jij er ook eentje, Brutus? Maar Brutus werd boos en zijn aangezicht verviel.

– De rest is geschiedenis, besloot Pen. Daar is geen speld in een hooiberg tussen te krijgen.

SPITZENFINGERGEFÜHL

De deur woei open en binnen kwam Wind. Wssj!

– Wind van Kunst.

Hij streek zich tijdens het voorstellen met zijn linkerhand door het wilde haar terwijl hij met een schuin oog naar een van de televisietoestellen bleef kijken die aan de uiteindes van de lange redactietafels stonden.

– Leuk hoedje. Het wordt meer en meer een modeshow. Een dodeshow. On the deadwalk.

Ze liepen over het geluidloze karpet naar de rookruimte. In het schaamhok kwamen zij binnen door de geluidloze deur. Hier zet men koffie en over.

– Wat is de krant? De kroeg thuis op het werk maar dan zonder drank.

– Die neem je zelf mee. Bier, de gele motor.

Haviksman liet de woorden nederdalen tot ze op de grond lagen en zei toen pathetisch parenthetisch:

– Tussen twee haakjes. Dat doet me eraan denken. Ik heb ons een offer te doen dat wij niet kunnen afslaan.

– Als het je maar bloed, zweet en tranen gaat kosten, zei Wind.

– Bloed, zweet en tranen, en aarde, water, wind en vuur, vulde Pen aan.

– De vier ongure Hollandse elementen, zei Wind.

Terwijl Haviksman zijn plan ontvouwde richtte Anton zijn blik op de tegenoverliggende muur en las in zijn geheugen de flaptekst van het boekenweekgeschenk. Waar ik hier gestopt ben. 'Razendsnel griste hij de verderlichte schoentjes tevoorschijn, hij stopte ze weg onder de bank, sloot de rits weer, staarde naar de deuropening.' Razendsnel grissen: pleonasme. Vederlichte schoentjes: cliché. Tevoorschijn grissen: contaminatie. Hij stopte ze weg onder de bank: omhaal van woorden. Sloot de rits weer: ongewild halfrijm. Lelijke echo met gris. Grisrits. Dat is weer wel een leuk woord. Staarde naar de deuropening: lelijk asyndeton, verkeerd woordgebruik. Dat doe je niet, als je net iets weggegrist hebt. Je kijkt onschuldig of ingespannen naar de deur. En niet naar de opening. Slotconcluderend: de volle breedte van de weg misdadig misbruikt, inclusief vangrail en spits-, bus- en vluchtstrook. Lucht. Gebakken en gebraden en gesmoorde en gestoofde lucht. Hij schrijft wat hij eet: witte bonen in tomatensaus en gehakt. Genoeg voor de dag daarvan is.

Het hoort allemaal bij het ambacht van schrijven. Il mestiere di scrivere. Primo Levi Secundo Stervi. Zei de barbier van Aurevilia al niet: Leven doen mijn bediendes maar voor me? Neen, dat zei hij integendeel zeer zeker wel.

– Waar is die ingezonden brief die je wilde afgeven? vroeg Pen.

Anton werd wakker uit zijn dagdroom.

– O, hier.

Hij haalde de envelop uit zijn binnenzak en legde hem in de wachtende handpalm van de redacteur.

Dit is mijn vlees. Steek je hand uit en ze slaan er een spijker in.

– Ah. Varkens. Oink oink. Hot item, zei Haviksman die de brief diagonaal doornam. Wat doen we ermee. Dat is de hamvraag.

DE INTOCHT BIJ DE GROTE ZETBAAS

– We gaan naar Hoofd, sprak Wind.

– We gaan, echode Pen.

En toen vertrok de een en toen de ander en toen de derde en toen allemaal. Langs de kast met den bijbel. Dus toch niet meer zo bijbelvast.

Annie, hou jij mijn bijbel effe vast

En wat wordt hier gedaan? Hier worden alle stukken rücksichtslos herschreven. Rücksichtslos herschreven worden ze. Roekeloos: zonder roek. Aan de muur hangen kiekjes, vele kiekjes van een partijfeest of feestpartij uit het recente verleden, het afscheid van een correspondent, het vertrek van een opmaakredacteur.

– Foto's van een Trouwfeestje.

– Zoiets noem je een bruiloft, joh.

Plug me in. De gouden oude telefoon van Bakema rinkelt niet meer. Op de prijzenkast een bord: Awards of Excellence.

Daar verschijnen aan de horizon van de einder de ikeagele banken van de hoofdredacteur Gerard de Gaay, gelijk Saul een man van de schouderen en opwaarts, hoger dan al het volk. Zijn motto: het lijkt hier wel een gekkenhuis.

ZEEUWS MEISJE

– Ik zie ik zie..., zei deze toen het gezelschap binnenkwam.

– Licht aan het eind van de tunnel, zei Wind.

– Het licht van de trein die op ons af komt gestormd, lachte Pen.

– Het zijn stormachtige tijden, om maar te zwijgen van de terugloop in de betaalde advertenties. En een krant leeft onder een permanent zwaard van Damokles, legde De Gaay uit, met een stem die, sinds hij was opgeklommen van redacteur naar adjunct naar zijn huidige positie, van pure autoriteit een octaaf was gezakt. Vernieuwen is noodzaak.

Autodierijdt en autodiestilstaat. Arts and auto. Standaardwerken voor op de leestafel en het nachtkastje. Mag in geen enkele open haard ontbreken.

– Maar binnen de grenzen der mogelijkheden, zei Pen.

De partij voor gematigde vooruitgang binnen de grenzen der wet. Wie stemt er niet op. Ergens ligt een grens en die grens moet je trekken.

– Gaan we eindelijk tabloid? vroeg Haviksman naar de bekende weg.

– Als ik heel eerlijk moet zijn, zeg ik dat zeg ik niet, antwoordde De Gaay met zijn tong afwisselend diep in één van zijn beide bolle wangen.

– Voor jou een vraag, voor mij een weet-niet, vulde Wind aan.

– Dan moeten we een pin-up op de drie.

— Pikken onze lezers dat?

— Oftewel: lezen onze pikken dat?

— Zoals het er nu naar uitziet, ziet het er niet naar uit.

— Wel als het een Zeeuws Meisje is.

— Of een naakte kerel. Christus aan het kruis. Bingo!

— O Heer waarom hebt u mij verlaten.

HET GESPREK NEEMT EEN ANDERE WENDING

De krantine, zij begaven zich op weg naar de voedselvoorziening op de begrondgane, vroeger de krantine geheten.

— Laatste woorden, wat een bizar, macaber, luguber idee. Geniaal materjaal voor den dichter, zei De Gaay. We houden het in de smiezen. We nemen het mee voor de toekomst. Hoewel we weinig plaats hebben. De krant is vol. Eivol. Bomvol. Propvol. Tjokvol. Mudjevol. Boordevol. Over- en over- en overvol.

Zei hij zinvol, smaakvol, krachtvol, berouwvol, tactvol, hoopvol, temperamentvol.

— Ik eerst! Ik eerst! Ook laatste woorden die er mogen zijn, zei Haviksman *aus dem Blauen herein*. En wat dacht je van de klassieker: Waar zou dit knopje voor zijn?

Bijna-sneller-dan-het-geluid-dat-hij-produceerde haakte Pen in:

— Of: Niks aan de hand. Dat geluid maakt ie altijd.

— Of: Deze kant op, ik weet het zeker.

— Of: Poes poes poes, kom dan...

— Of die van onze bedhouder, nathouder, wetwetwethouder van onderwijs maar van boven niet, tegen de ongetemde feeks Heleen van Trooyen: Je publiceert maar...

— En heb je deze gehoord, zei De Gaay. Echt gebeurd, een paar dagen terug. Een man in zijn auto wordt door de Hermandad op de weg aangehouden omdat hij zwabbert. De man zegt tegen de arm der wet: Ik heb MS! Ik heb MS! De geschrokken agenten roepen tegen elkaar: Hij hep een mes, Leo! Trek 'm uit ze kar! En ze trekken hem uit zijn kar en beuken hem in elkaar. Pas op het bureau wordt duidelijk dat de man multiple sclerose had en daarom licht zwabberde op de weg.

– Goeie, hele, zei Pen. En groot gelijk hadden die agenten. MS-patiënten horen niet op de weg.

– SM met MS, vatte Haviksman het verhaalde gebeurde quasi-sussend SMS-end samen. Hij werd rood, toen wit, toen blauw. En hij streek zijn wimpel.

– Mooie zeden in Eden, zei Oom, zei Wind.

DE PARABEL VAN DE WULPESCHEDEL

– Kijk, Anton, voor hem schrijven we, zei Vandevleugte, wijzend op de man in zijn gele jasje die aandachtig de kranten doornam aan gene zijde van de kraaiepoorten. De gemiddelde lezer. Tante Truus uit Lutjebroek moet het ook kunnen begrijpen.

– En ome Jan met de pet uit de Eerste Van Swindendwarsstraat, zei Haviksman.

– En niet te vergeten tegenwoordig ook Achmed of Abdullah of Fatima van het Mercatorplein, zei Wind. Lamaarhoren. Zonder hapax legomenon, witte raven of andere exotische huisdieren esveepee. Danq. D'en cul!

Anton gaf een riedel op zijn mondharp bij het naar buiten gaan van. Een van de oudste voorwerpen in Amsterdam gevonden, wellicht het alleroudste, was precies zo'n muziekinstrument, een verroeste uit de tijd van Lambert de Backer. En dat ging van poooing poooing poooing. Aldus onze geliefde bestsellerhistoricus van de Nieuwmarkt.

Deze Mak moet uit! Geert Smak-Geld zul je bedoelen. Ging voor de exhibitionistische zelfverrijking naar een andere uitgever. Of hoe zat het ook weer? Heeft de Sturmgruppe Mak gevormd om hogere royalties te bedingen voor topauteurs.

Anton begon aan zijn parabel van het gevleugelde woord. Misschien wel het stomste verhaal dat ik ooit verzonnen heb. Ernst smokkelt Scherts binnen en komt met Lege Handen van een Koude Kermis thuis.

– Twee mannen van middelbare leeftijd gaan naar de Breitner-toren omdat ze worden gefotografeerd voor de krant. Op de acht-tiende verdieping is een groot balkon. Ze gaan er met de lift naar toe. De snelste lift van Europa. In acht seconden ben je boven. Helemaal high.

– Ik ben er wel eens in geweest, zei Pen. Alsof je wordt gelanceerd.

– Daar heeft die mislukte gijzeling plaatsgegrepen, zei Haviksman. Die man die geheimzinnige boodschappen kreeg door de breed-beeldtelevisies van Philips. Waren ze net verhuisd. Maar ga verder.

– Een zandneger van de security gaat mee. De zon schijnt, het is een heiige dag. Op het balkon ruikt het naar kroketten want de luchtafvoer van de keuken komt erop uit. De Amstel glinstert glimglommend in de zonnegloed. Je ziet, rechts, de torens van het Nederlandsche Bank-imperium, waar slechts een klein deel van de ruim een miljard euro familiekapitaal van de Oranjes opgeslagen ligt. Maar verder is het zicht beperkt.

– Volgens de laatste tellingen is het 1,26 miljard euro, wist Ha-viksman en in het midden te brengen.

– Belastingvrij. En ze hoeven niks te betalen, vulde Pen aan. Wij zakken hun spekken.

– Het is een familie van vele talenten, gaf Wind toe.

Hou ze bij de les. Het principe van de omweg. Laat ze tegen de lamp van Kallimachus lopen.

– In de goot vinden ze een wulpeschedel die ze op de balustrade zetten. Ze hebben allebei hoogtevrees. Ze willen in de luwte staan maar de fotograaf laat ze zo veel mogelijk over de balustrade leu-nen om zo veel mogelijk activiteit van de stad en blauw van de lucht op de gevoelige plaats vast te leggen. Zo worden er een dozijn foto's genomen. Als de sessie klaar is, is de wulpeschedel weg: van de balustrade afgewaaid.

– Ik begrijp het niet, zei Pen.

— Als hij zou willen dat je het begreep, zou hij het wel beter hebben uitgelegd, zei Haviksman.

— Wulp tulp, een Amsterdams verhaal. Ik zie hem. Vul in voer uit, zei Wind.

— Het is een allegarie, zei Haviksman, die een zelfgedraaide sigaret opstak en hem liet bungelen aan zijn onderlip. Het is. Leuterkunde neemt Hoernalistiek bij Neus.

— En zijn laatste woorden vervlogen als sterren bij zonsopgang. Bieberebie! Koerlie koerlie! Toedeledokie!

GEEF MIJ MAAR AMSTERDAM

— Holy shit! Heilige schijt! Ik wil niks zeggen maar zodirect missen we de feitelijke bijzetting, riep Haviksman briesend in omgekeerd ontveinsde ontsteltenis.

— Dat is dammer jan.

— Elke dag heeft genoeg aan zijn eigen, zeggen ze bij ons thuis, epigrammeerde Wind. Hoe heet je parabel?

— Ja, hoe heet het? vroeg Haviksman. Of moeten we het raden?

— Het heet de parabel van de wulpenschedel, zei Anton. Oftewel hoe Mozes en Aäron een dagtripje maakten.

— Een rijke soep. Rijk aan noedels en groentes en voedzame bestanddelen. Die krokettengeur is een treffend detail, zei Wind. Goed getroffen.

FABULATOR VAT KOE BIJ HORENS, LUISTERAAR HAKT KNOOP DOOR, VLIEGT LIEVER LUCHT IN, MAAR WIE BIJT IN STOF?

— Zeer treffend, zei Wind nogmaals.

— Als een dot stront in een open mond, moest Haviksman welsprekend beamen.

—⊕⊗⊕⊗⊕⊗⊕⊗⊕⊕—

Pannekoeken. Belegd stokbrood. Koffie-ijs bij de Stokkenbar. The best sandwich in town. In de vitrines van de Luciënsteeg liggen bananen, amandelbroodjes, saucijzebroodjes, wafels, gevulde koeken, stukken appeltaart, beignets.

Rechtsaf de slokdarm van de Kalverstraat in. Foldertje? Einstein. Wist u dat wij maar tien procent van onze hersenen gebruiken? Kom naar L. Ron. En raak ook die tien procent kwijt. Gratis persoonlijkheidstest. Kreeg je nog wel eens hier aangeboden. Waar zijn ze gebleven, de saaientologen? Verzwolgen in de stankbel.

De Tearoom etaleert stokbroden met de ingewanden uitgestald. Ei, ruccola, ham, kaas. Bosvruchten- en chocoladetaarten en grootmoeders appeltaart. En grootmoeder zelf. Hoe smaakt mensenvlees? Schijnt zoetig te smaken. Aldus Het Beste in een artikel over de tijger. Gebruikt voor haar werkstukje op school. Gekke Tilly. Lang geleden is dat. Nog voor haar spreekbeurt over hagelslag. De kannibalen zeggen dat de muis van de hand het beste smaakt. Delicatesse. Hoe zou dat eruit zien, uitgestald, hier in deze straat. Waarschijnlijk net als in de Lange Niezel. Slagers en seksshops. Van vee naar vlees. Salamigrote dildo's.

In 't Geurighe Rooske liggen de pecan cakes te glimmen naast de brownies, de wafels en de donuts met chocola. Goed voor je libido. Drop daarentegen. Uppers en downers.

Een draaiorgel met zuurstokkleurige figuren speelt *All you need is love.* All you eat is lof. Wie kent het niet? Aangepaste muziek? Knock-knock-knocking on heaven's door.

Wo ist die Febo? Is de grond dan niet vervuild met bakvet? Er zit nu de Esprit. Kun je ook eten. Lichaam en geest. Eerst komt het vreten. In de steeg aan uw linkerhand vindt u Snackbar Dop. In Glodok, de benedenstad van Batavia stonden bezwete Chinezen kroketten te rollen op hun buik. Ertegenover het Uruguayaanse steakhouse Alberto. *Vaut le détour.* Liefst met een grote boog. Drink Food. Dat zegt alles. Maar er komt altijd nog wat, als in: alles en nog wat: houtskool grill. De vertering heeft in huiselijke kring plaatsgehad.

Huilende mensen op straat. Etende mensen. Drinkende mensen.

Hoe zien ze eruit als ze op de wc zitten? Hoe zien ze eruit als ze klaarkomen? Hoe zagen ze eruit toen ze nog een kind waren?

Meneer Bloem sloeg rechtsaf de Rosenboomsteeg in. Geen familie. Of is er nou al een straat naar hem vernoemd? Mocht ie willen. Ziet er altijd heel ongezond uit. Alsof hij alleen maar poppestront te eten krijgt, zo kijkt ie. Of is het een zij? Je weet het soms niet. Zou wat vaker de deur uit moeten.

B. Wouda. Belegde broodjes. Halverwege de steeg werd meneer Bloem aangestaard door de verwijtende kop van een edelhert in het raam van het restaurant Vasso, sinds 1989. Restaurant nog niet open.

Meneer Bloem liep voorzichtig laverend langs de struikelblokken die als coprolieten waren aangebracht op de hobbelkeibepade rechthoek van het Spui. Er zijn schrijvers die wel een hele dag met één zin bezig zijn. Alleen maar om de woorden op de juiste plek te krijgen. Dat is hier niet gelukt. Wat zullen we nou weer eens verzinnen om iets te doen met de openbare ruimte. Een vertaling van de ene taal naar de andere. Aan de andere kant opende het Tokyo-restaurant de deuren. Gebouw Barbarosso. Spookhuis. Gratenpakhuis. Gratenkut. Alle zaken die er zaten gingen op de fles. Geen droog brood te verdienen. De art nouveau-gevel is gelukkig en godzijdank behouden maar ze hebben er wel een uitbouw tegenaan geplakt gekakt. Op het Damrak proberen ze het tegen te gaan met een uitstervingsbeleid maar hier is de stoep breed genoeg. Als die bloemenkraam en haringkar er niet stonden tenminste. Moest zeker weg van de Albert Cuyp omdat het teveel stonk. Alleen hier stinkt vis. Hihi. Heinz. Goed dat die weer terugkomt.

– Wilt u oversteken?

Levengevaarlijk, dit fietspad. Ze stoppen nergens voor. Zielig, heel zielig.

Bij de hotdogkar voor Het Lieverdje spreken twee skaters opgewonden met elkaar.

– Ik kom net van dat fucking k-kutplein...

– Het Museumplein?

– Ja...

Maak je niet dik. Er zal wel weer wat afgezet zijn. Verbouwing. Het Amerikaanse consulaat, of wat is het, de ambassade. No go area. Je botst met je fiets tegen het hek als je niet oppast. Uncle Sam eet alles. Het dikste volk op aarde. Sommige mensen mogen het vliegtuig niet meer in, omdat ze twee zitplaatsen in beslag zouden nemen. Dikke kinderen. Een op de vijf is te dik. In Amerika al een op de drie. Alles waait deze kant op. Wesley uit Geldrop is vijftien en weegt honderdachtendertig kilo. Hij krijgt een maagband om zijn voedselopnamevermogen in te perken. Veel te veel eten en veel te weinig beweging, daar komt het van. Het is een vicieuze cirkel. Net als hun ronde buik. Ze worden gepest omdat ze zo dik zijn, blijven binnen zitten en zitten dan stil en worden nog dikker, want wat doe je als je stil zit? Eten. Dubbel gepakt door de maatschappij. Of anders die moddervette schrijver die hier altijd om de hoek pils zit te hijsen met z'n getrouwen. Of dat varken Theo van Gogh. Het is gewoon zielig. Overcompensatie. Charmant is anders. Of zou het een ziekte zijn? Johannes van Dam, de gevreesde en gevroten culinaire criticus, die zichzelf en z'n gewicht overeind moet houden met een stok. Bedrijfsrisico. Wordt er vet voor betaald. Hangt in elke etalage met zijn keurmerk. Ook als ze maar een zes min hebben gekregen. Dikke vrouwen is een heel ander verhaal. Die zijn altijd gezellig. Mollig. Stevig. Iets om vast te houden. Om in te bijten. Neukteugels.

Even koekeloeren. Je ziet soms rare etalages. Mooie ook. Kant in vertaling. Zou dat wat zijn voor Carla? Wel grote overstap van de kalender. Kant aan de broek gaat nog net. Jabik Veenbaas en Willem Visser. Zegt me niks. Boek over Hercules. Tien zware werken. Verplaatst naar het heden. Leuk idee. Misschien is het omgekeerde ook wel leuk. Pippi Langkous bij de Romeinen. Odysseus op de Wallen. Aeneas nu. Hm. In strips gebeurt het voortdurend. Suske en Wiske. Heinz. Typisch geval van achterlopende literatuur. Met de teletijdmachine naar het verleden. Je zou kunnen uitvinden of het eten vroeger echt anders smaakte. Mogelijk? Mnee. Je zou je eigen vader kunnen worden. En ze zouden er nu al mee adverteren. Rabelais in de aanbieding. *Dutch Typography*. Letters als letters. Tekens. Het scheelt wel als het er mooi uitziet. Gaétan Soucy, *Music-Hall*. Een vrouw op een struisvogel.

In het Newscentrum wordt het Borderland Project onder de aandacht gebracht.

Snelle lunch, langs linkse wegen, draai rond naar daar. Halte Athenaeum. In de dwergstaat Luxemburg. Eenenveertig kilometer. Club Sandwich. Een Gewieckste Witte. Over heerlijk. Of de Maart Lunch Special. Gravad Lax. Noors platbrood belegd met gravad lax, roomkaas, waterkers en gemarineerde komkommer. Daarnaast een rode pestoyoghurtdip. Aan de zalmroze gemarmerde muren hangt een aankondiging van Franz Léhars operette *Le Comte de Luxembourg.*

De ongekroonde posterkoning en scheepsmodellenverzamelaar Engel Verkerke zoekt een plaatsje op een van de met groen en bruin kunstleer beklede clubfauteuils aan de tafeltjes die bij de bank tegen de eikenhouten lambrizeringen staan. Dikke kinderen slurpen aan hun Cola Light. Alsof ze daar dun van worden. Nu met nog minder colarieën.

Sinte Patrick zat op het overdekte terras met een optimistische bermuda aan en een glas rode wijn. *Writer in residence.* Niet weg te branden. Pauselijk voorkomen. Opgestaan is plaatsjevergaan.

Broodje bil. Of maar gewoon een broodje bijnier. Nee ik ga voor de foccacia Parmaham en mozzarella. Een luchtig Italiaans platbrood met.

Bloem ging zitten tussen de halve koperen bollen op de leestafel en pakte De Telegraaf van die dag. Delft is klaar voor uitvaart. Nee niet dat. Bederft de eetlust. De Privépagina. Schoonheid komt van binnenuit. Irene van de Laar wil geen plastische chirurgie. Wat doen ze eigenlijk met al dat uitgezogen vet? Gaat dat naar de kantine? Bakvet. Het Cromatorium. Of maken ze er stamcellen van? Of gebruiken ze dat voor de borstvergrotingen? Nee dat is allemaal siliconen. Van de kit. Waterdicht. Geen beweging in te krijgen. Muur- en vuurvaste tieten. Elk idee van wat je ermee zou kunnen doen is weg.

Voortdurend valt er wat achter de bar. Glazen, woorden, asbakken. In de gouden lijst naast de flessenkast was een foto van de overleden koningin gehangen. Gewoon zo als zij was. Gewoon zo als zij gewoon was. Gewoon zoals zij gewoon was gewoon te zijn. Gewoontjes. Zij was een van ons. De vrouw uit Soestdijk. De man uit Paterswolde. De man van Nazareth.

Wat at hij eigenlijk bij dat laatste avondmaal? O ja, een bord linzensoep. En een stukje brood en vis in ruil voor zijn eerstegeboorterecht. Een lamsstoofpotje van mals lamvlees, rozemarijn, venkel, kikkererwtwn (sic!) en gegrilde courgette geserveerd met een kruidige couscous en hummus zal het niet geweest zijn. Hoewel. Dit is mijn lichaam. Eet en vergeet.

Hé, ouwe bekenden. Bep en Piet komen ook een hapje lunchen, een vorkje meeprikken. Broer en zus uit Oost. Bep nuttigde een Luxemburger, dat wil zeggen een Hamburger met grote frieten, en Piet had twee kroketten met brood. Er hing nog wat gebakken peterselie aan zijn snor. Gezien. Hebben me gezien. Gezien dat ik ze heb gezien. Gezien dat ik heb gezien dat zij hebben gezien dat ik ze heb gezien. Vluchten kan niet meer.

— Smakelijk eten, tesamen. Dat het u wel moge bekomen.

— Ha die Klaas! Hoe gaat het?

— Goed. Naar den vleze. En met jullie?

— Ook goed.

— Mag ik er even langs?

— Sorry.

— Ben je alleen of wacht je op iemand?

— Ja, zegt meneer Bloem gedachteloos. Ik bedoel nee. Ik kwam even de inwendige mens versterken. Anders kan ik niet denken. Daar word je zo shaky van.

Suikerspiegel. Glucoseniveau. Hypoglukemisch. Paardekastanje-mineermot. Het zit er allemaal nog in. Het wil er alleen niet altijd uit. Geestelijke constipatie.

— Ben je weer wat aan het bekokstoven?

— Wat zeg je? Een kool stoven?

— Neehee, of ie nog wat in zijn schild voert.

Zalmaarnikszeggenwantdanmoetikzeuitnodigenendaarhebik-geenzinin. We houden het klein.

— Niks bijzonders.

— Loop je met je ziel onder je arm?

— Dat nou ook weer niet.

— En Carla?

— Mag ik weer even passeren.

Meneer Bloem wordt zachtzinnig patriciaal tegen de tafel aange-drukt door een resolute serveerster in het strakwit waardoor het bordje met de halfopgegeten kroketten bijna van de tafel schuift. Piet stuit de val.

— Ho, waar ga jij heen?

— Ik sta hier wel in de weg geloof ik.

— Kom erbij zitten. Ze wijzen op een lege stoel aan hun tafeltje.

— Nee, ik moet nog even naar de bibliotheek om wat op te zoeken.

— Kom anders vanavond naar Desmet. Daar zitten we iedere week. Ons avondje uit. Is ook wel wat voor jou. Een soorte bonte dins-dagavondtrein, maar dan anders. Het gaat uit van de VPRO. Er zijn iedere week andere voordrachten. En er is live muziek met een eigen huisorkest en elke week een andere gastmuzikant. Van alles wat, maar alles tot in de puntjes nagespeeld.

— Pardon, klinkt achter hem een zachte tamarindische stem.

— Zo dik ben ik nou ook weer niet. Okee, ik zal het proberen. Dat programma ken ik wel. Ik luister er wel eens naar in de keuken als ik aan het afwassen ben.

— Wie zijn er vanavond?

— Dat willen we nooit weten vantevoren. We gaan vooral voor de sfeer. Je ziet er de raarste dingen.

— Volgens mij is Wim de Bie er.

— Nou ja, wie weet.

— Doen hoor.

— Tot dan dan.

Net voor de volgende serveerster met een dienblad voorbij komt, duikt meneer Bloem de lunchroom uit. In de deuropening blijft hij staan. Strooien hoed. Hij is het. In z'n Canta. Hartkloppingen. Wat stond er ook alweer? Waar is m'n zeep. M'n zakje met aarde. Geluksaarde. Zijn er nog leuke huizen te koop, dokter? Onder de blauwe luifel op het warme Spui. Zingt nog steeds de doktermakelaar in een gele regenton. Daar komt uit de Spuistraat voorbij café de Zwart de manke Manus aangekard op het feestje van Klaas Bloem. In de reflectie van de makelaarsruit ziet hij het rode invalidewagentje verdwijnen in de richting van het Koningsplein.

Ontsnapt.

—◦⊕⊗⊕⊗⊕⊗⊕◦—

Urbaan, bijna beledigend hoffelijk, semiquasi-Engels, hield de gewezen docent Moderne Engelse Literatuur de deur van de garderobesluis naar de bibliotheek voor Anton open en spinde, langs hem heen kijkend met licht ironische glimlach:

— Volgens mij is het een droom die tijdloos is als elke droom. Buiten tijd en ruimte.

Net als jij. Hoog Sammie, kijk omhoog Sammie. Naamloos omdat je geen naam mag hebben. Door de hare majesteit van de Ned. letteren, nu geslagen met de viervoudige vloek van Prof. Alzheimer, Prof. Dr. Korsakov, Prof. Dr. Ing. Creutzfeld-Jacob en Moeder Freule Haya van Someren-Down-Syndroom, wachtend op het wonder van Schiedam, liet hij zich zijn moedersnaam opprikken. Met veiligheidsspeld in zijn dikke huid. De nobelste Romein van allemaal. Mijn naam is ambigue. Mijn naam is Henk. Ik weet van niks. *The perfect ghost.*

Is er wat gebeurd dan?

Daar weet ik niks van

– Hoewel Vestdijk er niets van geloofde, dat het een droom is of het droomleven uitbeeldt, hoewelden zijn woorden zijn tong op en neer.

Zalig zijn de ongelovigen. 'Bij al zijn gecompliceerdheid is Joyce ondiep en *simple-minded*.' Jaja. En de zandtaartenbakker uit Doorn was een psycholoog. Een auteur. Net als deze weggelopen figurant uit Asterix. Maar je zou dankbaar moeten zijn. Zijn werkcollege was het waar de literatuur door de studenten teruggebracht werd tot de hapklare proportie van de vraag of de hoofdpersoon sympathiek was of niet. Eén snuggere speknek merkte op dat Stephen hem wel wat aan Ronald Reagan deed denken. Hilariteit. Bijval. Pek. Veren. Pak de schaar! Ik wildehoefde niet meer. Hij snapte het wel. Hij had er een wat dikkere huid voor gekregen. Zat z'n tijd uit. Later pakte hij me terug met een aanbevelingsbrief voor het Fonds. Dank, dank, dank, muchibus thankibus. Een van de vele vaders aan de wieg van mijn *succès fou et éclatant d'estime, hein?* Ere wie ere toekomt. Je zit in de lift. Tweede verdieping. Metrostem. Station Duivendrek. Alle vandalen uitstappen. Voor de blinden. Voor de doven zou het wat harder moeten. En voor de dommen zou het herhaald moeten worden. Dat is dus tussen de eerste en de derde verdieping! De faculteit der feesteswetenschappen. Steenrood tapijt, zachter dan mijn bed.

Mijn wiegie was een kaartenbakkie.

– We willen toch niet voor Freud spelen. Eén Freud is meer dan genoeg, zei zijn moderne Engelse literaire stem, immer knorrend.

– Diezelfde ene Freud die ons er al op wees dat zijne majesteit het Ego de held is van elke dagdroom en van elk verhaal.

Een vrouwenstem. Alma mater spreekt. In de volkoren verleden tijd. Op allang verbrande schepen wegzeilend van de kust van Bohemen. Slecht nieuws voor de ziel. Ga toch biechten.

– Iedereen die naar een psychiater wil, moet zijn hoofd laten nakijken, doceerde de Romein ambigue met een zuinig, jazzy glimlachje. Het bordje gaat omhoog: JOKE. Het publiek lacht zijn veelkoppige hoofd eraf.

– Mijn gewaardeerde oud-collega, glimlachte de hooglerares tegen Anton, ziet niet in dat elke roman niet meer is dan een reflectie van een oerfantasie. Molly en Anna Livia zijn fallische moeders. Het is de wraak van Joyce op vrouwen, niet het blootleggen van de essentie van femininiteit. Hij zegt ons niets maar dan ook helemaal niets over de aard van vrouwen.

Glimlachend werpt ze haar dolken. Hoofd onderwijsvrij nonchalant gebogen, een zwarte piratenlok over het feminiene voorhoofd. Zij golft maar is een beetje een chaoot. Ze zien 'r weinig hier. *Fore! Get thee hence.*

– Jouw Joyce heeft marginaliteit tot mainstream gemaakt, onbegrijpelijkheid tot dat wat het beste begrepen wordt. Hij is ongrijpbaar in de slechtste betekenis van het woord. Elk streven om verbanden te zoeken in de werkelijke werkelijkheid is nutteloos. Je kan, zeker bij hem, alles bewijzen.

Mijn Joyce. Haar Joyce. Birdie voor Christel. Is dat haar pseudoniem? Of is dat Christine? Toen zij na afgemeld te hebben verscheen op een Parijs Joycecongres en er geen spreektijd meer voor haar was, omdat ze immers niet meer zou komen, wilde ze toch haar reiskosten vergoed zien. Some undignified wrangling ensued, met de al even pinnige Parijse organisatrice. Als blikken konden dozen. Het leek wel modderjudo. Geworstel met de moddernité. Het was beter om een stapje opzij te doen en het op afstand gade te slaan, aldus Zegsman A. McNonymus, anoniem. De vonken vlogen ervanaf. Geen katje om zonder handschoenen aan te pakken. Met handschoenen ook niet. Ovenwanten misschien. Of bokshandschoenen.

— Wat de Jezuïten er bij hem van achteren hadden ingepompt, kakte hij er door zijn mond weer uit op zijn schrijfbureau. Zo graag pronkte hij met z'n kennis. Maar hij is zo ondiep als een pannenkoek. Met z'n pen als prothese tracht hij zich masculiene autoriteit te verwerven en met een rookgordijn van kennis en weetjes maskeert hij zijn eigen falen en zijn onbegrip. *Shallowness is the surpreme vice.* Je zal er maar in verdrinken. In de stroop die zij op de pannekoek doet. Is lezen slecht? Was Joyce een egotripper? Laat hem, fidonc, elders gaan excelleren.

— Maar in de moderniteit is alles wat kunst kan doen getuigenis afleggen van de menselijke beperkingen. Sinds Lacan, Foucault, Derrida, Deleuze en Lyotard weten we dat er een botsing is tussen retorische configuratie en de menselijke illusie van transcendente subjectiviteit. Daarom kunnen we alleen nog een poststructuralistische analyse doen naar significatie en subjectiviteit, analyseerde hare significante subjectiviteit poststructureel.

Quoiq?

Wat is dit voor discours? Waar ben ik? Zoveel zinnen, zoveel zielen. We. Wij. Twee ons ik. Wij weten alles. Wij hebben ons kapot geamuseerd. De tv is onze werkelijkheid. Hou mij d'r buiten wil je. Spreek voor jezelf. Denk voor je eigen. De verstikkende onzichtbaarheidsdeken van het begrippenapparaat. Het onderwerp wordt lijdend voorwerp en stikt. De zonderzoeker verdwijnt achter de horizon, als de zot van de schepping, onverschillig, zijn gat krabbend.

De gewezen docent, gnuifelend, gnuifde.

— Als ik dit soort dingen hoor, moet ik altijd aan F.R. Leavis denken.

Rare jongen die Romein. Moet altijd aan F.R. Leavis denken. Had het over Lawrence. De gal... de gal... de gal...!

— Toen hij het over Lawrence had, weet je wel, he was a master of expression, and, if 'form' means anything worth bothering about, of form. If 'form' means anything! Dat haalt je toch de récherché koekoek! Daar zeg je toch helemaal niks meer mee? Dat bezwaar heb ik ook, met alle verschuldigde respect, jegens jouw neo-kretenzische kretologie, bezwaarde Romeinkoekoek, driftig ganzenvoetjes in de lucht makend rond het woord form.

A_2-A_3-A_4 piratenschip gezonken. O tempo'a o mo'es. Kloot. Unkloot. Heeft hij ook gebaren voor voetnoten?

Moedeloos veelbetekenend haalde de exdocent zijn schouders op. De gepikeerde professore wilde inhaken, maar de meijerende Romein was haar voor.

— Wat je verder op ook op hem aan te merken mag hebben, Anton hier houdt zich tenminste aan de feiten. Hij bewijst, keihard, met hogere wiskunde dat Joyce in 1132 geboren is en dat daarom dat jaartal de geheime pincode is van het hopeloos onleesbare zwartboek van de nacht, *Finnegans Wake* die grote stad. Plattegrond en bouwtekeningen met metingen bijgeleverd. Meten is weten, if *Finnegans Wake* means anything.

— Joyce geboren in 1132? Is dat in de Palestijnse jaartelling?

Panna knock out! Bijdehandte tante.

— 1132, het getal dat in zoveel gedaantes terugkeert in de *Wake*, maar vooral als het ultieme jaartal, het jaar van de zondvloed, expliceerde Anton tegen de klippen van het wetenschappelijke gezond verstand op en laverend tussen de maalstromen van de dichterlijke vrijheid door.

— Hij was een onbescheiden pochhans die zich daarmee al verdacht maakt. Want zij die weten spreken niet en zij die spreken weten niet.

— 'k Meende nochtans dat het ging om de wet van de vallende lichamen, weet je wel, zoals geformuleerd door de populaire wetenschapper Leopold Bloom: de versnelling van tweeëndertig voet per seconde per seconde. En elf als herbegin na tien, maar dat is onze Anton veel te reductionistisch voordehandliggend. *Am I right am I wrong?* knisperde de centurion-oud-docent.

Et in manum suum evacuavit. Zij vertolkt de gevoelens van velen. Het

gezonde volksbevinden. Doe maar gewoon dan doe je al gewoon genoeg. Dat is de makke van de literatuur van nu. Fijn niks weten. Je wordt als lezer behandeld als debiel omdat de schrijvers niks meer weten. Geen kennis, geen zaken, geen voorstelling. Alleen nog wil. Wil om te schijnen. I wanna be a writer. En op het laatst zíjn de personages bordkartonnen Ronald Reagans. *Homo triplex.* Sociaal-wenselijke romans met mensen die zeggen wat de schrijver denkt dat ze horen te zeggen om hen en daarmee hemzelf *sympathieker* te doen schijnen. Boeken met de grote thema's die de politici hebben laten liggen. Integratie van allochtonen. Het algemene gevoel van onveiligheid. 911. Het geheime wapen van de terreur: angst. Er is dus maar één remedie: niet bang zijn. Zie ook *Asterix en de Noormannen*, passim. En Hultrasson: *Maak me bang, Viking!* De toenemende geweldsspiraal op straat en in huis. Is lezen gevaarlijk? In Nietzscheaanse zin, in de zin van: gevaarlijk lezen, in die zin.
– Is lezen dan zo slecht?

Tussenspel.

BIBLIOFILOS Is lezen dan zo slecht?
APPELODORUS Omgang met slechte boeken, waarde Bibliofilos, is vaak gevaarlijker dan omgang met slechte mensen (Hauff).
BIBLIOFILOS Ach kom, Appelodorus MacFiloktetes, geen boek is zo slecht of je kan er wat uit leren (Plinius de Oude).
APPELODORUS Neenee, slechte boeken zijn een plaag. En hoe komt dat? Er zouden misschien minder slechte boeken worden geschreven als er meer goede werden gelezen, zo las ik onlangs in een vliegend blad.
BIBLIOFILOS Geloof je dat nu echt? Een boek is als een spiegel: wanneer een aap erin kijkt, kan er geen apostel uit kijken, aldus Lichtenberg.
APPELODORUS Jij met je Lichtenberg. Denk liever aan Kallimachus: een groot boek is een groot kwaad. En grote boeken, evenals grote

schedels, hebben vaak de minste hersenen (Clulow).

BIBLIOFILOS Dan wil ik je die bal graag terugkaatsen, Appie, want als een hoofd en een boek tegen elkaar botsen en het klinkt hol, ligt dat dan altijd aan het boek?

APPELODORUS Alweer Lichtenberg!

BIBLIOFILOS Ja, immers de nuttigste boeken zijn die, waarvan de lezer zelf de helft heeft gemaakt. (Voltaire)

APPELODORUS Maar sommige mensen zijn alleen geboren om gif uit boeken te zuigen. (Ben Jonson)

BIBLIOFILOS In een hoexcken met een boexcken, zei Geert Grote al. Niets is beter voor de gezondheid.

APPELODORUS Pas maar op, beste Bieb, dat je niet door boeken wordt verslonden! (John Wesley)

BIBLIOFILOS Wat schuilt daar nou voor gevaar in? Een boek maakt de onnozelen onnozeler, de verstandigen verstandiger en de overgrote meerderheid blijft zoals het was.

APPELODORUS Laat me raden: weer Lichtenberg? Doch bedenk: de ezel die vele boeken draagt, is daarom niet geleerd. (Deens spreekwoord)

BIBLIOFILOS De leermeester leidt u alleen tot de deur. Gij moet zelf verder gaan (Oude wijsheid)

APPELODORUS Ik blijf erbij dat lezen gevaarlijk is, en niet alleen de lectuur van slechte boeken. Wie zeer veel en bijna de gehele dag leest, verliest geleidelijk het vermogen om zelf te denken, evenals iemand die altijd rijdt ten slotte het lopen verleert. Dat is het meest het geval met geleerden. Zij hebben zich dom gelezen. Schopenhauer!

BIBLIOFILOS Met goede lectuur is niets mis. Alleen, het publiek is zo dom, dat het liever het nieuwe dan het goede leest. Ook Schopenhauer! En vergeet niet: het grote bezwaar van nieuwe boeken is slechts dat ze ons beletten de oude te lezen. (Joubert)

APPELODORUS Nee, ik kom hoe langer hoe meer tot het inzicht dat alle lezen slecht is. Als boeken al iets nieuws en waars bevatten, is vaak het nieuwe niet waar en het ware niet nieuw. (Voss)

BIBLIOFILOS Of zou het toch onze miserabele tijd zijn dat er zo weinig goeds wordt geschreven? Een van de kwalen van onze literatuur is immers, dat de geleerden geen geest hebben en de mannen van geest geen geleerden zijn. (Joubert)

APPELODORUS Ach wat, scholing is niet alles. Het is geen olifant bijvoorbeeld. (Milligan)

BIBLIOFILOS En een vat van geleerdheid is nog geen druppel wijsheid waard. (Pythagoras)

Grijp hem. Pak ze, Bello. Compositie van tijd. Trek ze het immer voortrazende heden in, waarin het verleden toekomst is en toekomst het eeuwig geweest zullende zijnde. We zijn hier niet in de Exilstraat, godverdomme. *Zum Bleispiel.* Spijker ze vast aan het spijkerbed van de chronologie en de plaatsbepaling, oranje, met zwarte wimpel. Halfstok.

– Hij had gewoon een jaartal nodig. Elk jaartal was goed geweest. 1672 of 1922 of jouw geboortejaar voor mijn part.

Retrospectieve science fiction. 1962. Kunt u ons de weg naar Harmelen vertellen, meneer. Veertig was ik toen ik *Finnegans Wake* teruggaf aan het Nederlandse volk. Later zorg. Als je het doet, moet je het goed doen, zeker als je zo megalomaan bent. Stil. Stil nu. Hij dacht: wat een afgesleten gedachte, maar hij dacht het wel: Stil, stil nu. Spreek me niet tegen terwijl ik me onderbreek.

– Het jaar van de zondvloed in de Lauwe Landen. 1169. Het is drie jaar voordat Amsterdam gesticht wordt in de maagdelijke moerassen langs de Amstel, op aanraden van een pratende reiger, sprekende met de woorden: Uw huizen zullen een vlek worden, de vlek een gehucht, het gehucht een dorp, het dorp een stad, een stad die eens de ganse wereld zal beheersen. Het Amsterdam nul toernooi.

Het academische grapje. De kwinkslag om hun walnotenhersens open te kraken. Het bordje gaat weer omhoog. Dit keer met de mededeling: FLAUW. Er wordt niet gelachen. Het is leuk als u lacht, maar als u niet lacht is het ook leuk. Richt uw oor en luister. Sluister! Kluister! Beleefd lachen ze juist niet. Getuigen van ernst. Of het is het academisch kwartiertje. De tijd dat het kwartje erover doet om te vallen. *Waarom ik geen academicus ben geworden en u wel.* De rancuneleer van de rancunelijder Oerlemans. Stond bij Reve op het nachtkastje. Naast zijn kunstgebit. *Waarom ik geen dichter is geworden en hij wel.* De ressentimentsmens. Jij wordt nog eens heel zielig kaal.

Hij wel.

Straks gaat het van ploffie ploffie. Ze komen je halen.

De drie wapens van Alvaro Sterkboog de Wachterromans: snelheid, waarheid, originaliteit en een bijna genadeloze toewijding aan zichzelf. Vier wapens! De vier wapens van Alvaro le Gros de Wachterromans de Courcy: snelheid, waarheid, originaliteit, een bijna genadeloze toewijding aan zichzelf, silence, exile en cunning. Zeven wapens! De zeven wapens van Milo Alvaro de Wachterromans de Cogan: snelheid, waarheid, originaliteit, een bijna genadeloze toewijding aan zichzelf, silence (lawaai), exile (uit in eigen land), cunning (pencak silat, les I: zelfmoord is de beste verdediging), ouwe claritas, dissonantia en uglitas. Tien wapens! De tien wapens van Alvaro FitzStephen de Wachterromans de Braose de Lacy de Burgos! Tien tien tien tien!

Zand, zand, overal zand en geen druppel te drinken. De zon speelt met mijn voeten als een ernstig kind met een heggeschaar.

Het wonder van Amsterdam. Vijf jaar later brak de pest uit. Als dat het is wat het oplevert.

– Terwijl het wilde woeste westen van drassig Amestelle overspoeld wordt door water, worden de vijf kwarten van de trillende plag die nu Ierland wordt genoemd overspoeld door rustieke inheemse Ierse familievetes en gewapende bendes Angelsaksische baronnen en vrijbuiters. We schrijven 1172 anno dio boia.

Of om met een exordiale sisser van een literair uitgeblazen Jiskefetter te spreken: 'Buiten regende het.' Ja, het zal eens binnen regenen. Laat Hadrianus papa numero Zes maar zitten. Hou het kort, hou het simpel. Je weet waar het naartoe moet. De enige Nederlandse paus. Sloot de Sixtijnse Kapel af om er ongestoord zijn haring met Amsterdamse uitjes te kunnen eten. Leerde Karel de Vijfde boeren en scheten laten in het publiek. Toen Adriaan Floriszoon van Utrecht stierf, vergiftigd met een *cannole*, van de vermaledijde trap gevallen, syphilis, we en weten het niet, ging de vlag uit in Rome. Weten ze allemaal al. Oud nieuws. *Tell us something we don't know.* Nieuw ouds! Wij willen nieuw ouds! Verfabeld door de pleegdochters van het geheugen. Niet te veel afdwalen. In de bekasting toont zich de meester. De jif in history. Om over numero Zeven en Acht maar helemaal te zwijgen. De dolle tweeling. Tante Geertje tot Sint Gans die, en ik citeer, tijd, kennis en discipline te kort kwam om de *Wake* te vertalen, *vulgo* hij kon het gewoon niet want hij snapte er de ballen van. En Adrie en zijn Anus mirabilis. Dat het er allemaal in gaat is een wonder, maar dat er nog wat uit komt is bovennatuurlijk. *Uncanny.*

– O die, blasfeminiseerde de golfende professor olijk.

– Met politieke, maar geen militaire steun van de Paus, Hadrianus papa numero Vier, voorheen bekend onder de overwinningprijzende naam Nicolaus Breakspear, de eerste en laatste Engelsman die zijn *blood and bottom* op de pauselijke troon mocht nedervlijen, heeft de Angelsaks Hendrik de Tweede, 39 jaren oud, met een bende Normandische ruiters in maliënkolder, Vlaamse piotten en Welse boogschutters het verdeelde Ierland gepacificeerd, zoals opa Guillaume met Engeland had gedaan.

– Ook een goed jaar, merkte de *savante* uit Savoyen berekenend op.

– De Gaelische inboorlingen mogen de veenmoerassen houden en terugkomen om het land te bewerken en met bloesemende tak het rookbepluimde vee te hoeden. *Laudabiliter in excelsis.* Als dank voor bewezen diensten schenkt hij aan de bewoners van het Engelse Bristol bij charter een groot geschenk. De stad Dublin met al zijn gehorigheden en ommelanden tot usufructu van de hele gemeenschap.

De merels zingen zoals ze toen ook zongen. Andere merels. Zelfde oude liedje. Zal ik ooit?

Nu niet verslappen. Let op. Geef acht. En hij gaf er negen en kon de baan wel vergeten.

— Welnu, het is heel simpel.

— En dat is het moeilijkst, parafraseerde de kwinkelerende Romein berustend.

— De blinde bard uit Zwartpoel, *Homo Jocax Erectus*, was exact maar dan ook op de dag af precies veertig toen hij, vanuit continentale balling, met zijn grote blauwe boek Dublin teruggaf aan de Dubliners. Als een verkeerd om geïnjecteerde Hendrik de Tweede. Als 1922, het annus mirabilis van het Modernisme, toen *Ulysses* gepubliceerd werd en *The Wasteland* en de *Tractatus*, en Joyce immer blinder aan zijn wereldgeschiedenissamenballende boek van de nacht begon op een oktobermiddag in Nice, 1172 is, dan staat 1882, het geboortejaar van Joyce, gelijk aan 1132. Veertig jaar aan beide kanten van de streep. In een boek waarin alle tijd is samengebald en niet opgeheven.

Aufgehoben in Hegeliaanse zin. Niet teveel claptrap tegelijk. You're losing it.

— Nee, de afdeling Duits is die kant op.

Op aanwijzen van de assistent-bibliothecaris-in-opleiding-maar-zonder-kans-ooit-een-baan-te-krijgen-omdat-daar-nou-eenmaal-geen-geld-voor-was loopt een leergierige beginnende studente in een roze pluisjetruitje en met een sjaaltje om met paarden en hoefijzers daarop geluidloos over het steenrode tapijt in de aangewezen richting.

— Adoe, zo saai, spint de oud-docent. Hij schurkte tegen de stalen boekenstellage aan. Achter zijn hoofd knipoogde de oude meester in toga. *Illusions in Allysses in Zonderland.* In Neverneverland.

— Geloof je in je eigen theorie?

– Ja. Nee. Soms.

(*Eindspel*)

– Stoor ik?

De dikke vrolijke wuik van Frans Doeleman brengt zichzelf in het midden bij de kast Eng. Lit. C-E 125. Sprekend vanuit een vuilnisbak tot de blinde invalide. Ik wil mijn pap!

Frank. De jonge oude man, met een hooivork in zijn hoofd en een kobold op zijn rug. Storik? Nee, Starik. De steeds minimaler wordende maximaal. Minnaar van de tuinman uit Isfahan. *The love that dares not speak her name.*

– Is ie weer bezig over de 1132 wortels van het viervoudige kwaad, zoals te Trattenbach onderwezen door de te Glasgow geschoolde ingenieur en klarinettist?

Hij legde zijn hand op Antons hoofd.

– Neemt u het hem niet kwalijk want hij weet donders goed wat hij doet.

En trok hem met zijn andere hand mee over het gangpad.

– Loof de jut. We gaan naar buiten. Het is om te stikken hier. Jij trakteert.

Gnoothi seauthon. Kijk naar je eigen. In de lachspiegel van andermans ziel.

Frans Doeleman sloeg zijn vlezige arm om Antons schouder. Anton groette de academici beleefd. Hij was een nette jongen.

Tussen de boeken gehurkt zat een blonde studente in een wit Fiore T-shirt met laag uitgesneden V-hals. Ze niesde.

– Gezondheid! adremde Frans Doeleman.

Bless you

Wherever you are

Ze lachte. Der Phranz und die W-w-w-w-weiber. Frans werkt zich in de nesten. Doet of hij het niet ziet, maar weet: hier kom ik nog eens terug. Stom element. Mij zag ze niet eens staan. Het schip op het puntje van het paleis vaart in uw richting, met gebolde zeilen.

— Die absurde naam van je! Wachterrromans! proestte hij, terwijl ze de lift instapten en Anton op een ander onderwerp over.

— Waar is je kind?

— Bij de moeder. Bij de biologische moeder, zeg ik er dan altijd maar bij. Want je weet het soms niet, hè.

— Hoe bedoelt je?

— Nou, die van jou hebben toch een stiefmoeder? Dat geeft wel eens problemen, weet ik uit de literatuur dienomtrente. Waar ik vandaan kom, werd niet gescheiden.

— Sneeuwwitje.

— Kom op, zwartkijker, ik zeg toch niet dat dat bij jullie zo is.

— Daar dacht ik ook niet aan.

— Waar dacht je dan aan, als ik zo frank en vrij vragen mag. Je kijkt weer als een oorwurm die zijn laatste oortje heeft versnoept.

— Aan een bekend gezegde: niets ken ik wat niet zo blijft.

— Very deep man. Ik wilde je niet kwetsen.

— Ik ben niet gekwetst. Ik kijk altijd zo. Wist je dat dan niet? Liefde de ondeelbaar is beschijnt mijn zoektocht als miljoenen zonnen, roept me telkens weer dwars door het ene al.

Als hij het woord liefde hoort, moet ik kotsen. Profanatie. Trogvoer voor parelduikers.

— O, het ging nog door. Eigen werk?

— Kom, vrolijke Frans, ouwe veganist, we gaan het op een zuipen zetten. Daar heb ik wel weer eens zin in. En wij doen jou maar een cappuccino. Pajecheli!

— Laat het ons smaken! Laten we het in godsnaam leuk houden.

— 1-2-3 in Godsnaam!

Frans Doeleman duwde de liftdeur open en stapte de lift uit. Begane grond. Al wie hier uitstapt, let op uw eigen dommen. Anton volgde Frans Doeleman de loodzware draaideur uit waardoorheen tegelijk een donkere gestalte in een geel jasje net zichtbaar door de ruitjes binnenkwam. Een schim van de gordel van smaragd. De stille kracht. Goena goena. Mannen van zijn leeftijd hebben nu eenmaal meer last van plasproblemen als geval ik bedoel gevolg van goedaardige prostaatvergroting.

—|⊕⊗⊕⊗⊕⊗⊕|—

Voor de zijingang (voor de kijkers links) van het Amsterdamse Centraal Station zitten twee zwervers bij het trefpunt buiten onder de met viltstift aangebrachte tekst *Survivel of the fittest* te kijken naar de stomme koppen die voorbij komen terwijl op hetzelfde moment in Putten een vijfenveertigjarige man wordt aangehouden die in weerwil van alle uitdrukkelijke wet- en regelgeving dienaangaande tweehonderd kievitseieren heeft geraapt, waarvan eenenveertig diezelfde dag en honderdnegenenvijftig in de dagen daarvoor. Wie heeft hem erbij gelapt? Zal hij ooit weer vrij komen? Zal hij zijn eieren moeten inleveren? Wat zal er met de eieren gebeuren? Wordt er alsnog een poging ondernomen ze aan de rechtmatige eigenaren terug te bezorgen? Gaat het politiecorps de eieren zelf pogen uit te broeden? Worden ze bij opbod verkocht op een veiling ten bate van de Vereniging Natuurmonumenten?

In Brussel wordt de Europese Unie het na twee jaar onderhandelen eindelijk eens over het begrip vluchteling, terwijl in Maastricht vijf jaar gevangenisstraf wordt geëist tegen de autochtone blanke prima geïntegreerde Leonard B. uit Sittard-Geleen, die ervan verdacht wordt gedurende vijftig jaar zijn drie dochters en kleindochter stelselmatig en systematisch te hebben verkracht, waarbij de verkrachtingen zouden zijn doorgegaan, aldus de officier van justitie, tot maart vorig jaar. Alwetend van dit alles, omdat niets menselijks hem vreemd is en de wereld zijn eigen geestesconstructie is, schrijdt in de Hobbemastraat, voor Cartier, de Nederlandse Homerus langs, in spijkerbroek en nazibruine regenjas. Kan maar geen genoeg krijgen van de PC Hooftstraat. Wat zal er gebeuren als straks zijn zoon wordt uitgeloot op het Barlaeus? Je moet oppassen als je niet weet waar je heengaat, want misschien kom je er wel niet. En omgekeerd gaat het ook op.

De publexborden op de JC Decaux-haltes raden de burgers van Amsterdam diverse nieuwe bestemmingen aan, met daaronder, in onleesbare kleine letter: enkele reis, exclusief luchthavenbelastingen, wijzigingen voorbehouden. Londen, Dublin, Berlijn, Kopenhagen, Oslo, Verona, Girona, Stockholm en Venetië.

In Delft bimbambeieren de klokken van de Nieuwe Kerk, terwijl de Britse premier Tony Blair vanuit Downing Street laat weten dat de overheid met godsdienstige burgers moet samenwerken bij het bedrijven van plaatselijke en landelijke politiek, zeer tot ontevredenheid van de National Secular Society.

Op de Trouwredactie in de Amsterdamse Wibautstraat worden de foto's uitgezocht en geordend voor bij een overzichtsartikel over films over het leven van Jezus in verband met de aanstaande première van *The Passion of the Christ* volgens Mel Gibson.

— Godverdomme, wat is dat moeilijk, vloekt Mischa van de opmaakredactie. Ik heb hier zwaar de balen van. Moet er geen foto van *The Life of Brian* bij?

— Het is vol genoeg zo en vol is vol is vol is vol. Pasolini, *Jesus Christ Superstar*, Willem Dafoe en de Jezus van Montréal. Dat moet genoeg zijn.

Het loopt tegen pasen. Mensen krijgen weer spontaan gaten in hun handen en menig voorhuid scheurt. De Intocht van Christus in Amsterdam. Zolang de voorhuid strekt.

—|⊕⊗⊕⊗⊕⊗⊕|—

In de Amsterdamse Spuistraat, aan de overkant van het huis van Bunge, genoemd naar de puissant rijke Wagneriaan J.C. Bunge, die zijn meest geliefde operastukjes arrangeerde op muziekrollen voor Aeolisch pijporgel, waar op de trappen de studenten hun echte opleiding genieten, staat, naast het Tibethuis, het terras van café Het Schuim uit. Het wordt bevolkt door een gematigd alternatief, semi-literair publiek met vaste woon- en verblijfplaats, sofinummer en bezigheden binnenshuis en buitenshuis in de kunstensector. Frans Doeleman stapt af op zijn zus Tanja en haar vriend Ronald, die net even terug waren uit Berlijn, waar zij in opdracht van de Piet Mondriaan-stichting en het Amsterdamse Fonds voor de Kunst een fotoreportage hebben gemaakt met sterk armandeske inslag.

— Ik zie je zo, profeteert Frans tot Anton, daarbij de wens de vader van de gedachte latende smoren, terwijl tezelfdertijd in de Amsterdamse Van Beuningenstraat de dichter van dienst zijn brommerhelm op het bed werpt en een boek over tuinplanten opslaat ter lering en instructie voor het met trots onderhouden van zijn zojuist verworven volkstuintje.

—||⊕⊗⊕⊗⊕⊗⊕||—

Terwijl in Heerenveen een zeventienjarige Srilankaanse jongen uit Joure wordt neergestoken door een veertienjarig dadertje van Antilliaanse komaf tijdens de ochtendpauze op het schoolplein van de school voor praktijkonderwijs De Compagnie, zit in de Amsterdamse Spuistraat Cathy van Eck in café Het Schuim, omringd door blauwe en groene kaarsglaasjes, kleurige schilderijen van een stadsleven en twee jachttrofeeën aan de muur, een edelhert en een everzwijn. Zij leest bij een espresso een Duitse pocket. Als Anton binnenkomt, langs de bierdrinkers en hun kinderen op het zonbeschenen terras dat uit staat, doet ze het boek dicht en bergt het het op in haar giroblauwe Postbankrugzak.

— Moet je er geen boekenlegger in doen? Of maak je ezelsoren?

— Nou ja, zeg! Ik weet altijd nog precies waar ik gebleven ben.

— Ik niet. Ik val altijd in slaap. Wat lees je? Is het wat?

— Het is Der Räuber van Robert Walser.

— Is dat niet een van de raadselachtigste schrijftstellers van zijn tijd?

— Nou! Hij was een Zwitser die in Berlijn ging wonen. Schreef in een minuscuul klein handschrift. Op een gegeven moment werd hij echt gek. Hij wilde heel graag bediende zijn, het theelepeltje aflikken dat zijn hospita had gebruikt.

– Ah, de Zwitserse Jan Arends.

– Dat weet ik niet. Hij had iets masochistisch. Hij liet zichzelf vrijwillig opnemen in een kliniek. Zwitserse klinieken waren destijds heel erg goed. Hij gaf het schrijven helemaal op. Hij heeft drieëntwintig jaar in een psychiatrische kliniek gezeten als een volkomen anonieme patiënt. Dat is zijn biografie. Min of meer, hoor. Ik zal er wel wat bij verzonnen hebben. Het was me aangeraden door een vriendin toen we op vakantie waren naar de Oostzee.

– Heb je al vrienden gemaakt in Berlijn dan? vraagt Anton terwijl hij buiten vriend Frans meewarig naar binnen ziet kijken. Naar hem. Maar hij ziet mij niet. Mij ziet hij niet.

– Nou ja zeg! Ik zit er al twee jaar!

– Er zitten anders veel gekken in Duitsland.

Ze spreken over het geval van de kannibaal die een advertentie had gezet voor mensen die zich wilden laten opeten door hem. Tientallen reacties. Het merkwaardigste was nog wel, vonden ze bij Cathy op de flat, dat het een Westduitser was. Van Oostduitsers hadden ze zoiets eerder verwacht.

Ostalgie. *Heimweh nach Osten.*

– En in Engeland stond een advertentie in de krant van een toneelgroep die op zoek was naar een echt lijk voor in een toneelstuk.

– Lijk gevraagd. Moet kunnende acteren.

Geamuseerd maakt Anton een bierviltje kapot.

– Hoe was Joost bij jou?

– Hij heeft heel geconcentreerd zitten werken. Echt verbazingwekkend, als je bedenkt hoe jong ze zijn.

Buiten loopt een meisje voorbij met een bos katjes. Lente 2004.

– Weet jij hoe ik bij de Rode Hoed kom?

– Had je dat gisteren ook al niet gevraagd?

– O wat erg! Dat is waar!

—⊹⊕⊗⊕⊗⊕⊗⊕⊹—

In Gran Canaria komt Alie Poepjes uit hetzelfde Heerenveen waar

zojuist een zeventienjarige Srilankaanse jongen uit Joure is neergestoken door een veertienjarig dadertje van Antilliaanse komaf
tijdens de ochtendpauze op het schoolplein van de school voor
praktijkonderwijs De Compagnie, om het leven bij een tragisch
helikopterongeluk, als zij bij San Bartolomé de Tirajana eerst
betrokken raakt bij een ernstig busongeluk, waarbij doden vallen
en zij en een naast familielid zwaar gewond raken. Als de inderhaast aangevolgen reddingshelikopter de twee vrouwen oppikt,
komt de achterrotor van de heli in aanraking met laaghangende
hoogspanningskabels en explodeert. De andere buspassagiers, onder wie haar echtgenote moeten machteloos toezien hoe de heli-
kopter brandend in het ravijn stort.

Terwijl het in Dublin half bewolkt en vijftien graden is, ziet
Bloem op de brug over de Amsterdamse Kloveniersburgwal een
hoogzwangere Kim van Kooten de Staalstraat in fietsen, in een
blauwe trainingsbroek met witte strepen, mobiel bellend en met
maar één hand aan het stuur. Levensgevaarlijk. Als ze nou maar
niet. Carla's elleboog die keer. Val kan spontaan weeën opwekken.
Nou ja, spontaan. Een smakkerd op de keien. Op de hoek bij de
videotheek met Tilly achterop. Groot in bloot. Bevallen en opstaan. Geweldige titel. Zie de mensen wachten op de tram. Nieuw
vanaf 9,99 Londen vanaf Rotterdam Airport.

—⊨⊕⊗⊕⊗⊕⊗⊕⊨—

Op dezelfde brug over de Kloveniersburgwal staan Japanners te fil-
men in de richting van de Nieuwmarkt. Bloem loopt achter de fil-
mers langs. Hoe vaak ik al op Japanse homevideo's sta. Typische
Harry Mulisch-gedachte. Een en al ijdelheid.

Toeristen vragen beleefd de weg aan buurtbewoners:
– Excuse me, can you show me the way to the Red Light District?
– That way, eikel.

Manke Manus koopt een geschenk van fruit, wijn en parfum
voor Carla bij de V&D in de Kalverstraat. De verkoopster kleedt hij

met z'n ogen uit. Dat vinden ze lekker. Soort compliment. Ze zegt geen nee, klein gebrek geen bezwaar.

— Weet je dat jij heel erg op Birgit Maasland lijkt?

— Nee, voor het eerst dat iemand dat tegen me zegt.

— Ik zweer het. Jullie hadden zusters kunnen zijn.

— Ga weg.

Nieuw vanaf 39,99 Verona.

—⊣⊕⊗⊕⊗⊕⊗⊕⊢—

In de geboorteberichten van het wakkere ochtendblad De Telegraaf laten de bekende Nederlanders Reinout Oerlemans en Daniëlle Overgaag weten dat zij dolblij zijn met de geboorte van hun dochter Fiene Joan, terwijl in de Utrechtse Jaarbeurs de Relatiegeschenkenbeurs in volle gang is en alweer een groot succes, net als voorgaande jaren. Onder de aangeboden relatiegeschenken bevinden zich producten en originele geschenken als personenweegschalen, teenslippers, sushikommetjes, pennen met zelfklevende memoblaadjes, popcornmachines, premiummokken met opdruk in fotokwaliteit, supportersfluiten, feelgoodklokken, unieke phluffs zweetbandjes, supertrendy kauwgomballenautomaten, sleuteldoppen, vingerfluitjes, stickpaths, sprekende vertaalcomputers, digitale bartenders, oranjegel en vele duizenden andere reclame-, weggeef- en relatiegadgets. Na een welbestede ochtend aldaar keren Jaco en Elsbeth dan ook met twee grote tassen vol promotiemateriaal terug op knooppunt De Harmonie.

— Het is meestal tinnef, maar als je de ideeën combineert, kom je soms met iets bruikbaars.

Ze worden in de deuropening opgewacht door Dieneke, die toch wat weemoedig is geworden van de dag van vandaag omdat zij denkt aan haar ouders en zussen die met z'n allen een soort schaduworanjefamilie vormen. Even oud, zelfde jaar getrouwd, zelfde jaar kinderen en kleinkinderen gekregen, dat soort dingen. Dat schept toch een vreemde, onzichtbare band, terwijl op het Spui bookseller Herm in gereanimeerd, belangstellend gesprek raakt met de bezonnebrilde journalist Max Pam, een clown zich staande houdt op stelten, een zwerver onderuit zakt op een bankje, een Braziliaanse capoueiradansgroep zijn kunsten vertoont en de heer Van de Kooij een flesje spawater aan zijn mond zet.

Verkwikkend.

In de Beethovenstraat komt Johann Ferguson, leraar Duits tegen wil en dank, thuis, waar hem een boodschappenlijstje van zijn vrouw ligt te wachten. Hij zucht en begeeft zich naar de onlangs geheel verbouwde Albert Heijn, teneinde spaghetti, appels, parmezaanse kaas, gezeefde pomodori, pomodori puree en een toetje naar keuze te kopen (bv. een pak tiramisu van 1 l.). Sla (ruccola) was er nog. Trekt je er weer helemaal bovenop, zo'n thuiskomst.

─┤⊕⊗⊕⊗⊕⊗⊕├─

Daarentegen valt in de Amsterdamse Westerstraat voor de aldaar gevestigde en niet recentelijk maar alweer een tijdje terug grondig gerestylede Albert Heijn de fiets van Katja Schuurman in de ruimte tussen stoep en straatweg, waar normaliter auto's geparkeerd hadden kunnen staan ware de ruimte niet ontoegankelijk gemaakt voor vierwielers middels langwerpige, in de grond verzonken blokken steen, godzijdank op een moment dat zij er zelf niet op zit, omdat ze binnen boodschappen aan het doen is. Een alerte en behulpzame voorbijganger van mannelijke kunne raapt de fiets weer op, wat hem te staan komt op een bange glimlach van de soapster die vreest met een potentiële stalker te maken te hebben en zou je ook niet.

Op datzelfde moment tuft Manke Manus in zijn Canta langs Hôtel de l'Europe. Pleurope. EU rot op: Eurotop. Zakkenvullers. Leefde boer Koekoek nog maar met zijn Europisch Parlement.

Ondertussen...

In hotel Château Sint Gerlach bij Maastricht worstelt de bekende Nederlandse schrijver Adrie van der Heijden met de eerste zin voor zijn de dag daarna in de Volkskrant te verschijnen artikel over de uitvaart van prinses Juliana en getiteld: Dag lief ouwetje met je scheve kroon.

– En wat is geworden Adrie? Toch wel weer superslecht, mag ik hopen? Als wereldkampioen slechte eerste zinnenschrijver kun je toch niet voor jezelf onderdoen.

– Ja daklopt, het was dit keer ook weer erg moeilijk, temeer daar ik niet voornemens was deze uitvaart in een boek te gebruiken

– Wat knap dat je dat nu al weet. Maar toch maakte je aantekeningen?

– Natuurlijk, je bent schrijver of je bent het niet.

– Laat maar horen.

– Komtie. 'Zo had ik het me op 30 april 1980 voorgesteld, in hotel Vittoria te Positano: bij de televisie aantekeningen maken voor wat later *De slag om de Blauwbrug* zou worden.'

– Gefeliciteerd! Je hebt jezelf weer overtroffen!

In Beverly Hills wordt Tom Ford gelauwerd met een tegel voor zijn verdiensten op modegebied, terwijl in Londen kookgoeroe Nigella Lawson wordt getipt als opvolgster van Martha Stewart als überhuisvrouw en ongekroonde koningin van het praktische lifestyle-advies, en in Dresden Zhaoqin Peng in de negende ronde van de Europese titelstrijd schaken remise speelt tegen de Russin Irina Slavina, waarmee Peng haar voorsprong van een halve punt voorsprong op de Russin behoudt.

—◁⊕⊗⊕⊗⊕⊗⊕▷—

Terwijl in diergaarde Artis de apenrots wordt gewit en de sneeuwuilenruïne wordt verbouwd, wordt in Den Haag een celstraf van twee jaar geëist tegen twee broers uit Zaandam die bewust waren ingereden op een groep demonstrerende Molukkers op 25 april 2003. Enige demonstranten hadden daarbij botbreuken en hersenschuddingen opgelopen. Op hetzelfde ogenblik wordt in Londen het schilderij *Jonge vrouw gezeten aan het virginaal* na jaren van onderzoek op grond van materiaalgebruik toegewezen aan Vermeer en te koop aangeboden door Sotheby's. Het is vrijwel zeker een vervalsing van de hand van meestervervalser Han van Meegeren, maar niemand die dat weet. Of is het een complot? Houdt de kunsthandel zich van den domme? Zal de waarheid ooit aan het licht komen? Restaurator Bors Goeierd denkt er het zijne van.

In Berlijn loopt een aanstormende filmregisseur, de jongste broer van Anton, aan tegen een bekeuring, een dag voor zijn oude bekeuringen zouden zijn verlopen in zijn Duitse strafpuntenrijbewijs. Commentaar Hans: Het sloeg echt nergens op. Als je met je achterwiel half op de stoep staat krijg je hier al een bon.

Tezelfdertijd tezelfderplaats ontvangt de Duitse bondskanselier Schröder in de tuin van zijn kanselarij in Berlijn de Afghaanse president Karzai aan de vooravond van de donorconferentie ten bate van de regio.

Aan de Amsterdamse Prinsengracht, om de hoek bij Gunters en Meuser, wordt de Amsterdamse prozaïst Adriaan Wölffli wakker in zijn hemelbed. Moe noch voldaan. Hij heeft een koutje gevat en niest gewelddadig. Daarentegen schaaft aan de Amsterdamse Plantage Middenlaan, te de redactieburelen van de publieke radio-omroep, IJsbrand Willems zijn website bij. Over de Nacht van de Poëzie, waarop de inmiddels overleden Vaandrager en Arends wederopgestaan acte de présence blijken te hebben gegeven, volgens NRC-Handelsblad. Spoken. En Multatuli is een weblogger die zo weggelopen is uit de negentiende eeuw. Zeer vreemd.

—⊣⊕⊗⊕⊗⊕⊗⊕⊢—

Maritiem-filosofisch jarig tijdschrift Platforum feliciteert zichzelf, Gregor Frenkel Frank, Celine Dion, Eric Clapton, Juliet Landau, Warren Beatty, Gerrit Komrij, Norah Jones en de zestien miljoen vierhonderdachtendertigduizend driehonderdvijfenzestig andere aardbewoners die op deze dag jarig zijn dan wel geboren worden. Nog vele jaren en maak er wat zoois van. Wat moois bedoel ik.

[Zwerfkeien]

Onze reporter vanuit het verleden bericht, een destijds (februari 1983) eigentijds sprookje, geënt op Vrij Nederlands voormalige kinderrubriek De Blauwgeruite Kiel, en het kan nu zo mee in het Jeugdjournaal, dat het conflict tussen de Israëliërs en de Palestijnen steevast terugbrengt tot de vraag wie er de baas mag zijn in het land.

Titel: *Ariël hangt de vuile was buiten.* Door Eppo Rosencrantz.

Landgenootjes, ze zijn toch ook wel helemaal 'mesjogge' daar in Israël, vinden jullie ook niet? Jullie weten vast nog wel hoe Israël de Tsahal (het leger) op die arme Palestijnen afstuurde en ze zomaar allemaal (of in ieder geval een heleboel) doodmaakte. Dat was allemaal de schuld van Ariël Sharon, de minister van oorlog van Israël. Een heleboel mensen waren toen boos op Sharon; zij wilden eigenlijk dat hij al die Palestijnen weer levend zou maken. Dat kan natuurlijk niet (vraag maar aan je opa en oma). In plaats daarvan moest Sharon aftreden als minister. Dat deed hij maar een beetje: hij bleef een hele machtige minister maar hij moest alleen z'n gebouw uit; in moeilijke woorden, hij zat zonder portefeuille (spreek uit: porte-fui-je).

Sharon zegt nu dat hij eigenlijk al die Palestijnen heeft doodgemaakt omdat hij ze wilde straffen. Hij wilde ze een pak voor hun broek geven omdat hij gewoon wíst dat zij zijn portefeuille wilden rollen. Sharon heeft dus gelijk gekregen. Maar niemand wil nog naar hem luisteren. Daarom heeft hij zijn slagerij (hij had een slagerij in zijn geboorteplaats Sabra in Israël en hij wilde die uitbreiden naar Sabra in Libanon. Een foto van Ariël Sharon en zijn vrouw Barbie kunnen jullie op de vorige bladzijde rustig even bekijken. De Hebreeuwse lettertekens die uit de mond van Ariël Sharon komen, betekenen 'Het blijven natuurlijk varkens'.), hij verkocht zijn slagerij dus en ging met het vliegtuig naar Bolivia, het enige land dat nog niet boos op hem was en hem wel wilde ontvangen. Het vreemdste was wel, jongens en meisjes, dat hij zijn vrouw Barbie achterliet in Israël. Dat kwam omdat zij op dat moment in de gevangenis zat. En weten jullie waarom? Zij had geprobeerd varkensvlees te verkopen en dat mag nu eenmaal niet in Israël! Vreemd hè?

Meneer Sharon is dus nu slager in Bolivia (spreek uit Bo-li-bi-ja, en dat ligt in Zuid-Amerika, een heel eind hiervandaan) en als hij op tijd belasting betaalt, leeft hij daar misschien nog lang en gelukkig...

Maar het is natuurlijk heel flauw van de Israëli's om alle schuld aan Sharon te geven, vinden jullie ook niet? Als jullie met je vriendjes en vriendinnetjes buiten aan het spelen zijn en een van jullie komt onder een auto, wie z'n schuld is dat dan? Nou dan. Sharon kon toch ook alleen maar buiten spelen, omdat zijn ouders, alle Israëli's met elkaar, het goed vonden (met moeilijke woorden: hij was democratisch gekozen)? Daarom heeft Sharon natuurlijk ook niet in z'n eentje alle Palestijnen doodgemaakt. Eigenlijk hebben alle Israëli's daaraan meegewerkt. Zij hebben als het ware toestemming aan Sharon gegeven om te doen wat hij wou. Daarom denk ik dat álle Israëli's zich gaan schamen voor wat er met de Palestijnen gebeurd is en dat zij dan allemaal vluchten naar Zuid-Amerika. (Een soort nieuwe diaspora, zeg maar.) Er blijven dan natuurlijk wel mensen in Israël achter hoor! Dat zijn de Duitse oorlogsmisdadigers (zoals bijvoorbeeld Eichmann, zeg maar de Aantjes van Auschwitz. En als je wil weten wie Aantjes is, vraag dat maar aan je oom. Of aan zijn broer.) Die Duitse mensen ('moffen'), die met z'n allen op Hitler gestemd hadden (hij was ook 'democratisch gekozen') zitten allemaal in de gevangenis omdat zij vroeger met de Joodse mensen deden wat de Israëlische mensen nu met de Palestijnse mensen doen. En als je dat niet gelooft, vraag het dan nog maar eens een keer aan ome Gerard Reve. Stom hè.

⊣⊕⊗⊕⊗⊕⊗⊕⊢

Meneer Bloem is toch nog even naar de Oudemanhuispoort gelopen. De boekenstalletjes. Op zoek naar een boek waar een plaatje in staat van de Nikè van Samothrake voor zijn vrouw. Aanschouwelijk onderricht. Geen praatjes maar plaatjes.

In het Zuid-Koreaanse Choongju bereikt Yao Jie bij de Korea Open de tweede ronde, als de Nederlandse badmintonster zonder veel moeite met elf-vier en elf-zeven wint van Julia Mann. Op hetzelfde moment zijn in een bovenwoning te A. twee schrijvers voornemens de uitvaart in een boek te gebruiken, terwijl in de Anjeliersstraat de vinger op het rode knopje van de hallofoon wordt gedrukt en het voordeurslot bromt, waarop de onderbuurman de hal in kan en vandaaruit via de nooduitgang, zijn tuin en de achterdeur zijn huis kan betreden. In de Breitnertoren, tussen de Mondriaantoren en de Amsteltoren in, volgt niemand op de grote platte breedbeeldschermen aan de muur en op de grond in de lobby hoe Maartje van Weegen de gebeurtenissen op en rond de markt van Delft op een waardige en toch ingetogen manier van haar commentaar voorziet. Zij heeft ook oog voor de struisvogelveren op de koets. Een man meldt zich bij de balie.

— Bent u van Philips?

— Nee.

Het is de heer Van Swieten in een witte regenjas. Hem wordt verzocht plaats te nemen tot hij gecleard is door security. En nog steeds kijkt niemand naar de televisiebeelden van de uitvaart. Het Blookerhuisje, dat er tussen de torens nog verdwaalder uitziet dan anders, pinkt een traan weg.

—⊹⊗⊕⊗⊕⊗⊕⊹—

In de Amsterdamse Vijzelstraat loopt Simon Tuinstra te neuriën. Altijd aan de linkerkant van de weg. Hij is een beetje groggy van de medicatie die hem weer normaal moet doen functioneren in het sociale verkeer. En het gaat ook best goed met hem.

Tezelfdertijd in Beek valt er een hoogspanningsmast om. De mast komt terecht op de spoorbaan. Niemand raakt gewond. Politie en brandweer zetten het gebied rond de mast af. Er wordt een onderzoek ingesteld naar de toedracht. Stroomleverancier Nuon ontkent bij voorbaat iedere verantwoordelijkheid. In Mosoel wordt de zesentwintigjarige Amerikaan Nick Berg door de Iraakse autoriteiten gearresteerd omdat zijn papieren niet in orde zouden zijn.

┤⊕⊗⊕⊗⊕⊗⊕├

In de Amsterdamse Marnixstraat fietst Maarten van Bemmel op zijn rammelbrik, de rest van de dag vrijaf hebbend, richting Marnixbad, om te zien hoe de sloop vordert en of hij bij de afgraving nog een ingelaste waarneming kan doen van het een of ander om eventueel over te berichten. Hij gaat erbij staan kijken met de armen over elkaar. Heerlijk gezicht, om mensen te zien werken. En vooral om een gebouw ontleed te zien tot op het bot. De kakkerlakken hebben natuurlijk al lang een goed heenkomen gezocht en gevonden. Niets is voor de eeuwigheid gebouwd. Bam! Rang! Hele verledens worden blootgelegd. Architectonische anatomie. Ooit geopend door ons nationale sterfgeval.

Over honderd jaar zijn we allemaal kapot

Zuip nou liever eentje mee

Op Manke Nelis z'n santé

Lang zal ie leven in een harington hoezee

Blij dat ik die uitvaart gemist heb.

Op het plein voor het Amsterdamse Centraal Station is het uiterst onspannend. Er gebeurt hoegenaamd niets. Nou, noem het maar niets. Er zit bijvoorbeeld een gothic meisje op een witte blokfluit te spelen. Ze zit er te spelen om geld te verdienen. Aan het loket krijgen twee toeristen het aan de stok met de lokettiste. Ze hebben heel erge ruzie. De temperatuur loopt hoog op. De voertaal is Engels. Ze willen geen drie euro betalen voor een kaartje om naar Schiphol te gaan. Ze hadden toch al een vliegticket, en de reis van en naar de luchthaven is daarbij inbegrepen. Dat is huns inziens maar de lokettiste denkt er anders over. Zij wil ervanaf zijn en roept, terwijl de toeristen hun beklag blijven doen en zich niet zomaar laten wegjagen:

— Dag! Bye! Dag! Bye!

Even later op het perron. De trein loopt het station binnen. In de trein: veel Italianen. Middelbare scholieren met een leraar. Ze zijn aan het lachen en doen en schreeuwen. Nederlanders die dat horen beginnen te praten over Italië en over Berlusconi. De Italianen vangen iets op en vragen elkaar of de Nederlanders over Bush praten. Nee, over Berlusconi. Dan worden de Italianen stil. De trein vertrekt op tijd.

⊹⊕⊗⊕⊗⊕⊗⊕⊹

In een anonieme Amsterdamse loods in het havengebied worden de laatste wielertaxi's waterdicht gemaakt, iets waaraan in eerste instantie, toen het project werd opgestart, niet was gedacht, of niet genoeg. Initiatiefnemer Jeroen Gasseling verwoordt het ter plekke aldus:

— Je moet het zo zien: de taxi's zijn nog waterdichter dan vorig jaar.

De eerste milieuvriendelijke openbaarvervoermiddelen rijden alweer, al hebben ze nog steeds enige moeite om de Amsterdamse bruggen op te komen.

— Neenee, ook dat is verholpen We hebben er nog kleinere verzetten in gezet voor nog kleinere versnellingen.

In Het Schuim denkt Anton aan juwelen, varkens en zwarte panters, terwijl Joost naar de Amsterdamse Bachstraat fietst voor zijn celloles en in de Westerstraat mesjeu de kopieur geniet van een welverdiend eigengedraaid sjekkie.

— De bus is weer even vertrokken.

De heer Oltmans, zongebruind, eindelijk recht gedane vriend van Soeharto, neemt het nieuws door met de vrouw van de kopieur, terwijl er een opgevoerde brommer met knalpot voorbij scheurt door de Westerstraat. Zij:

− Zal je buurjongen wezen. Wij hebben twee van die buurjongens. En ze wonen daar illegaal. Nou ben ik geen verraaier maar als dat zo doorgaat...

−|⊕⊗⊕⊗⊕⊗⊕|−

In het Cobra Museum voor Moderne Kunst in Amstelveen houdt kunsthistorica Jacqueline Vontobel een lezing met aansluitend rondleiding over het thema Kruisigen in de beeldende kunst.

− Interessant.

− Machtig interessant. Ik wist niet dat er zoveel gekruisigd werd in de beeldende kunst.

− Ik ook niet.

Tezelfdertijd wijst onderzoek uit: Nederlanders bang voor verlies eigen cultuur. Althans dat is het gevoelen bij autochtone Nederlanders. Van hen onderschrijft zesenzestig procent de stelling dat Nederland zijn cultuur dreigt te verliezen. Van hen vindt zesennegentig procent dat zorgelijk. Een van hen is Jan de Bruin, die het daar, op een bankje op de Noordermarkt, hartgrondig en roerend mee eens zit te zijn. Hij is ook een van de achtentwintig procent autochtonen die vinden dat Nederland het meest wordt bedreigd door de toestroom van migranten. Maar denk je dat de democratie daarnaar luistert? De Nederlandse cultuur is alleen te redden door de grenzen te sluiten voor migranten, zegt gemiddeld zesenveertig procent, ongeacht de leeftijd.

Het KNMI bericht dat de maand maart droog en zonnig was. Bij Bergen op Zoom worden intussen twee Belgen aangehouden op verdenking van het kopen van softdrugs. Is dat verboden dan? Ja, kopen wel, verkopen niet. Telen wel, gebruiken niet. Het mooie Nederlandse drugsbeleid waar de hele wereld jaloers op is. De politie waarschuwt de verdachten dat iedere Nederlander geacht wordt de Nederlandse wet te kennen en dat geldt ook voor Belgen. Op het politiebureau blijkt de inbeslaggenomen koopwaar echter geen wiet maar sla.

—|⊕⊗⊕⊗⊕⊗⊕|—

In het district Benton County in de Amerikaanse staat Oregon wordt op last van de autoriteiten een algeheel trouwverbod afgekondigd. De maatregel is tijdelijk en zal worden opgeheven zo gauw duidelijk is wie er wel en wie er niet met elkaar mag trouwen volgens de consanguïniteitsregels. Op de televisie: Wielrennen: *de driedaagse van Panne* (BRT 1); *Tik tak* (BRT 2); *Diagnosis: Murder*, Amerikaanse medische misdaadserie met onder anderen Dick Van Dyke (BBC 1); *Tuesdays with Morrie*, tv-film van Mick Jackson, met onder anderen Jack Lemmon (BBC 2); *Der letzte Fahrt der Wilhelm Gustloff*, documentaire (ZDF); *Planet Wissen*, aflevering: *Im Verborgenen: Unter unseren Straßen* (WDR); *World Repor*t (CNN); *Das Familiengericht* (RTL); *Abenteuer Wildnis*: documentaire over een bijzondere haaiensoort rond Malpelo Island voor de kust van Colombia (ARD); *Before we ruled the earth: hunt or be hunted* (Discovery Channel); *Taming the tigers* (National Geographic), de koninklijke uitvaart (negen zenders).

In de Amsterdamse Wilhelminastraat kijkt Rosa Zeeman in haar gezellig ingerichte tienerkamertje met al haar knuffels van vroeger op een boekenplank naar de vierentwintiguurs muziekzender TMF.

Orgie_Dee@hotmail.com meldt zich aan maar haar chatvriend en potentiële powerdate is er niet.

—|⊕⊗⊕⊗⊕⊗⊕|—

Op Schiphol landt de KL507 uit Tenerife met aan boord zeekapitein Iglo, die zich, als alles goed gaat, morgen zal herenigen met zijn schip de Visstick, afgemeerd in IJmuiden. In datzelfde IJmuiden wordt op dat moment bij het staalbedrijf Corus overleg gepleegd over de toenemende agressiviteit van de op het terrein broedende meeuwen. Het personeel durft zich nauwelijks nog buiten te begeven. De vogels hebben de gewoonte in broedtijd aanvallen uit te voeren op alles wat hun nesten te dicht nadert. In een duikvlucht vliegen ze luid krijsend op het gevaar af om het te verjagen.

III

− Die beesten moeten opkrassen, aldus de manager buitenschilderwerken. Onze jongens schrikken en vallen van de ladder. Dat kan zo niet langer. Er moet handelend worden opgetreden.

De Vogelbescherming vermoedt dat de meeuwen vanzelf zullen vertrekken als er meer slechtvalken komen broeden op het Corus-terrein. Wij houden ons hart vast.

⊣⊕⊗⊕⊗⊕⊗⊕⊢

Terwijl in Amsterdam Lucas Mohammed verdringt als meest voorkomende jongensnaam en Sam, Bram en Daniël het nakijken hebben, is bij de meisjes Sara of Sarah al jaren niet van de nummer één-positie te stoten, zelfs niet door Eva, Charlotte, Isabelle en Sophie. Tezelfdertijd kan men op een bovenetage in het Haagse Sweelinckkwartier, waar een eenmalige unieke en strikt gelimiteerde luxe-editie ten doop wordt gehouden van de dichtbundel *Laatste metamorfose* van Paul van Capelleveen, ontworpen door Pau Groenendijk die ook het trouwboekje van de kroonprins en de Argentijnse blondine ontwierp, de volgende bevreemdende gespreksflard opvangen:

Allart: Hetzelfde jaar waarin mijn moeder werd geboren, 1898.

Lubbert: En het jaar van de troonsbestijging.

Paul (*zijn denkende ik*): Wat mag ik je inschenken?

Allart: De inhuldiging. Een koningin bestijgt de troon niet. Wat zeg je?

Paul (*zijn schrijvende ik*): Wat mag ik je inschenken?

Allart: Ja.

Paul (*zijn wakende ik dat nooit slaapt*): Ja, wat?

Allart: Een glaasje.

Paul (*zijn vragende ik*): Wat? Rood? Wit? Jenever?

Allart: Doe maar. De ambtsaanvaarding kan ook. Royalty wordt immers ook niet begraven maar bijgezet.

Paul (*zijn oordelende ik*): Weet je wat. Je krijgt het alle drie.

—⊕⊗⊕⊗⊕⊗⊕⊢—

Terwijl in Londen in een razzia, uitgevoerd door zevenhonderd politieagenten, welgeteld acht vermeende extremisten met terroristische plannen worden opgepakt, dreigt in Athene de overkoepelende vakbondsleider Christos Polyzogopoulos met nog meer vertragingen in de bouw van stadions en andere faciliteiten voor de Olympische Spelen die zomer.

– De arbeider die twintig euro per dag verdient, wat kan hem het Calatrava-dak schelen?

De plechtige stoet aanwezigen van vele koningshuizen bestaat uit Prins Philip van Engeland, Aga Khan de Vierde en zijn dochter Zahra Aga Khan, de Marokkaanse prinsen Moulay Rashid en Moulay Youssef, de Japanse prinses Kiko en prins Akishino, het Belgische koningspaar Albert II en zijn vrouw Paola (die na de uitvaart snel terugkeerden naar hun vaderland wegens verplichtingen), Karl Gustaaf de Zestiende en koningin Sylvie van Zweden, koningin Margrethe de Tweede van Denemarken, Koning Juan Carlos de Eerste van Spanje (die niet van haar zijde week), groothertog Jan van Luxemburg, prins Hans-Adam de Tweede van het kleine maar o zo roerige vorstendom Liechtenstein, koningin Noor van Jordanië (op persoonlijk titel) en prinses Sarvath als vertegenwoordigster van het Hasjemitische koningshuis, de uiterst intelligente prinses Maha Chakri Sirindhorn van Thailand (dochter van koning Phoemibol) en vele anderen. Zij vertrekken naar paleis Ten Bosch voor een lopend buffet, terwijl het rottingsproces van Egbert Meijer langzaam maar zeker en onherroepelijk en geluidloos een aanvang heeft genomen.

—⊕⊗⊕⊗⊕⊗⊕⊢—

Koper naast platina. Staal naast Gaep. KRT. Van hela hola hoeladijee. Smiksmak. Hierbennik. Canta! Lydmin. Daphbet. Rom zom zim zom, fromio berio lucio trom. Onjazztaanbaar. Geen balla. Hihi. Eboniet en ivoriet. Bloof en dind. Krikkrak.

Klik klak.

Wieowie! Vingerfluit. Geluid: de wereld van de blinden.

Hé de becaks zijn weer terug.

Een driewielige fietstaxi, van alle gemakken voorzien, kwam luid tingelend voorbij. Hierbennik hierbennik hierbennik.

Ting tingeling.

Daargaik daargaik daargaik.

Koper naast platina. Moeder naast dochter. Betty en Daphne. Koperen hoorn en gouden plaat. Het hondencafé met honden die luisteren naar hun baasjes stem of fluit, 20.000 herz in de uitloop-woef. Asta de blinde Duitse herder. Blindegeleidehond voor blinde blindegeleidehond. Hihi. Hondenhumor.

Asta basta!

Anno 1895 staat er boven de deur maar het café is veel ouder. Ouder dan de Hindemithorffulderkesmengelbergrudhyarbosmansbronnengieseking. De befaamde Portugese pianist Moreire de Sa treedt op in de Loge de Vergenoeging op Curaçao. De best in de West. O Black Betty. My darling remember.

Meneer Bloem zat aan de KRT met Simon Tuinstra. Simpele Simon, die aan wanen lijdt en denkt dat hij een nazaat is van een te vondeling gelegde Quarles van Ufford. Eerst stonden er twaalf kreeften te dansen op het aanrecht. Toen kwamen er allemaal wijven om hem te stompen en te schoppen en in z'n lijf te knijpen en toen nam hij alle stofzuigers van het grof vuil mee naar huis. Een hele verzameling had hij op het laatst. Van elk merk twee. Z'n arme vrouw zag hem aankomen. Of ze het deden of niet, maakte hem niet uit. Maar nu heeft hij medicatie en neemt ie alleen nog kruimeldieven mee. Hihi. Nee, dat is flauw, hij kan weer gewoon functioneren en de straat op. De kroeg in. En aanschuiven. Aan de Kleine Ronde Tafel. De tafel is nu rechthoekig maar de plek heet nog steeds KRT. Er hangt altijd muziek in de lucht. Vrijdag klassiekdag, toen waardin Betty nog draaide. Bandjes. Rust in de tent. Veel Vivaldi, de veelvormige leermeester van Bach. Nu doet een computer het werk. De Music Match, genre rock/pop, rap/R&B. Er en Bie. Maar ook Hollands, Vader Abraham, Van Dik Hout. Amsterdam fête de la Reine 400 F. Over een maand koninginnedag. Zal wel weer een vrolijke boel worden. Of schaffen ze het nu eindelijk af in verband met de gebeurtenissen? Kleinkinderen die het Wilhelmus spelen op trompet of viool of gitaar. De Stopera die grondt op zijn schudvesten. Het gekrikkrak van plastic bierglazen onder massa's krikkrakkende voeten. Een mêlee van muziek en rumoer, straatrumoer van de straat, de straat zelf, een muur van geluid waar je overheen loopt. Je kunt niet niet luisteren. Je moet horen en voelen, van je krikkrakkende voeten en sokken geblazen door versterkers voluit zagende planken in inwendig landinwaarts geboemboemBLOEM.

– Levertraan, levertraan: een maand naar Lourdes.

– Hip! Koekoek! Geiten! Wrom sidder je... Krullende hippies?

– Wrom? Drom!

Van geluid maak je taal en van taal maak je weer geluid en kapotte plastic bierglazen. Krikkrak. Krakkrik.

Ogen dicht. Achtergrond wordt voorgrond als.

De tijd van het jaar is nog te vroeg voor straatzangers en muzikanten. Geen virtuose accordeons van Russische makelij die gedrieën de Toccata en Fuga spelen. Geen zeemansliederen die gaan van de zee is nooit gesloten. Geen Andesorkesten met zwevende zamphyrtonen uit de Peruaanse panfluit. Geen orgels die draaien met zwieren en zwaaien en draaien altijd maar draaien. Geen rammelaars en trommelaars. Geen trompetten en schuiftrompetten die genoeg lawijt maken om ook te kunnen mansen bij het tegenoverliggende café De Staalmeesters. Geen eenarmige bedelaars die al zingend de terraszitters verrotschelden. Geen straatmadelieven. Geen ballade van de maagd van Wognum. Geen nieuwe liederen op de wijs van Vrouw Venus vals. En ook geen zingen in deze de nieuwe Doelen zelf. Daarvoor moet je naar Nolaltijdlol, of naar de Twee Zwaantjes. Carla ging er wel eens heen,

om naar Dries Roelvink te kijken. Bij ons in de Jordaan. Van hela
hola hoeladijee.

– En de keuze: China.

– Ei ei: ei, ei: disconoot: Dafdaf. Cola zoetjes, koppie soepie?

– Moest da?

– Zie, vazen, van binnen. Lauw lang. 'k Ben lauw lang.

– Astraal wedergeboortig van de vandeman.

– In een oude bult, naarling. In een oude tuin.

– I'm nothing but a stranger in this world.

Het leed is geleden de horizon schijnt. De broden zijn donker.
Het brandewijn brandt. De handyman verschijnt. Die can wat de
handyman can.

– Hai, zwaait hij met zijn hand en met zijn hoofd. Hij knikt met
zijn mond en met zijn ogen.

In another land, so far away. So far away.

Homo habilis. Heeft vantevoren het hele programma ingepro-
grammeerd met een programmeerprogramma. Handig te bedie-
nen met de bijgeleverde logistick. Vanmorgen in alle haast nummers gekozen voor het echt drukdrukdruk werd. Op de tast.

Een dwarse fluit. Mag ik u voorstellen. Madame George. Klik-
klakkend met haar hoge hakken. Klik. Klak. Op de playlist kan je
niet zien hoe lang het duurt. Het staat op View by artist.

Op een tijdstip als dit gaan de gedachten allicht uit naar eten. De
kleine kaart en de grote kaart. Een warme prak is er niet. In ver-
schillende kleuren krijt staat het menu van de dag op de lei naast
de bar, en ook de tosti van de dag. Aan de overkant van de straat
kan je wel eten. De gaepende Gaeper. Naast de antiekzaak. De
waard heet er Tinus. Een echte Cambrinus. Zingt als een schorre
parkiet. Pomperompedom.

Tractaties uit het kamp. Soep van hondevlees. Of een dun ge-
droogd boterhammetje met heel dun sambal erop gesmeerd.

Een omeletje glazen ei. Een uitsmijter-buitenwipper.

– Wat zeg je?

— Ik zei niets.

Geen warm eten. Als hij een tosti met chorizo bestelt is dat er niet. Ook geen Franse smiksmak. Natasha is er niet meer. Komt wel weer terug. Misschien werkt ze weer bij het Loosje op de Nieuwmarkt. Lief ding met vuurspugende ogen. Broodje Parma. Broodje tonijnsalade met ei. Smakelijk!

En leg uw borsten op mijn schouder.

— Valmis.

— Het halt.

Ook de kat is van huis. Het zal hem wel te druk zijn. Geen stoel meer over om zijn moede lijf te rusten te leggen. Het terras is nog niet uitgezet.

— Voetbalt je zoon nog?

— Nee die is van voetbal af. Het werd zo'n schoppartij, dat trok ie op het laatst niet meer.

Arrem kind. Als ie maar geen voetballer wordt.

Overal bordjes. Wat te doen als u dit leest of niet. Weet je wat ik zie als ik gedronken heb? Visueel geluid. De orders van de dag. Toilet beneden. De aankondigingen in het trapgat: waar een mens vanavond allemaal niet naar toe kan. En morgen. En overmorgen. En wat voorafging. Waar een mens allemaal niet naar toe kan en/of had gekund. Er is altijd van alles te doen. Heel veel mensen zijn met iets bezig of kunnen iets. Dat is het mooie ervan: helemaal als je dat kunt delen met anderen. Samen muziek maken is het leukste wat er is. Omdat je er helemaal in op gaat waarschijnlijk. En in die ander natuurlijk. Mozart is hier nog geweest, op toerjatoernee door Europa. Wolfje deed het erg goed. Verbazing alom. Dirigeerde zelf zijn eigen Derde symfonie in Bes in de Oude Doelen, voorheen het bolwerk 'Swijgt Utrecht' en vele jaren later het toneel van hysterische taferelen toen een vrolijk viertal uit Liverpool de jaren zestig Amsterdam binnenvoer. En hij speelde quatremains met zijn zusje. Hoe oud zal ie geweest zijn? Jaar of tien. Geen tijd om te voetballen. Ook niet goed voor zo'n kind. Je zag het in die film: stapelgek is hij ervan geworden. Hihihihihi. En maar lachen.

Hihihahahoho.

Maloe Melo, Home of the Blues. Psycho-andijvie.

Bimhuis. Dzjamsession in da house. Een literaire extravaganza met schrijvers en trompetten. En trombones. Met Kees van Kooten, Remco Campert, Manon Uphoff en Toon Tellegen. Muzikale naam heeft ie. Heb ik hier wel eens zien zitten met twee ongure types. Yuppige internetcriminelen leken me het. Heine-kenontvoerders. Wat zo'n sympathieke kinderboekenschrijver daar nou mee moest is me nog steeds een raadsel.

Café Meander. Trip presenteert. Funk-Inn. DJ Jort. Orgie_DJ. Wild ding. Dokter Tulp zegt: Jij maakt mijn hart zing.

De Heeren van de Amstel. De Fellows Big Band. Een afradertje. De Schele Bedelaars. Me First and the Gimme Gimmes.

Noorderkerk Concerten. Oude muziek. Zaterdag de Cappella Breda o.l.v. Daan Manneke. Requiem en Crucifixum van de Venetiaanse operacomponist Antonio Lotti. Indrukwekkend. Cantates van Bach en Buxtehude. Is al geweest. Wil ze niet aan. Zing je moers taal. Jubilate Domino. Amore traditore. Madame est seule. De klank van die woorden alleen al. Taal als muziek in de oren. Kan ook heel verraderlijk zijn. Verraderlijk verleidelijk. Zoete broodjes. We kunnen nog wel naar de Johannes Passion. M.m.v. Willem de Vries-Christus en Karin Jönsthövel-mezzosopraan. Woensdag 7. O nee, dan is er een jarig. Suleiman! Krijgt een mooi albasten schaakbord met zware handgemaakte stukken. Omdat ie het zo goed kan. Veegt iedereen van het bord. Za 24 april Geen concert. Maar wie is de componist?

Canta! Canta!

Vooooooooo

Lare oho

Cantaaaaaaaa

re ohohoho.

Nicolaaskerk. De King's Voices. Om zeer ontoepasselijk van te worden. Lijkt me dat. Maar je weet het niet. Je kan wel eens blij verrast worden.

Parooltheater. Vijftig maal Joep Bertrams. Vlijmscherpe prenten. Soms een beetje moeilijk te begrijpen. Gelukkig zet hij er altijd bij wie het is.

Vanavond live radio. Wat ze smoezen op de Eiffeltoren kan je in de Tweede Rozendwarsstraat horen. Dat knusse.

— Had je hem al aangeslagen, die twee negentig?

Verschoven barkruk. Geknisper van eurobiljetten. De kastdeurtjes gaan open; het kleingeld gaat erin.

— Nou vraag ik je, waarom is de ene melodie nou mooier dan de ander? Kun je me dat vertellen, Bloem?

— Het is maar waar je van houdt, lijkt mij.

Ringeringtingting. Het rinkelen van gespjes tegen een rugzak (blauw).

— Moet dat kunnen?

— Ze willen Pim aan z'n maan zitten. Maar ze sassen allemaal zalmen.

Hup sansee de platte boender. Sabberejosiah-sabberijeheehee. Holadijo. Van je rel-dekedel-dekedel, zo zingt het hele stel.

Mooi niet dus. New Cool Collective instru instru instru mentaal. Computergestuurd, dus goed. Yeah yeah pa pa pa paah I say yeah yeah. Big Mondays. Refreintje-coupletje-middle eight. Geluidsaffecten. Wereld veel rustiger als je doof bent. Sluit je oren. Niet eenvoudig. Zouden daar pilletjes voor zijn? Het zal wel een plek in de hersenen hebben.

— Here met joelen! Hebben die me een kuis kanend elastiekje samen voluit...

Een gezelschap met ingepakte instrumenten komt binnen. Een heel dweilorkest. Gaat zitten onder de Tiffany lamp. Aangebracht met liefde. Maar niemand die het bliefde.

— Rom zom zim zom, fromio berio lucio trom.

– Klats weit ep staaf gepf schrif, wutwind, wo.

Ach zo. Fijn om geen talen te kennen. Dranken worden klanken in de ure des horensnoods. Nooit afgeleid worden door de betekenis.

– Aloittakaa!

– Begynd!

– Empiecen!

– Nátsjeli!

– Comencem!

– Commençons!

– Comecem.

– Nun los! Fanget an!

– Beginnen! Begin!

Pratende borden. Guinness is good for you. Vrolijke toekan met twee glazen op z'n snavel. Het bord voor je kop want daar word je alleen maar slechter van.

Wat zullen we nemen zeven dagen lang. Broodje van de dag. Geitenkaas met honing en walnoot.

Spuug en honing. Hoger honing aan lager walnoot. Ook mogelijk zijn een broodje pindakaas-banaan en lekkere brownies, verse yoghurt fruitshake en looza perensap tropical. Broodje hagelslag 1 euro 50. Schreeuw, bord, schreeuw. Affligem authentiek abdijbier sinds 1074. Sinds 1074 het net niet.

New Coll Collective O Balanol. Jazzz 4U. Noizzzz jazzzz. Met doorgezaagde weesmeisjes en gitaren en vallend oud roest. Niks mis mee maar waarom maken ze er een plaat van? Als je goed luistert hoor je dat alles geluid is. En alles geluid maakt. Alles spreekt in zijn eigen taal. Ook mensen. Pwii! Zat sesalo soene vokag daja viel sa oevie. Piii! Lid ker kauw de en dol. Amien! Niks van te begrijpen. Spreken: stemhebbende luchtverplaatsing.

– Er zijn bepaalde parameters te ontdekken. Ritmologisch. De objectieve grondslag van waarom de ene muziek nou mooier is dan de andere.

Een net gevuld oortje op de tapkast. Buiten gaan de geluidlozen, bestolen van klank. Zoals de doven het zien. De vreemde wereld van de doven. Want voor iedereen die niet doof is geldt: je kan jezelf niet zien, maar wel horen. Paardehoeven op de klinkers. Koetsje. Ga koetsje. Klittekliklop.

Over smaak valt niet te twisten, maar de twist valt wel te smaken. *Come on let's twist again.* Doen of je je rug aan het afdrogen bent. Simpel als een appelsien.

Snnnff. Iemand haalt zijn verkouden neus op rechtsachter mij. Geschatte afstand: twee meter twintig. Hoeveel is dat in euro's? Nu gaat ie niezen.

— Haaaaaa...... tsjoe!

— Hai.

Zwaai. Knik. Leo begroet een vaste klant. Knik. Zwaai. De music-matchmaker. Wie eenmaal hier heeft gewerkt komt altijd terug. Behalve Siem. Marjolein ook al lang niet gezien. Ging naar de pony's in Friesland met haar Waterlooopleinuitdrager. O Waterloo. O God. En Claudia die zo van Michael McDonald hield.

Aan de baksteentjesmuur een tegelmozaïek van de plek zelf. Daaronder een schaak/dambord: tweeklankbord. Triktrak.

Schaak! Dam! Triktrak! Ik schrijf het even voor je op. Traktrik! Schaamdak!

Het laatste avondmaal op dienblad in vergulde lijst. Een groene gieter. Symbool ergens van. Kom er even niet op. Een doos met schaakstukken (meer een bak trouwens).

Groepen! Eén rekening of direct betalen! Verbaal geweld. Het effect van hoofdletters in e-mails: schreeuwen. Eufonie en kakofonie.

— Pronto, yakult in vieren gekamd, het kruidvat kaviaar auditief, terrassoïden.

— Nennännii röyröhröh.

— Muren ja, het meurt aan. Muren ja. Kievietskwasten met peuken van nylon. Muren ja.

— Koud heet daar! Ja, koelt af punaises moet je ook niet stom in gaan staan.

Ballade: laatje met bal erin. Hij vindt iets mooi maar dat is hem niet genoeg: hij wil bewijzen dat het mooi is en waarom het mooi is. Krr tng krr tng krrr. Een hondje op schoot krabt zich, klein maar met hondepenning. Althans zo hoort het eruit. Geschatte richting: zeven uur dertig. Geschatte afstand: vijfentachtig centimeter. En het komt dichterbij. Stand by all systems. Orange alert. Wiew wiew wiew. Bloem knikte. Bloem hikte. Bloem likte zijn vingers met honing af. Simon Tuinstra vervolgde.

— Toen ik in de kliniek lag, had ik heel veel baat bij de Goldberg-variaties. Maar de *Kunst der Fuge* kon ik niet meer horen. Hoe kan dat? vroeg hij met een enigszins geknepen stem.

Kan zelf waarschijnlijk niet zingen. Met zijn tenorale bariton.

Pok pok! Het capuccinodoorloopschepje wordt uitgeklopt boven de speciaal voor koffiedrab bestemde vuilnisbak. Simon roert tling tling in zijn kopje. Verschuift grnstg grstg zijn stoel. Zand.

Kling. Lepeltjes die op schoteltjes worden gelegd. Daphbet.

Naadloos gaat het gesprek over in de muzikale omlijsting. Het ideaal van de nonverbale noncommunicatie komt steeds dichterbij.

— Dat je denkt, nee dat je wéét: dit is dé muziek voor mij. En strikt genomen bestaat er niets anders. Waar komt dat idee vandaan? Er moet toch iets in de muziek zijn dat ons dat doet denken. Het is niet voor niets de hoogste der kunsten. Wat je bij Mahler hebt, en niet bij André Hazes.

Het ruklied van Mahler. *Ich bin der Welt abhanden gekommen.* En Ramona dan? Lady Sunshine en Mister Moon. Soekayaki! Hun laatste optreden in Helmond op 3 november. Een maand later was hij dood. Negenenvijftig jaar. Gevaarlijke leeftijd.

Tongklongklong. De hondevoederbak rinkelt als een afrekenaar er per ongeluk tegenaan schopt met zijn schoen.

Het is spitsuur in De Doelen. Al sinds vanmorgen rennen de

groene truitjes af en aan om de achterstanden weg te werken.
Spitsroeden lopen. En twee stokbroodjes brie. De smeerder smeert
in het keukentje achter de bar. Okee.

Foefoefoe. Een meisje komt fluitend binnen. Gloegloegloe doet
de capuccinomachino. Het gesis van de melkopklopper. Hoezo
voor mij? Wieowie?

– Ik heb nooit gedacht van muziek dat het van mij was, of alleen
voor mij.

– Jawel. Zo mooi dat je dacht, dat is voor mij.

– Maar dan zou het voor iedereen zíjn muziek zijn. Als je het kon
aantonen.

Slurp! Gepraat, gemurmel, gebabbel, gesabbel. Staalstraat Taal-
straat. Gehaaste voetstappen over zandbestrooide planken. Jazz!
Do u like jazz and I said no. Ze kunnen nu blinden weer laten zien.
Operatief. Stevie Wonder. *Songs in the key of life.* Onverbeterlijk optimistische uitstraling. Eeuwige glimlach. Goed, zo'n positieve
grondhouding. *Happy birthday. I just called to say I love you.* Zal wel
anders worden als hij weer kan zien. Vincent Bijlo wil geen kinderen omdat de genetische kans bestaat dat die ook blind worden.
Teksten voor goede doelen worden met de dag stommer. Vroeger
had je Geef een blinde een hond uit de pot en nu is het Geef een
blinde wat om naar uit te kijken. Laat lepra ook jou een zorg zijn.
Nederland bedankt! Kende u die en die nog? Die balletdanseres uit
Bali? Die is nu dood. Maar het is een trend: Vrij Nederland geeft te
denken, Kiezen en delen, Ze kraken zoals ze smaken. *Why can't we?*

– Ook muziek heeft een object. Het moet mogelijk zijn via de
emoties een brug te slaan tussen de muziek en de wereld der voor-
stellingen. Al is het maar lust.

– Bijvoorbeeld *De Zee* van Debussy? Dat je denkt aan de zee? Dat
dat de voorstelling is die je erbij maakt? Dat je het voor je ziet en
voelt deinen?

De zee de zee de eeuwig hotsendeklotsende. Ambient word een
mens ervan. Chillouten. De Noordzee de Noordzee.

– Ik bedoel...

Ogen dicht en ik kus je. Kus kus. Twee meisjes zoenen elkaar. Bordeauxrood trainingsjasje met speculaasje in de hand kust oorbellen.

– Nee, we...

– Apart hè.

Al het oude zeer blijft zo goed als nieuw.

Spreek je weer in tongen?

Niet spreken tijdens het tongen.

De billboards spreken. Onklare taal.

Het ei van Columbus ligt vaak in Afrika.

Leefbaar. De NSBer en de Jood.

25.000 verkocht.

Opium.

Plots een hard lachen vanonderachteropzij de sigarettenautomaat. Ha! Ha! Ha! I like you do you like me too. Meisjes die het over jongens hebben. De ijsblokjes worden grf grf uitgeschept. De koekjes kgtrfgffggf bijgevuld. Het meeste gaat het ene oor in het andere uit. Wolk van tonen. Ik zal hem maar niet al te veel opwinden.

Gympen schuifelen sjlf sjlf op de stenen vloer achter de bar.

– Zulke dingen gebeuren wel.

– Dat je denkt van...

Het geluidsniveau is beschaafd te noemen, op één hoogte met het geroezemoes. Simon heeft nog koffie besteld en gaat weer zitten.

– Ook zonder titel. Bijvoorbeeld de Oosterse sfeer van de opera Martha.

Ebbe debbe debbe zei de meerkat tot de chimpansee. Wat een rotzooi is het hier.

Dadadiedadadieda! De Siemens huiscentrale gaat aan. Is het voor mij? Gerinkel van glazen, kopjes, lepels, gewassen schoteltjes.

Plastic tassen krakelen. Kinderstemmen krakelen.

Eendgat no. Aaigat laaf. Ninanenonu noenoe nounou. Simone. Ja. Vierduizend nummers. Leo heeft dat gedaan. Met klassiek is het een crime.

De sectie klassiek telt 128.32 minutes, vertelt het lcd-scherm.

Piepiepiep. Iemands mobiel. Ben ik dat? Ben jij dat? Hoe izzit hoe izzit?

– Als je de zesennegentig delen van het Wohltemperierte Klavier aan stukjes knipt en door elkaar husselt en ze omschrijft en je laat proefpersonen aan de hand van de omschrijving het bijpassende muziekstuk vinden, krijg je een overeenstemming van 79 procent met de typering. Te veel voor toeval.

Jassen gaan aan. Jassen gaan uit. Lekkende honing. Alles plakt en kleeft. Vingers taromtaromtarom tarommelen op tafel.

De geldkoffer voor 925 Doelen wordt achter de bloemenvaas geopend en pakketten biljetten verwisselen van eigenaar. Beschermgeld? Vijftien rolletjes van twee. Ook vijftien rolletjes van twintig.

– En andersom werkt het ook. Als je aan de hand van het muziekstuk de bijpassende omschrijving moet vinden is er ook een correlatie. De overeenkomsten zijn frappant.

De zware bas van de snor Sjoerd Sjaak kom hoe heet ie.

– Bet! Waar sta ik nou op te wachten?

– Nog even wat doen, man. (Ze loopt naar de sigarettenautomaat.)

Summertime van de Zombies en Rod Argent. Begonnen als hijgerige grap. The skyyyyyyyyyyyy!

Toet! Toettoet! (buiten) Glazen en kopjes die opgeruimd worden.

Don't you cry.

Wieowie?

– Hai!

Kling! Een fles cola wordt pst pssst opengedraaid. Tik tik. De schuimspaan wordt afgeslagen.

She's not there, ook de Zombies. Kopjes die weggezet worden.

— Wat blijkt hieruit? Dat zal ik je vertellen. Muziek verwijst altijd naar iets.

Tik tok. Nee toch. Het zal toch niet. Een mankepoot zwaait de deur open en kijkt kippig rond. Maffiose gaatjesschoenen. Strooien hoed. De Canta staat buiten. Kan da? Da kan. Con do? Bloems aandacht richt zich stokstrakstijf op het gezicht van Simon. Mm, u zei? Nog een tik tok hinkstap verder. Nog een. Maar nee. Hij draait om en loopt weg. Tok tik. Oef.

Een roerend lepeltje tegen het theeglas.

The way she acted, the colour of her hair. Nachos warm tortilla chips. Ik kreeg het er wel eventjes benauwd van.

— Ben zo terug.

Ongemerkt is *Unknown Soldier* overgelopen in *Mysterious Traveller*. Weather Report. Mede mogelijk gemaakt door de Heer in de hemel.

Bloem volgde de mottenballenwalm van de toiletblokjes naar beneden. Trrrrr. Het geratel van urine op aluminium. Inwendige geluiden: het afknijpen van de penis ter uitdruppeling en het opduwen van de balzak voor de laatste druppels. Drip drop a druppel it. De dubbele spoeling: kwsjsjsjsssjsjsjs, kwsjsjsjsssjsjsjs. De electrische handendroger: mrmrmrmrmrmrmrmrmrm. Wie gaat hier naar de wc? Inzendingen dienen voor één april binnen te zijn. Synthesizerklanken van boven dringen hier maar zacht door.

A remark you made. Statistisch aan te tonen. Muziek in blik. Dat is de dood in de pot.

Tk tgggggt krk krrk krrrk de kassa gaat open. De rekening wordt hardop opgemaakt.

— Zestien, vijftien dat is...

— Biertje?

— Vietnam was heel anders dan China...

Tingting. Het kleingeld. Time of the season. Met Hammond-orgel. Nog een weeshuisverpakking Calgonit wordt binnengebracht. Betty heeft een nieuwe bril, aan een touwtje.

– Niet naar iets buiten ons, maar kennelijk naar in ons. De zee in ons. De waterval in ons. Het verdriet, de vreugde, de Moldau. Gevoelens die psychologisch te verklaren zijn.

Het teken van de bok boven de toog. Bier van de tap. Tap. Tap. Tap. Jaja. Bij ons in de Jordaan. Sentimental reasons. Harken op emoties. Tranen met tuiten. Hemelhoog juichend. Beetje eenzijdig beeld. Met woorden iets zeggen over de sfeer van muziek. Dat zegt toch meer over de woorden dan over de muziek.

De schaduw van de ketting van de Tiffanylamp staat afgetekend op de muur waar ooit de keus stonden en de biljartklok hing. Oog. Ander orgaan. Er zijn er eindeloos veel. Orgaan van Jakobson: flehmen. Dieren die gevoelig zijn voor magnetische velden. Voor iedere soort ziet de wereld er weer anders uit.

Klotsklots gingen de ballen.

Tik zei de keu.

Klots.

Tik.

Doef zei het laken.

– Die overeenkomsten berusten niet op cultureel erfgoed en clichés, maar op dat wat de muziek losmaakt.

Geschuifel op de trap. Opnieuw Van the Man. *Moondance. Come Running.* Eens per jaar doet hij een concert in Utrecht. Dat moet om zeven uur beginnen, dan kan hij met het vliegtuig van tien uur weer naar huis, in Belfast. Huiselijk type.

– Dát drukt muziek uit. Dat is het psychologisch correlaat.

Een crazy saxomephone huilt. Droef. Mono Stereo Duo Toon.

Ah!

Slurp!

—◦⊕⊗⊕⊗⊕⊗⊕◦—

Sta ik wat te ouwehoeren met Schele Henkie van de PTT, krijg ik godverdomme bijna zo'n kutvlaggetje van zo'n kutfietsje van zo'n kutkind in m'n smoel. Kostte me godverdomme bijna m'n oog.

Ik zeg:

— Ga godverdomme je moeder pesten, kutkind.

Loopt z'n moessie vlak achter hem. Zo'n bloedhondenjup van een wijf die hier de buurt zijn komen verpesten. Zegt ze:

— Kijk zelf een beetje uit, aso! Je heb het tegen een kind.

— Juist daarom. Mooi voorbeeld voor je kind, trut! Hoer!

Wat moet er van de wereld worden als mensen d'r eigen gebroed niet meer opvoeieren. Daar gaat allemaal mis. Het begint al in de wieg. Zeikerds van de wieg tot het graf. In de beslotenheid van het eigen huishouden.

Zegt Schele Henkie:

— Het wordt steeds erger. Kapsones. Je durft je op het laatst niet meer te vertonen in je eigen stad.

— En als je d'r wat van zegt, krijg je een grote bek terug. Of ze schieten je voor je raap, op klaarlichte dag. Daar zitten ze niet meer mee tegenzowoordig.

De zon schijnt voor iedereen, zeg ik altijd, maar d'r zijn er tegenwoordig bij die kunnen de zon niet meer in andermans oog zien schijnen. Dat is het beroerde met die verrekte tyfuslijders. Altijd commentaar moeten ze hebben.

— Allemaal import.

— Zo is het. De nieuwe zondvloed.

En het geschiedde in die dagen dat Schele Henkie, geboren Hendricus Amadeus Hermanus Joab Johannes Mattheus Lucas Marcus Pi, ook wel bekend als Harrie Kedarrie, Dove Henkie, Blinde Janus, Slome Jopie, Kale Bertus, Jan met de Handjes, Jan zonder Handjes, Cornelis, De Vlooi, De Beste Vriend van de Hond, Koning Eenoog, Keizer der Vijftigers, Koning der Bierdinkers, Meyer de Rijmer, Peer de Pruymer, Diederik Dradenbijter, Arie Pannetje-Pap, Pietje Perreplu, Albertje Hagenaars, De Bokkebek, Pietje Puck, Michiel de Muyter, Jongen van Jan Boezeroen en vele andere bij-, toe-, koos-, werk- en vrijetijdsnamen, ooit begonnen als rijksambtenaar tweede klas bij de naamloze vennootschap der koninklijke poste-

rijen, telegrafie en telefonie, nu in vaste dienst als pakjesrijder bij
TNT, en zijn metgezel, compaan, handlanger en gabber Jan de B.
zich bevonden voor de deur die toegang verschafte tot de negocie
waarin langs mechanische weg afbeeldingen en teksten op papier
vermenigvuldigd konden worden in desnoods astronomische hoe-
veelheden, maar één kopietje kon ook, die de uitbater schathemelrijk maakten, maar niet gelukkig. Want hij was een onge-
lukkig mens, morrend en tobbend en jeremiërend over de teloorgang van zijn geliefde vaderstad en moederland. Daar stond hij in
zijn overhemmetje met vuurspuwende hawaiiaanse drakenmotief
achter de toonbank, de vulkanische gestalte, oprijzend tot aan het
plafond van zijn uit zijn krachten gegroeide onderneming, asspu-
gend door zijn imposante wijze baard waarmee hij op maandag-
morgen in één machtige zwaai de hele Westerstraat schoonveegde,
zijn veelkoppige Iberische waakhond in onrustige sluimer aan zijn
voeten. En zijn bulderende stemgeluid was te horen tot aan de
overkant van de straat, ja tot over het IJ werden zijn woorden
gehoord en met beitel en guts gehouwen en gekerfd in stenen en
houten tafelen om te worden geplaatst langs hare majesteits wegen, heirbanen en afsluitdijken, tot in de winderigste uithoeken en
buitenste buitenposten van het koninkrijk.

– Ze denken dat ze je helpen, maar het is altijd van de regen in de
drup.

Dat was de spreuk die hem als het ware op het lijf gebakken zat.
Het begon al toen ie met een startsubsidie van de Sociale Dienst in
een veel te klein pandje werd ondergebracht in de Nieuwe Lelie-
straat, waar ie na verloop van tijd weer uit moest omdat er zono-
dig gerenoveerd moest worden. Ze wilden hem toen ergens in
Oost onderbrengen maar die laat zich zomaar niet wegdouwen.
Hij hield z'n poot stijf en zo kwam ie tenslotte toch in de Westerstraat terecht. Een ouwe garage met paaltjes voor de deur en verboden te parkeren. Die parkeerplek heeft ie helemaal niet nodig
maar hij laat het lekker zoals het is. Historische rechten, noemt ie

het. Maar wat denk je, nou willen ze hem z'n anderhalve miserabele parkeerplaatsje afpakken. Alsof ze echt niks beters te doen hebben. Zo word je altijd genaaid. Wat ze met de ene hand geven nemen ze met de andere gelijk weer terug. Niet dat het ze gaat lukken hoor. O nee. Leer mij hem kennen. Die laat zich niet piepelen. Nee meneer.

Affijn, wij naar binnen voor een kop koffie. Een kleine stap voor de mensheid maar een grote stap voor ons. Het is wel niet zo matineus meer maar misschien staat er nog een potje bruin te pruttelen. De Baas Zelf stond alreeds uitgebreid te oreren, en op dreef was ie, dat kon je zo horen.

— Nou willen ze weer een gracht maken van de straat. Weet je wat dat betekent? Drie jaar ellende. Drie jaar bouwput. Miljoenen euro's over de balk. De winkeliers kunnen het wel schudden. Die gaan failliet. Onherroepelijk. De hele middenstand gaat eraan. En de markt is natuurlijk ook goed naar de kloten. Ze weten het leven op die manier wel een hel te maken, en niet alleen dat van mij.

— Nou, zegt Schele Henkie, nog scheler als normaal, mijn leven is anders gewoon een sprookje.

— O ja? Hoe komt dat? vraagt de kopieur.

— Elke dag kom ik thuis en dan zit die heks er weer.

Zo'n figuur is het nou. Je kan er altijd mee bulderen van het lachen. Zit ie daar ineens spontaan te zingen met z'n kraaienmarsstem:

— Zoals mijn vrouw is er geen een, zij neemt het vlees en ik krijg het been.

Dat vrolijke, hè, door de bomen toch de zon kennen zien schijnen. Dat is het leuke van Henkie. Ondertussen heeft de kopieur weer een klant af te tikken. Routineus rekent hij op zijn supersnelle en -intelligente rekenmachientje de BTW uit, dat wil zeggen 17,5 : 117,5 x de kasontvangsten, en even routineus schrijft hij geen bonnetje. De reden daarvan zal zeer zeker waarschijnlijk te localiseren zijn in het Nederlandse financiële klimaat dat zoveel meer kapot maakt dan ons lief is. Echter, een factuur die melding maakt van de factuurdatum, het volgnummer van de factuur, de naam en het adres van zijn onderneming, de naam en het adres van de klant, de datum waarop hij/zij de goederen heeft geleverd of de diensten heeft verleend, een omschrijving van de geleverde goederen en het aantal of een omschrijving van de verleende dienst, de prijs exclusief btw en het bedrag van de btw is niet strikt noodzakelijk daar deze onderneming valt onder het kasstelsel en behoort tot de volgende groepen: winkeliers, marktkooplieden, schoenmakers, kappers, glazenwassers, wasserijen, rijwielherstellers, garagehouders, benzinestations, schoonheidsverzorgingsbedrijven, behangers, stoffeerders, horeca-ondernemers, autorijschoolhouders en advocaten en procureurs die hun praktijk alleen uitoefenen.

– Mesjeu. Vier kopietjes da's tweeëntwintig cent.

– Van mij word je niet rijk.

– Ik wil ook niet rijk worden. Veel te veel gedoe.

– En daar komen de belastingen dan nog eens bij.

– Ik betaal nooit belasting.

– Wat? Ben je in je eentje een soort zigeunerkamp?

– Nou, als ik het geweten had, had ik nooit belasting betaald. Als ze je pakken krijg je vijf jaar boete. Maar dan heb ik wel dertien jaar winst gehad.

– Ik wist niet dat het zo makkelijk ging.

– Ik ken hier zo al vier vijf bedrijven die al dertig jaar geen belasting betalen. Ze hebben wel een jacht, een groot huis in Frankrijk, auto's. Nooit gepakt. Nee, als ik het nog een keer over mocht doen wist ik het wel.

– Stommm!

Bij de rode prullie, aan het glazen tafeltje met de huishoudschaar stevig aan een ketting verankerd was onze geliefde Indische buurtgenoot aan het knippen en plakken en passen en meten, tong uit de mond alsof ie de Mona Lisa aan het bijschilderen was. Hij liet zijn papierwinkel liggen en liep door de klapdeurtjes naar de vakken met gekleurde velletjes in de kasten waarin de kopieur papier in alle kleuren van de regenboog en in alle soorten en maten en diktes had opgeslagen.

Begint me dat mormel daar toch in enen een potje te blaffen. Ja d'r staat toch duidelijk dat je aan deze kant van de klapdeurtjes moet blijven, maar die Bloem doet gewoon alsof ie thuis is, met z'n kleurtje voor dit en z'n kleurtje voor dat en het papier niet te zwaar maar ook weer niet te licht. En ondertussen laat ie de uitnodigingen voor z'n bruiloft bij Lowie Kopie maken met z'n lepe blik. Daar is meneer dan weer wel goochem genoeg voor. De krent. Toen ie de toto had gewonnen was ie ook al te belazerd om ons een rondje te geven. Geeft zelf niet om drank en daarom zal ie het ons ook geheel onthouden. Bloem daar ga je! (Maakt schopbewegingen.) Ga maar weer in je rooie jassie foldertjes staan uitdelen op de Noordermarkt. Ik neem me Rooie Hoed voor je af hoor. De uitslover. Of de plantsoenen uitmesten met de prikstok, de spuiten die het mooie rooie gedoogbeleid er heeft achtergelaten uit de zandbakken vissen. Kunnen die salonsocialisten hun gezicht laten zien, om te betonen hoe dicht ze wel niet bij de bevolking staan, dat ze weten wat er speelt onder de mensen.

– Lula! Lig!

– Ja ja stil maar, suste Bloem.

– Ze verstaat nog steeds geen Nederlands, ben ik bang. Tis een moeilijke taal voor honden. Voor buitenlanders ook trouwens. Ik ken van die gasten die zitten hier al zeventien jaar en die spreken nog geen woord Nederlands. Trekken hier hun wao en dat gaat allemaal hup zo naar Marokko of Turkije of weet ik waarnaartoe. Waar zijn we toch allemaal mee bezig. Ondertussen is het wel mooi allemaal van onze belastingcenten. Gemeenschapsgeld. Zij de kwatta, wij de gemeenschap. Liever in Mokum zonder poen, dan in Marokko met een miljoen.

Bloem liep zover mogelijk van de hond vandaan naar de kast met de wat dikkere gekleurde papieren. Dan die maar.

— Ze ruikt het als je bang voor d'r bent. Dus gewoon niet bang zijn.

— Het zijn slimme beesten, beaamde Bloem.

Je had hem moeten zien. Het angstzweet sijpelde uit al zijn poriën. Van louter nervositeit stond ie bij voorbaat al stijf in het vocht.

En die hond maar grommen met de tanden bloot. Je zou zweren dat ze d'r steeds meer plezier in kreeg. Ze hadden het beessie een paar jaar terug meegenomen van de camping in Spanje. Prima waakhondje. Lief beest ook. Je moest wel d'r vertrouwen weten te winnen, maar dan nam je gewoon een enkele keer een handvol hondebrokken mee. Anders kreeg je die wel van hem. Dan at ze uit je hand. Letterlijk en figuurlijk. Ons deed ze niks niemendal noppes nada zoals we daar lekker gezellig zaten te keuvelen en kouten. De grootste idioot kan het bedenken. Die rare relnicht Willem Oltmans die hier wel 's komt had het meteen door.

— Maar serieus. Weet je hoe het komt dat ze hier willen gaan graven? Dat zal ik jullie eens haarfijn uit de doeken doen.

— Steek van wal, zei ik. Jij ziet jij ziet wat wij niet zien.

— Het komt van het Marnixbad. Dat wordt nou gesloopt maar voor nieuwbouw kon de gemeente niet genoeg geld vrijmaken. Toen zijn er particulieren ingesprongen maar die hebben wel de eis gesteld dat er driehonderd parkeerplaatsen zouden komen.

— Drie honderd!

— Dus nou gaan ze allereerst de Marnixkade zo inrichten dat er tweehonderd parkeerplaatsen zijn. Leuk voor de bewoners: die zitten de godganse nacht met die felle lichten van de lantaarns voor hun raam.

— En die andere honderd?

— Die moeten dus onder de nieuwe gracht komen. He-le-maal getikt. In plaats dat ze een parkeergarage bouwen onder het nieuwe bad, maar nu gaan ze ook nog de enige plek waar je nog zo'n beetje kan parkeren in de Jordaan naar de vernieling helpen.

– En wat moet er met de markt gebeuren?

– Die kan mooi oprotten van de gemeente. Niemand wil hier een gracht. Maar denk je dat ze bij de gemeente zich er wat van aantrekken? Kritiek, daar sta ik beneden, zo redeneren ze. Ja wat is het, Bloem?

– Kan ik dit even hier laten liggen? Ik ben zo terug.

– Tuurlijk.

En daar droop ie af, met z'n staart tussen de benen. Waar ie heenging dat maag Joost weten, misschien had de duivel 'm op z'n staart getrapt of ergens anders maar in elk geval ging hij er als een haasje uit een doosje vandoor.

– Waarschijnlijk moet ie een nieuwe broek gaan aantrekken, zei de Schele.

– Zingt z'n vrouw nog? vroeg ik.

– Zingen, en wat dies meer zij, antwoordde de Schele.

Terwijl de kat van huis is

Zie 'k een dubbel silhouet

– En wie is de gelukkige die in de jackpot mag roeren? vroeg de kopieur. Is daar enig zicht op?

– Het is groen en het loopt een beetje moeilijk. En het is geen kikker op stelten.

Een golf van ongeloof verspreidde zich seismisch met het epicentrum in de cerebrale cortex van de toehoorders en sloeg in een megatsunami tegen de binnenkant van hun schedel te pletter, waarna de rust echter al snel wederkeerde en vervolgens plaatsmaakte voor een curieuze maar al te menselijke mengeling van tevredenheid, opluchting, morele superioriteit, stil leedvermaak, een alle vooroordelen bevestigende wereldwijsheid en een zeer licht onbehagen dat door het idee dat hun zoiets niet zou overkomen en dat door dit soort zaken de wereld te gronde ging geen kans kreeg te ontkiemen.

– Ja, mensen, ieder huisje heeft z'n kruisje maar je vraagt je soms wel eens af waar het heen moet met de wereld.

[*De Cycloop*]

— Tis de cultuur. Dat ram je d'r niet uit.

— Van hem of van haar?

— Van hem natuurlijk. Die warmbloedige types zit de polygamie ingebakken. En dat heeft ie als een soort soa overgebracht op z'n vrouw.

— Een wat?

— Een soa, een seksueel overdrachtelijke aandoening.

— O zeg dat dan meteen.

En daar gingen in de kopieerinrichting Columbia aan de Westerstraat over de tong de vele hoedanigheden van de buurtgenoot uit de parallele Anjeliersstraat, epitheta ornantia zowel als significantia, vele in scherts, sommige in ernst maar de meeste in een combinatie van de twee, zoals daar waren blauwe boeleerder, plopper, veelwijver, hoorndrager, zandneger, janjurk, rijstepikker, bruinjoeker, laaienlichter, krent, zenuwlijer, knokkelbijter, Balibommer, Bali Cyankali, wandelende miskraam, slampamper, wijsneus, bokkenees, geitenbreier, bloedlijer, leepoog, nijpaars, omgevallen boekenkast, jood, augurkentrekker, lulhannes, zakjesplakker, luldebehanger, kwattareep, Russische neuriër, Dankadestroyer, kruizenruiker, sjamfoeter, blubbertrapper, stuk oudroest, aap, haantje de voorste, haantje de achterste, nieuwsgierig aagje, gekreukelde krant, vee van Onan, terrorist, bordeelsluiper, apelander, meurbaal, nabrander, broekhoester, mafketel, allemansverdriet, kille kobus, blanda speklul, kakkie-an jan, pikkie nogablok, pindachinees, Dutroux, turk, Frederik Fluweel, Jaap de Hoop Gezeik, Jaap de Poep Schepper, plompzakker, stadsvernieuwingsurgente klaploper, sierheester, gegrillde kip, kankerpit, kaasjager, vlooienbak, waterpiano, buiksnuiter, klukklukklukker, gieter, zeikschuit, kuttekop, kluiveduiker, sijsjeslijmer, zeiksnor, apeneuker, bosjesman, rukker uit de rimboe, boertje van buutn, hoetoe van moboetoe (- Weet jij trouwens waarom de Hoetoes geen mobieltjes willen? Der staan teveel toetsies op), schele indo, nagel aan m'n stijfselkissie, rijstvreter, pedofiel, kinderverkrachter, nazi göring, sjerrie de slingeraal, aangekleed-gaat-uit, Willy Wortel, bruinwerker, potloodventer, belastingbetaler, zeikridder, kunstenaar, poenjakker, bamischijf, nasibal, sambal-delbij, poepchinees, slapjanus, meelturk, lulletje rozewater, tietjanberelul, socialist, rooie rukker, kanarieneuker, klojo, Ben Laden, Ben Lossen, suppoost, parasiet, hoerejong, hoerenloper, matenaaier, schijtlijster, miereneuker, palentrekker, held op sokken, droogneuker, geheelonthouder, flikflooier, zwarte piet enzovoort, om de minst onvriendelijke slechts eufemistisch aan te stippen.

— Niks ten nadele van Bloem zelf. Dat is een toffe peer.

— Zolang je 'm niet ziet.

— Wist je dat ie binnenkort zoveel jaar getrouwd is, zeg ik. Ik zeg: veertig jaar heeft dat mens het met hem uitgehouden.

— Dus de vlag kan uit.

— Ja en het wordt groots gevierd. Maar z'n uitnodigingen laat hij bij Lowie Kopie maken. Ik kwam hem toennet daarstraks tegen. Je bent hem te duur, jongen, met al je doorberekende selfservice.

— Hij gaat z'n gang maar. Ik heb z'n klandizie niet nodig. Die kan ik missen als kiespijn. Dacht je dat ik daarop zat te wachten? De hele dag dat gezeik aan je kop van pietje precies.

En verdere nadere karakteraanduidingen volgden, waaronder pietje precies, piet lut, kommaneuker, zakkenwasser, lamlul, teringlijer, drabber, geniepigaard, achterbaks stuk vreten, flessetrekker, nestbevuiler, communist, linkmiechel, onbetrouwbaar sujet, rugartiest, zakkenvuller, Hagenaar, draaikont enzovoort etcetera.

— Wat ik nou weer gevonden heb, zei de kopieur die grootmoedig naar een ander onderwerp overstapte en uiting gaf aan de gigantische passie die hij voelde voor zijn werk. Elke dag ligt er weer wat anders wat de mensen hebben achtergelaten. Je gelooft je eigen ogen niet. Ja ik heb een mooi vak. Moet je horen wat er gisteren onder de machine vandaan kwam. Je lacht je eigen een breuk.

En het handgeschreven epistolaire incunabel, fraai gecalligrafeerd, verluchtigd met de schoonste miniaturen, met mythische wezens als griffioenen, de vogel Phoenix, de vogel Roc, de verstenende basilisk, de zeemeermin, de chelidrus, de haemorrhois, de dracontopes, de eenhoorn, de mantichora, de leontophonos, de catoblepes, de chimaera, alsmede jonkvrouwen in vele stadia van ontkleding en paniek, vertroost door onze verlosser aan het kruis, blootgesteld aan de verblindende knipoog van het kopieerapparaat, bevattende een aanklacht van een anonieme onbekende van het vrouwelijke geslacht en onbestemde leeftijd aan het adres van haar ex-echtgenoot, eveneens naamloos, werd voorgelezen voor het oor van het selecte gezelschap achter de toonbank. Komtie.

"Je wordt bedankt dat je dochter je zusters levens nu helemaal vernietigd heeft eerst heb ze onze zoon verloren wat de grootste klap was maar nu verliest ze haar leveven je dochter of jij hadden voor klokken luider moeten spelen toen jullie met je rat me geld zaten te vergokken waar je met je neus in zat te kijken toen jan jullie schaakte. toen had jij je bek moeten open trekken nu heeft hennie de bek gelijk open getrokken hennie heeft de klok lopen luiden maar wist nog niet eens waar de klepel hing haar klepel ben ik vergeten dat zij en haar niet om frans zaten te knokken in cafe het strerretje waar frans werkt als billie naar ze ouders was zat zij op de hoge kruk. buiten dat ik ook hermannetje kwijt ben ook mijn leven maar die krijg ik wel weer op een rijtje maar je zuster nooit meer door je lekere dochter ik heb het met julli stink zooi gehad je zorgt maar dat jullie voor je zuster gaat zorgen wand van mij krijgt ze geen cent meer (wandt die gaan toch maar naar de gokkast of denken jullie nou echt dat ik gek ben ik heb alles zo goed mogenlijk proberen op te lossen terwijl jullie fout zaten nu is alie gek an het worden ik moet snachts me bed uit en er naar toe door de pillen die ze slikt door jouw dochter zorg maar dat jullie klaar staan voor haar zo als ik voor jou Je heb nog voor alles wat je erin dee geld gehad. er is nooit iets voor niets gedaan onthouw dat nou maar dus laten jullie mij met rust en hoop je nooit meer te zien maar zorg dat ik me laatste zooi bij je zuster weg kan halen zo

woord tot hem zou richten, voor het ogenblik even uitgeouwe-
hoerd zijnde met ondergetekende en Hendricus Schelius.

– Zo Bloem, was je even achter de vrouwtjes aan?

– Nee, ik zag een bekende lopen. Was ik vanmorgen nog mee op de
begraafplaats. Had zich in de datum vergist.

– Nou dan ben je ook een mooie klootzak. Zeg het eens, Bloem,
wat ken ik voor je doen?

– Mag ik even je pen vasthouden? vraagt ie met een uitgestreken
gezicht.

Waarop mesjeu de kopieur hem over de toonbank de gele bak
toeschuift met bicbalpennen, paperclips, een liniaaltje, visitekaar-
tjes van vaste klanten met een nering in de buurt, een grote groene vlakgum met daarop aangebracht zeer terecht de tekst

WAT IK GELEEND HEB BRENG IK WEER NETJES TERUG

en op de achterkant

NIET MEEPIKKEN SVP

alsmede en ook daarbij daarnaast en tevens bovendien droge
prittstiften en al even uitgedroogde flesjes typex.

– Help jezelf. Zo help je God.

– Er is 67 procent kans dat Ie bestaat, heeft de wetenschap onlangs
uitgevonden.

– Ik heb Um hier anders nog nooit gezien. Wat mij betreft is de
kans dus nul komma komma nul.

– En wie heeft hem ook nodig. Laat iedereen lekker blijven waar
hij is, zeg ik altijd maar. Scheelt een hele hoop heen en weer geren.
Zorg voor jezelf, dan zorg je voor je eigen.

En daar begint me die Bloem slap te eikelen tegen ons over de
wetenschap dit en de wetenschap dat en over dat de ziel eenen-
twintig gram scheen te wegen terwijl ze twintig jaar geleden op
zestien gram waren uitgekomen dus dat die ziel behoorlijk was
aangekomen in de tussentijd en over de historische Jezus en dat
die knaap niet eens dood was toen ie aan het kruis hing dus dat die
wederopstanding die we straks gaan vieren een koud kunstje was

en eigenlijk helemaal nergens op sloeg. Ja, als kut op Dirk. Hans Kazan had het beter gedaan. En allemaal om de waarheid te verhullen.

– En wat mag dat dan wel zijn, de waarheid?

– Nou, het tegenovergestelde van leugens en sprookjes. Zoals vrijheid het tegenovergestelde is van onderdrukking.

Kletsmeijer. Spuit elf.

Tot Willem, die Hans genoemd werd maar eigenlijk Piet heette omdat zijn moeder hem Janus had gedoopt met roepnaam Willy, terwijl iedereen hem niet anders kende dan de kopieur, terugkwam van de kleurencopier waar hij een vent met een geruit jasje had staan helpen en ingreep.

– Nou is het welletjes. Bloem, hou je hoofd. Ik kan mezelf niet eens horen rekenen. En je weet dat een dubbele boekhouding dubbel werk is. En dubbel werk is dubbel geldje.

– Er hangt toch een prijskaartje aan. Voor niets gaat de zon op, zeg ik.

– Precies. En als het regent in mei, is april voorbij. Vlaamse weerspreuk, zegt Schele Henkie, nog gevatter dan anders de deurknop.

Ik voelde dat er mot in de lucht hing, al hield Bloem eindelijk en wijselijk zijn hoofd, hoewel hij vast weer wat te eikelen gehad had over de metereologische weersgesteldheden van Zuid-West tot Noord-Oost Vlaanderen en de invloed van het toenemende broeikaseffect daarop in het bijzonder en andere theorieën en theorettetjes. Affijn, hij begint weer te knippen en plakken terwijl wij ons met mesjeu naar de kleurencopier begeven waar die vent met z'n geruite jasje nog steeds stond met nog een andere gast die met open mond en halfkwijlend knikte bij alles wat hij zei.

– We zien wel hoe het afloopt. Uiteraard hebben we iemand in de gemeenteraad zitten, hervatte de kopieur het gesprek. Toen de gemeente zomaar het convenant opzij zette over het aantal parkeerplaatsen, toen hebben wij Mokum Mobiel opgericht. Het viel buiten de regels van hoe heet het ook al weer van als je op plannen vooruitloopt. Dan hoeven ze zich er geen reet van te trekken. Razend was ik.

De man in het geruite jasje knikte begrijpend. Zou je ook niet. Als je in zijn schoenen stond.

– Eén monumentje.

Als makke schapen stonden de klanten voor de toonbank om af te rekenen. Als er zich genoeg verzameld hebben kan het deksel erop.

– Ze komen altijd tegelijk. Om half elf, om half twaalf, om drie uur en om vijf uur. Al-tijd. Het lijkt wel of ze met de bus komen.

– De kopie-expres. Allemaal uitstijgen bitte.

Onder de twee reusachtige aquarellen van Amsterdamse stadsgezichten (tegenwoordig onbetaalbaar), voorstellende de Brouwersgracht bij valavond en de Westerkerk in volle protestantse glorie, die de wand sierden en waar ze met z'n allen waren gaan staan om van Bloem af te wezen (vergeefs, zoals al snel bleek, want die mafketel komt er gewoon bij staan luisteren alsof we honing aan onze kont hadden) zette de neringdoende baas van zijn baas zijn visionair-inspiratieve betoog voort, een redevoering zoals die zelden te horen was geweest, zelfs niet in de tijd of uit de mond van een Barlaeus, een Vossius, een Willem de Derde, een Marcus Bakker, redenaarstalenten waar de huidige Eerste en Tweede Kamer zo bitter van verstoken zijn. De vergelijking met Demosthenes, Cicero, Quintilianus drong zich op, maar het was in grootsheid en pure overredingskracht en urgentie alleen maar te vergelijken met een Cato, een Caesar, of zelfs met volksmenners als Churchill, Hitler of Mussolini: hoe je verder ook over hun politieke (waan)denkbeelden dacht: spreken in het openbaar konden ze wel.

– Dat is het probleem met de politiek. Dan heb je al die deelraadjes ook nodig. Wij zijn ook hartstikke gek hier in Amsterdam. Het is te gek voor woorden. Er zitten ook een hoop minkukels tussen om werkloze PvdA-bestuurdertjes aan het werk te helpen. 476

gemeentereaadsleden hebben we. Weet je hoeveel ze er in New York hebben. In New York hebben ze er 47!

— 476! zei kwijlebabbel.

— Voor de excentrische gebieden heeft het misschien wel zin, bracht het ruiten jasje zuinig in het midden.

De Boss kon het zich niet voorstellen:

— Ik woon in Noord... Ze willen allemaal een eigen dingetje hebben.

— Nou ja, zei Bloempie, kennelijk wanhopig op zoek naar een oor waarin hij z'n ei kon leggen, ze doen toch ook goede dingen. Straks is de grote lenteschoonmaak in aantocht. Een initiatief van de deelraad.

— Laat iedereen zelf lekker z'n stoepie schoonvegen. Als Pim nog geleefd had waren we in een klap van die gore troep afgeweest. Die hele socialistische klerebende had hij zo in de Noordzee gekieperd.

— Hou toch op met je poephopen uit Pim z'n aars, roept de Schele niet geheel ter zake, zoals hij gewoon was.

— Die socialisten hebben Amsterdam onleefbaar gemaakt.

Zie! Zie! Zie! zei Dankakopieerapparaat nummer acht.

Toen ik naar Bloempie keek zag ik dat hij helemaal rood was aangelopen. We hadden hem op z'n zere ziel getrapt, hem als het ware tegen z'n zere been geschopt. Zegt ie tegen mesjeu de Boss:

— Jullie zijn ondankbaar! Wibaut was een socialist. En Berlage was een socialist. En Domela Nieuwenhuis. En Theo Thijssen. Waar jouw kinderen op school zitten!

— Mijn kinderen hebben nooit op de Theo Thijssenschool gezeten, hoe haal je het in je bolle hoofd? School voor dikke pret! Dan hoef je toch al niet meer?

— En Joop den Uyl was een socialist. En koningin Juliana! Jouw koningin Juliana! Die vandaag ter aarde besteld is!

— Die is nooit mijn koningin geweest! Sodemieter met je lulpraatjes! Vuile luie blauwe luilebal! Rot op met je apentaaltje! Ga terug naar je oerwoud!

— En Pim was ook een socialist! Waar jij een poster van had hangen! Pim met z'n hondjes aan het strand!

Nou ging hij te ver. Echt te ver. Hij kon veel zeggen maar dit nou net niet.

— Hoe durref je!

En daarop deed de kopieur het gele plastic bakje met pennen en kopieergarageparafernalia het luchtruim kiezen achter Bloem aan die schielijks het hazepad koos, door Maarten van Bemmel die gelijk een reddende engel op het nippertje was binnengevlogen meegetrokken en achtervolgd door het blaffende Spaanse mormel als een paling in een emmer snot.

—⊕⊗⊕⊗⊕⊗⊕—

De lentezon was indrukwekkend, verbijsterend gewoon. Als een oranje schijf was het machtige hemellichaam bezig achter het aan alle kanten krachtig uitbottende Vondelpark te verdwijnen, zinkend als een schip. Even was je bang dat-ie de boomtoppen in lichterlaaie zou zetten, maar dat deed-ie natuurlijk niet. En toch, toch hoopte je stiekem, heel even, een fractie van een seconde maar, dat het zou gebeuren. Wat was er nou mooier dan een flinke fik met brandweer en sirenes en vlammen die likkebaardend in de hoogte schoten? Maar er moesten geen gewonden of dooien bij vallen. Dat zou alles verpesten. Eén ding was zeker: het was een mooie avond — of je moest je sterk vergissen.

Flitsend snelle rollerskaters haalden zwierend en zwaaiend hun adembenemende capriolen uit tussen de bontgekleurde pyloontjes die speciaal voor dat doel waren opgesteld tegenover de ingang van het statige filmmuseum en het drukgefrequenteerde café-restaurant Vertigo dat binnen al helemaal gevuld was met de meest uiteenlopende figuren die gewoon gezellig zaten te kletsen en te eten tegelijk, want dat moest ook gebeuren! Volgende week zouden de vrijdagavondtochten weer beginnen en het leek wel of niemand kon wachten, zo opgewonden en vrolijk was de sfeer, binnen en buiten. Ja, want ook het aangename terras begon al aardig vol te lopen met personen die hier aanmeerden om nog een warme chocolademelk met slagroom of een andere versnapering te gebruiken. Vandaag Terras Zelfbediening stond er in handgeschreven letters te lezen op een bord dat in het grint was neergezet. Aan tafeltje iii zaten twee modieus bebrilde heren die af en toe aantekeningen maakten in schriftjes die op het ronde tafeltje lagen, het ene schriftje beplakt met Hamtaro-stickers, het andere een heel eenvoudig grijsgetint cahier van de Gebroeders Winter. Maar versnaperingen ho maar. Dát kon blijkbaar nog wel even wachten. Aan een belendend tafeltje zaten twee studenten verwikkeld in een druk gesprek. Verder was het rustig. Er hing een mooie lome zomeravondsfeer, ook al was het pas 30 maart.

— Ik zei: Jezus, dat staat je veel beter, man. Die nieuwe dingen moet je vaker aantrekken... Maar jij had een klotedag vandaag, zei de student met aan zijn voeten een gesigneerde Ajax-voetbal. Die wou natuurlijk indruk maken met dat ding, en dat dééd-ie ook. Wie wou er nou níet zo'n bal? Of je d'r nou mee moest voetballen was een tweede...

— Ik had een gesprek, zei de andere student die een donkerblauw plastic jasje zonder opschrift droeg.

— Ajakkes! Was het precies wat je ervan had voorgesteld? vroeg z'n vriend.

— Het was niet erg sexy nee. Dat was op zich nog het aardige gedeelte. Maar ja, wat doe je eraan.

— Ja, dan ben je uitgeluld.

Waarover het gesprek ging, daarover zullen wij voorgoed in het ongewisse blijven, want de studenten stonden op en vertrokken naar nieuwe horizonten. En ja, zoveel interessants hebben dat soort van jongens nou ook weer niet te melden. Als ridders te voet gingen zij in de richting van de lichtjes van het Leidseplein, ongetwijfeld om de bloemetjes eens héél flink buiten te zetten. Niet voor niets is de studententijd voor velen nou eenmaal de mooiste tijd van hun leven, een tijd waaraan zij altijd met vertedering en weemoed zullen terugdenken.

Ach, en hoog in de hemel hing de halve maan al, die kennelijk ook niet kon wachten totdat de zon afscheid had genomen van deze mooie dag en alvast een kijkje kwam nemen om te zien hoe het er voorstond... Voor het terras hingen aan een boom vier hypermoderne televisietoestellen, waarvan er een op zwart stond, maar de andere drie lieten diverse Amerikaanse zenders zien, met een bonte verscheidenheid aan programma's die alles lieten zien wat dit veelvormige medium maar in petto had voor de nieuwsgierige kijker: popmuziek voor de jongelui, nieuwsflitsen voor de voorbijgangers die op de hoogte wilde blijven van wat er in de wereld zo al omging en praatprogramma's die hun eigen mening aan die van anderen wilden toetsen en scherpen.

– Wat een leuk idee, énig gewoon, dacht Rosa Zeeman toen ze er voorbij liep met haar hondje Skip.

– Ja, ik laat je zó los. Als we op het veldje zijn. Hier zijn nog te veel fietsen en skaters, sprak ze haar enthousiast kwispelende en kwijlende schippershondje quasi-vermanend toe. Want ze wist héél goed dat haar hondje haar niet verstond, maar dònders goed begreep. Ze zou wel tíen van zulke hondjes willen hebben, maar ja, pap en mam waren klein behuisd, al was 't maar een kippenhuishouden, en ze had zo lang moeten bedelen om haar Skip dat ze het nu wel uit haar hóófd liet om haar lieve vader en moeder nog langer lastig te vallen met gezeur. En ach, ze moest toch tevreden zijn met wat ze had? En dát wás ze óók. En bovendien, hoe oud wás ze eigenlijk helemaal? Oud genoeg om straks op kamers te gaan, als haar ouders dat tenminste goed vonden. Als ze kleren kocht, werd ze soms ook al met u aangesproken en op straat in de zomer zag ze de mannen ook al naar haar borsten kijken, óók die verlegen jongen van de hoek die ze zo leuk vond. Eerst vond ze dat gênant, maar nu kon het haar nìks meer schelen en stak ze haar boezem juist èxtra pront naar voren. Àls ze zo nodig wilden kijken, nou dan déden ze dat maar. Zíj had niks te verbergen. Andere meisjes hadden nog niks, die waren zo plat als een dubbeltje, en nóg keken ze. Wáár maken ze zich eigenlijk zo druk om? Het zijn tenslotte maar spieren!

Ze bleef nog even onder de boom met de televisieschermen staan kijken, terwijl Skip steeds ongeduriger aan zijn leiband trok. Zelfs op de Amerikaanse nieuwszender CNN was te volgen hoe de koninklijke begrafenis was verlopen. Die árme, arme Bernhard. Moest zijn bril inzetten voor hij de koninklijke crypte in kon, ondersteund door zijn twee dochters, die het vást ook niet makkelijk hadden! Arme mensen! Het leek Rosa best wel eng in zo'n crypte waar verder nooit iemand kwam; en je weet dat daar je familie ligt. Hélemaal nog zoals ze d'r uitzagen toen ze doodgingen. Brr. Ze moest er niet aan denken! Om die akelige gedachte van zich af te schudden, zette ze er de pas in met Skip, die daarbij steeds uitbundiger in de riem begon te bijten.

– Tóe maar, Skip! Bijt er maar eens flink in! Dat is goed voor je gebit! Ja, póets je tandjes maar! Loop de zon maar achterna!

Van verre zag ze haar vriendinnen al zitten op het kleedje bij de boom waarin buiten bereik van grijpgrage vingers en hapgrage kaken een groene pet was vastgespijkerd aan een kroon, met een poppetje d'rin. Ja, een állerzondelingst toneel. 't Was net of d'r iets mee bedoeld werd. Maar wat? Wie zou het daar hebben vastgespijkerd? Misschien hing het poppetje er nog van de vorige Koninginnedag. Je zag ook nog steeds strepen op de weg van het plakband waarmee de mensen hun terrein hadden afgezet. En nog hier en daar het woord 'bezet' met verf op de stoep gezet. Wát een tróep maakten de mensen er toch altijd van! Vorig jaar had zij hier op het keyboard van haar broertje gespeeld. *Stille Nacht Heilige Nacht.* Dat kon ze het beste. En het volkslied, dat was verplichte kost. Tweeëndertig euro en elf cent had ze opgehaald! Ze had het op haar rekening gezet, maar ja het was natuurlijk al lang opgegaan aan beltegoed en zo.

Daar zaten ze. Joyce en Tamara. Joyce in haar nieuwe skatebroek en Tamara met haar sexy stonewashed jeans.

– Hoi!

– Hoi!

– Hoihoi!

– Samantha komt iets later, zei Joyce met een mysterieuze schuine blik naar boven en met gekrulde mondhoeken. Maar ze keek altijd zo, want ze had Indisch bloed. Ze moesten lachen want dat was nou weer typisch Samantha, om later te komen. Nou ja, liever later dan té laat of helemáál niet. Tamara begon te vertellen over wat hun vanmorgen was wedervaren toen ze van school kwamen. Ze hadden zo moeten hollen om de tram te halen, omdat de trein óók al vertraging had, maar hij was nét voor hun neus weggereden, hoe vind je dát? En die rotbuschauffeur maar lachen. Haha. Leuk hoor! Ze konden hem wel wat dóen. En de volgende lijn twaalf liet maar op zich wàchten en wàchten. Wel een úúr hadden ze daar gestaan, mìnstens. Toen hadden ze iedereen die ze zagen maar ingedeeld in op wie hij of zij het meeste leek van *Idols*, wat voor type het dus het meeste was, Meike, Robin, Ron, Boris, Eric, Marlies, Maud, Alice, Irma of JK. Over de meeste voorbijgangers waren ze het wel eens geweest, maar tóch waren er ook bij waar Joyce een ander in zag dan Tamara. Dus toen gingen ze elkaar een beetje dissen, voor de lol, zo van:

– Hé meid wie denk je wel dat je bent, trut.

– Nee, jij dan, lekker tiepje, motjo, ff dimmen jij.

Ze gooiden elkaar de hoesjes van hun mobieltjes toe en maakten slaande bewegingen. Zelfs Tamara's wimperkruller koos het luchtruim! En al snel kregen ze de slappe lach. Als ze achteraf hadden moeten uitleggen waaróm ze zo moesten lachen, nou, dan hadden ze dat niet gekund, dat geef ik je op een briefje.

Toen vroeg Tamara of Rosa haar Justin Timberlake-cd had meegenomen, waarop Rosa quasi-beledigd uitriep:

– Ik ben ook niet blond! Natúúrlijk heb ik daaraan gedacht.

Ze kon dan wel niet met de besten meekomen op school, maar wat maakte dát nou helemaal uit? Sommigen worden nou eenmaal sneller volwassen dan anderen. En ze vergat nooit iets.

Het gesprek sprong van de hak op de tak, van navelpiercings (éérst je school afmaken, zeiden je ouders dan altijd), tot schuldgevoelens (als het vriendje van je beste vriendin je zoent). En als je op twee jongens tegelijk verliefd bent en je niet meer weet wat je moet doen en 's avonds ligt te woelen in je bed. En over Maickel met zijn Wakend Oog-kettinkje dat hij aan iedereen gaf met wie hij iets had gehad. Tamara wist er meer over.

— Misschien draag jij dat binnenkort ook wel, dat had hij tegen Nicole gezegd. En 's avonds hadden ze toen eerst wat gepraat op zijn kamer en toen waren ze op bed gaan liggen. Maickel was haar overal beginnen te zoenen. Hij kleedde haar uit en toen kleedde zij hem uit. Eerst vingerde hij haar toen en daarna begon zij hem af te trekken.

En dat vertélde ze allemaal maar zo!

— Ja, maar hij kon niet klaarkomen omdat hij bang was dat iemand ze zou betrappen. En Nicole vertelde toen óók nog dat ze het een paar dagen later nog eens gingen doen en dat ze toen wat eerder naar zijn kamer waren gegaan zodat ze wisten dat er voorlopig niemand zou komen. Toen had hij haar gevoelige plekje gelikt en zij had hem gepijpt.

Ze hadden met rooie oortjes geluisterd! Maar hòe wist Tamara dat allemaal? Nou gewoon, van Jennifer die het van Nathalie had die het van Nicole zelf had gehoord, van wìe anders? Maar ze mochten het ábsoluut niet verder vertellen.

— Érewoord? had ze gevraagd.

— Érewoord! hadden ze gezegd en ze maakten een V-teken en daar spuugden ze doorheen. Waarop ze met z'n allen onmiddellijk in de slappe lach schoten omdat het zo jongensachtig was om zoiets te doen. En terwijl ze zo als echte dikke hartsvriendinnen met elkaar aan het kletsen en lachen waren en aan het ravotten, gewoon gezellig, zat aan de andere kant van het brede fiets- en skatepad een man in een stom geel jasje op een bankje al geruime tijd naar ze te kijken. Net had hij nog heel vriendelijk en aardig Skips bal teruggeschopt, en nu zàt hij daar maar. Hij had iets schrompeligs en afgeleefds, alsof hij niet goed at of ergens heel erg moe van was, niet van werken of zo maar van denken of van de zorgen. Ze voelde dat hij speciaal naar haar aan het kijken was. Die mannen, het was ook áltijd wat met ze! Het blijft nooit bij wandelen! Zou dàt óók een soort Maickel zijn met zijn lefkettinkje? Of wás dat misschien de vent die dat poppetje had opgehangen voor één of ander eng voodoo-ritueel? Brr. Daar had ze wel eens van gehoord. Er werden ook baby's geofferd, vooral in de Bijlmer gebeurde dat.

Er vlogen al vleermuizen rond en het was beginnen te waaien, een geméne wind. Het werd nu écht tijd om naar huis te gaan. Rosa wilde niemand ongerust maken, en ze wist hoe snel ze thuis ongerust werden. Héél snel. Ze hoefde maar tien minuten later thuis te zijn dan beloofd en ze kreeg er al wat van te horen. Natuurlijk kon ze opbellen, maar dat was ook zo stom. En het hielp vaak tóch niet.

Tien minuten nadat het begon te waaien ging de zon eindelijk onder, je kon zien dat het met heel veel tegenzin was en dat hij bèst ook nog wat langer had willen blijven. Maar ja, het wàs half negen. En daar helpt geen lieve moedertje aan. Veraf klonk het onheilspellende geluid van Afrikaanse trommeltjes. Er verscheen een motorrijder in het park die over kleine stukjes heel hard reed en dan omkeerde om het nóg eens te doen, daartoe aangespoord door enthousiaste omstanders. En nóg 'es, en nóg 'es, en nòg 'es! D'r kwam gewoon geen einde aan. Je werd d'r bijkans knettergek van. En nóg 'es, en nóg 'es, en daar kwám het lawaai weer en het kwám en het kwám en het werd hárder en hárder en ondertussen vlogen de skaters aan alle kanten als vuurpijlen voorbij en op een drafje de hollende tollende joggers en powerwalkende trimmers en er waren dobermann-pinchers en rotweilers die achter ze aan renden en Skip die ging blaffen en toen wéér dat lawaai van die brullende ronkende motor dat maar bléef komen en komen en toen zag Rosa Zeeman dat de fonteinen gingen spuiten tot het in ene na een laatste ronk stil was en er weldadige stilte neerdaalde over het park dat zich zoetjes aan opmaakte voor de nacht

De meisjes raapten hun spulletjes en bulletjes en hun mobiele hoesjes uit het gras en klopten zich over hun hele lichaam af, hun billen, hun borsten, àlles, ze streken de sprietjes uit hun eigen haar en dat van hun hartsvriendinnen en sloegen de armen innig om elkaars schouders.

Langzaam, zonder op te kijken, liep Rosa naar het brede fietspad. Ze voelde de felle blikken van de man op het bankje maar ze deed nét of ze er niets van merkte. Ze liet zich meetronen tussen Joyce en Tamara in. En toch, toch kon ze een stralende glimlach niet onderdrukken. Ze waggelde een heel klein beetje op haar benen want Rosa Zeeman was...

Dronken? Nee. Ze is debiel! O!

Arm kind. Geestelijk gehandicapt. De gelukkigste mensen. Brengen wat kleur in het leven. En muziek: de Josti-band. Dat zou je toch voor geen goud hebben willen missen. Maar ze willen ze tegenwoordig wegmaken voor de geboorte. Daar ben ik geen voorstander van. Ik ken wel andere mensen die daar meer voor in aanmerking zouden zijn gekomen. Postnataal aborteren in plaats van prenataal euthanaseren. Maar dat lost ook niks op. Geweld lost niks op. Je verschuift het probleem. Eerst heb je geweld, dan heb je wraak. Leven: best belangrijk. Seks: best belangrijk. Geld: best belangrijk.

Wat erin zit komt eruit. Ze zag het heel goed. Geil ding. Die weten waar de klepel hangt, zogezegd. Maken zichzelf en elkaar gek met verzonnen verhalen over seks. Wat ze lezen ook. Ben ik wel normaal? Zo snel mogelijk het bed induiken om dat uit te vinden. Meiden, geen meisjes. Girls.

Jauts!

Meneer Bloem herschikte zijn voortplantingsorgaan van links naar rechts om het te verlossen van de vochtplek.

My name is Nemo.

Die rare droom vannacht. Ik stond in een kruiwagen tot m'n enkels in gezonde potaarde. Er kwam een tuinman op me af gewapend met een zaag en een luit. Hij was boos. Maar met de zaag maakte hij muziek en met de luit begon hij op me staan inrammen. Toen ging hij huilen. Ik troostte hem. Hij ging nog harder huilen. Het was een vriend van Frederik en hij had net met hem gesproken, zo alsof hij nog leefde. En ik geloofde het ook.

I'll go where the music takes me...

Beperkte uitdrukkingsmogelijkheden heeft de taal. Het Engels heeft geen woord voor etmaal, het Frans niet voor allebei, het Bulgaars niet voor yoghurt en het Russisch niet voor arm of hand.

Koekoek koekoek! Het duiveltje is uit het doosje.

En Rosa Zeeman had meteen gezien dat die meneer

Koekoek koekoek! het duiveltje uit het doosje was.

Onze Lieve Vrouwe wij komen! Onze Lieve Vrouwe wij komen! Onze Lieve Vrouwe wij komen!

Alle boeken hebben baby's begonnen behalve die van jij en ik. Wat talmen wij nog?

Menig vogel is blijde en ik heb al nieuw lover gezien aan de linden ter veldeke. Laat mij wezen dijn en wees jij mijn! Dat wij zijn minnezalig in één, dat mijn zang gedijt bij dijn minnen en mijn minnen bij dijn zang!

Moge God onze zaken voor onze dood te goede maken! Dat gunne ons d'Hemelse vader! Aldus peinzende rijwielden twee niet meer zo wakkere edele gasten, zwarte ridderen in de avondstond een lange wijle door de lange, lange Ruyschstraat te Amstelredam. Hun gepeins was menigvoud en kwam dikwijls in andere gedachte, bij de een zowel als de ander. Hoor hier wonder en waarheden, wat hen daar geviel, maar al te waar en uitermate schoon, soms wat domp, van lijf en eer, van euvel en lijves derven, van geboorte en kindekijns, avonturen groot en lang, liederen met zoete zang!

Het nachtet in den westen. In deze dinsdag ter avond. De wereld is wijd en geen ding is te eng. Een deugdminnende muzelmannenfamilie dragende hoofddoekjes steekt de verharde straatweg over, de zusters gearmd, gadegeslagen door het oog dat al ziet, afzijdig alomtegenwoordig, naar de eeuwige overzijde. In het volmaakte geelgouden lamplicht van de Romaanse kerk buiten, gewijd aan de heilige Hedwigis, met heuse Bijbelse olijfbomen die uit potten groeien, bloeiend in tegenspoed, schoon berg en dal in duistere nevelen blijven gehuld. Een Engel is daarin, met een gloeiend wierookvat en gloeiend van vurige rook. Kinds en ongewassen geleidt hij ons in deze wrede wereld, waar wij zullen smaken elke dood, tot wij hier weer komen in het licht van de genieting van zijn diepe eenheid. Want het is de ware Maria-kapel gebouwd op drievuldig gewijde en gebenedijde grond. Immers, waar ooit het Anna-paviljoen verrees, is thans niks meer. Ja, een lichte wolke over alle zwerken, lucht in den firmamente, en daaronder een parkeergarage.

Daar waar het Anna-paviljoen stond, ligt nu puin.

De verloskamers zijn lucht

IJl als de geesten der geborenen.

Geboortegrond wordt omgeploegd

Schreef de dichter tijdens de verbouwing. He Shirley did. Hem deed het wee aan alle leden en hij was zeer aangedaan in zijn brandende liefde die haakte naar troost. Ai, gij fiere die hier binnentreedt in deze hoge, machtige plaats, smart en vreugd liggen hier bedde aan bedde. Hier is men breven in trouw en rouw, in deemsterheid en klaar, in toorn en in minne, in dood en in leven. Des dags vrij spelend in de zilv'ren zon, 's nachts in teneergeslagen twijfelmoed gedompeld als twee kanten van hetzelfde medaillon.

Gedenk geboren te worden! Als stof zijt gij en als stof onsterfelijk in de liefhebbende armen van het ene al.

In de stationshal van het ziekenhuis waarheen woelzame trekkingen van binnen in de geest hen hadden gebracht geven de aankomst- en vertrekborden tekenen van duiding, als vogelen en bloemen zo sierlijk en talrijk: Verloskamers BOZ 2. Verloskunde P 1. Voor het wandtapijt voorstellende een zonovergoten berkenbos de infobalie. Tot troost van hen die binnen zitten en die hun akkeren onderhouden met het uitwieden van kruiden en het zaaien van deugden.

Kerstenmensen zeg, wat is toen geschied? Hoort, gij heren, gij baronnen, gij hoeren en gij nonnen, poorters, vrouwen en knapen, en luister naar de mare van het land, hoe de poorten opengaan in Amestelledamme en de twee keerlen binnentreden die met schrift en pennen zijn belaan.

En wat ontwaarden zij daar? Nie zagen zij zo Brabants roden mond, zulke minnelijke ogen hen opnemen vanuit de verre verten van de diepe diepten van het middenschip des hospitaals. Nie zulke leeuwenvachtkleurgelijke lokken die als een bergbeek van haar kruin klaterden. Ende zij gingen daarop af. Ende ene hovelijke ontmoeting vond plaats.

– Ja, wij komen met een beetje een vreemde vraag. Toevallig zijn mijn kinderen hier geboren en ook de oma van mijn kinderen, sprak de een tot het blozende mondeke rood achter de infobalie.

– Toen werkte ik waarschijnlijk hier nog niet. Ik zit hier net een maand, sprak de edele vrouwe goedgezind.

En zij knipperde hare lange wimperen. Het tweetal vervolgde:

– En nu zijn wij bezig met een Nederlandse variant van een boek waarvan een hoofdstuk zich afspeelt bij de verloskamer in een ziekenhuis, vulde de ander de een aan en hij schouwde vol van zinne in het klare aanschijn van haar dienstvaardige gelaat.

– Maar hier is alles dicht, aldus nummer één op zijn beurt.

– Zelfs de kantine, zo nummer twee daarop. En hij betastte de vaas met bloemen op de balie onbetamelijk alsof het de leest van de schone jonkvrouw zelve betrof.

En zij sprak, zeer verschrikt en geschrokken:

— Laat staan, laat staan, laat staan! Harbalorifa!

En Harbalorifa van de particuliere bewakingsdienst HS (Hospital Security) die doelbewust doelloos bij de trappen verwijlend rondliep, keerde en draaide zich om en kwam een aantal passen naar de ingang terug toegestapt, ondertussen twee blanke mannen, brildragend, normaal postuur, lengte ongeveer een meter tachtig observerend, aandachtig, tot hij zag en bevond dat er geen sprake was van direct gevaar of risico, daar de vaas verder met rust werd gelaten en het informatieve onderhoud op vriendelijke toon reeds hervat. De hal was verder zo goed als uitgestorven. Half negen heide de klok.

— Duizendmaal excuses, edele kloosterzuster! Mij kwam het voor alsof ik het ruisende boekske dat wij wilden maken reeds in handen had, blauw en groen en beschreven met fijn goud en met zeven maal zeven sloten te openen, menigvuldig van wijsheid en onderscheidenlijk van deugden. In achttien hoofdstukken.

Het was het boek van haar geweten dat zij altoos bij zich diende te dragen en op alle momenten diende te raadplegen omdat daar in hemelvervige toonaarden het leven in werd beschreven zoals het was in drieërlei hoedanigheden, zoals het zich aan ons voordeed en zoals het diende te zijn om deugden en adeldom te doen wassen. De kloosterzuster dit aanhoord hebbend sprak:

— Wat een leuk idee! Nee maar we zijn inderdaad dicht, voor bezoek. De kantine sluit al om zes uur. Helaas.

— Jammer. Het gaat namelijk om een paar studenten medicijnen die al dronkener en beschonkener zitten te worden en grondeloze liederlijke taal uitslaan en veel moedwils bedrijven terwijl er even verderop een baby wordt geboren, zei de een, het schriftuurlijk exemplarisch vastgelegde gebeuren samenvattende.

— In plaats van te drinken en te smaken en dronken te worden van de schepping zelf, vulde de ander aan. Of van het boek der schepping. Dit zijn de redenen daarvan, drie in getal: de ongeschiktheid van de tijd, de ongepastheid van de zaak, de onmatigheid van de maten.

– Wat ik wel kan doen, ik kan u het nummer van de persvoorlichter geven. Dan maakt u met hem een afspraak. Hij leidt u graag rond.

– Dat zou fijn zijn, bracht de jonge Leander van stormen in 't gemoed zeer verbolgen en innerlijk kokende uit, daar hij zijne Heroïsche creatie een goedelijk eind onbereikbaarder zag worden.

– Dan nemen wij contact met hem op, vulde de jonge Pyramus aan, zuchtend en bevend over al zijn leden, met evenzeer menigertieren gevoelens van voorboden dat zijn schrijfschepsel Thisbe hem voor eeuwig zou ontvlieden.

De vreselijke maar schone en hulpvaardige liebaardinne (maar er zijn regels nietwaar die als muren en Hellesponten staan tussen ons en onze verlangens) schreef, zalig nietwetend van het zweerd dat zij hiermede zevenwerf in het bange herte van hun beider planne stak met haar olijke ogen en haar rode zoete mond een telefoonnummer op de achterkant van een slordig afgeknipt papiertje dat ongeveer 7 bij 7,3-7,5 centimeter mat met daarop de bezoektijden en het adres en uitgespaard de Afdeling en het Kamernummer ingevuld kunnen worden. En het telefoonnummer van de aangekondigde spreekbuis uit Aemstelredamme was: 020 5993010. O wee! O wee! Mijn herte splijt! Verloren zijn zij! Nimmer zal deze dag zijnde de dertigste van de maand maart in het jaar onzes heren tweeduizend en vier wederkeren en evennetzomin zal op eerde de geboorte van het leven en van het woord metdien worden verwelkomd. En de dag spoedde zich te einde met de staart tussen de benen. En er was grote klage.

Wij zien thans boven vanuit onze troon een gesoigneerde van oorsprong Turckeijse man van Arabijse kusten uit het land van de ongelovige hond en de beestelijke en vleselijke alleman (Nederland), van middelbare leeftijd in een lichtgrijs pak en bijpassend wambuis en genaamd Moorman, haastelijk willen doorlopen maar de leeuwinne onderschept hem en tracht hem zijn van een hogere instantie, wellicht de AIVD, gegeven missie te ontfutselen.

DE PORTIER: Kan ik u ergens mee van dienst zijn? Spreek. Versmoort u niet. Dat is mijn gebod.

DE DOOD: Ik moet hier binnen dalen, daar ons heere god mij wou geleiden, gedragen door vriend Snelheid en vriend Vriendschap. Ik wil rasselijk en zonder cesseren heer El Bakali tot gezelschap zijn in dezer tijd van nood. Ik kom voor meneer El Bakali. Ik weet waar hij ligt. Ik wil daar wezen C6. Hij ligt op C6. Ik heb een rekening van hem te ontvangen.

DE PORTIER: Hoe zal ik dat verstaan? Wat wilt u mij vermonden? Een rekening? Het is hier geen bank van lening.

DE DOOD: Ik ben slechts een bode. Ik heb mijn som gesnoerd en mij herwaarts gespoed.

DE PORTIER: Het spijt me. Dat en mag niet wezen. Het bezoekuur is van zeven tot acht. U bent te laat.

DE DOOD: Dat weet ik, maar ik kom van buiten. Mij is zo moe te moede. Een zeer lange pelgrimage moest ik gaan. Ellendig arm katijf! Ik kom uit Oss met de auto. Dit duldt geen uitstel of talmen. Ik ben al eerder bij hem geweest, maar dit keer verwacht hij mij. Meneer El Bakali op C6. (Terzijde: En ik kom nooit te laat.)

In den tijd die een gedachte nodig heeft om te ontstaan, vorm te krijgen, te vertakken naar velerlei kanten, haar gevolgen uiteen te leggen in lijsten met voordelen en nadelen, op praktische en theoretische bezwaren te stuiten en weder uit te doven en te vergaan alsof zij er nooit was geweest, in die tijdloze tijdsspanne was het de schone jonge maagd die voor de uitvergrote foto van het zonovergoten berkenbos zat en geheten was Eveline van Nimwegen als wij haar badge mogen geloven die wij nu pas aan een nauwkeurig oogonderzoek konden onderwerpen, gegeven om ten behoeve van de voorgeschreven macht (de vraag van de bezoeker) haar digitale patiëntenbestand door te nemen en daar op kamer C6 inderdaad een heer El Bakali te vinden, dewelke daar lag na een blindedarmoperatie waarbij verder geen complicaties leken te zijn opgetreden. Zij overlei met de beveiligingsbeambte, sterk, vroom en zonder vaar, en liet de bezoeker naar zijn begeren verder:

– Tot uwe onderdanigheid ben ik bereid. Gaat u maar, zo het u behaagt. Meneer loopt even met u mee. Vriend Veiligheid zal uw reisgenoot zijn op uw tocht naar derwaarts over.

– Gegroet, mijn zuster, en vaar u wel, o edel wijf! En verkeer niet met de duivel.

Waarop de ene gezel de andere aanstiet en sprak:

– Wat trouwen, leren zullen wij moeten de genoeglijke kunst van de nigermancie willen wij óóit reüssiren!

– En alle andere vrije kunsten daarneven, alle zeven: astronomie en geometrica, arithmetica, ornithologica en grammatica, muziek en retoriek, de alleroudste en de allerstoutste.

De mensen mogen zeggen wat ze willen, maar er is veel veranderd in het ziekenhuiswezen sinds 16 juni 1904. Studenten zie je hier niet zitten, hoewel ze er wel moeten zijn, maar daarin verschillen ze niet van niet weinige nuttige beroepsgroepen op aarde, zoals daar zijn de politie, de doktoren, de politici enzovoort: als je ze nodig hebt zijn ze er niet. Van oudsher is dat al het geval en daarin is er niets ten kwade veranderd in de wereld. Dat zou ook moeilijk zijn, want Schopenhauer heeft reeds bewezen dat er in deze slechtst mogelijke van alle denkbare werelden eenvoudigweg niets nog slechter kan gaan dan het al gaat. De natuur doet alles met het absolute minimum aan moeite, en de wereld is zo ingericht dat wat er dient te gebeuren nog maar net goed gaat, opdat er geen nodeloze energie of talent wordt verspild. Even een slag slechter en gans het raderwerk staat stil. Maar dronken hun co-schappen lopen en lallen over abortus en voorbehoedmiddelen en medische instrumenten die na een operatie achterblijven in de baarmoeder zoals dat in het Dublin van Joyce te doen gebruikelijk was ho maar, dat gebeurt niet meer — dat zou ook weer een verspilling van overigens niet-aanwezige levensvreugde beduiden. Dat kon alleen in Ierland. Dat wil zeggen: voor het lallen en brallen, de lof der zatheid, moeten we ons elders vervoegen. We moeten andere misdaden tegen het licht, dat wil zeggen tegen de menselijkheid opzoeken. Andere zonneossen slachten. Andere vieze varkens wassen. Ploegscharen van onze krukken bastelen en uit doodlopende stegen doorgaande alleeën maken. Voorwaarts mars, met de zotskap op en een stuiver in de hand de wereld door en intussen verbeelden zij zich dat al het vuil fleurige schoonheid is, de stank vindt hun neus zoete honing en die ellendige schrijverij gaat bij hen voor een taalmeesterschap door, zodat ze hun rederijkerskunst niet tegen de heerschappij van een Polletje Piekhaar, een Malle Moertje, een Adrianus Octavianus Augustus de Vette of een pseudo-Dionysius de Breukelaar (van de VPRO-gids) zouden willen ruilen. Zozeer zijn ze met zichzelf ingenomen als zij dat schuwe troepje door hun bars gezicht en vlijmende woorden angstig maken, als ze met plakken, roeden en zwepen die ongelukkigen, die het voorbeeld van de burgers van Cyme volgen, het vlees van het lijf halen en op alle mogelijke wijzen hun wreedaardige luim en scherts botvieren, als de ezel die zij zijn en blijven.

– Dan gaan we nu, dan kunt u uw legpuzzle afmaken.

Ze kijkt met opgetrokken wenkbrauwen achter zich en lacht.

– O dat! Mooi hè? De olijvenboompjes buiten zijn wel echt.

Onbeveinsd ootmoedig keerden zij op hun passen terug naar het kruidhofje waar zijn hun vervoermiddelen hadden gestald, innerlijk de serpentijnse herteknaagster die hun dit leed had aangedaan vervloekend maar tezelfdertijd terdege beseffend dat zij die daar zat niet anders kon en dat alles zich zeer wel nog ten beste kon keren, daar het schiksel het onverwachte dat men in de schoot geworpen krijgt dikwerf gunstig is gezind. Het ware wel te wensen niet te dolen, maar wie is daar die nimmer dwaalt? Wie is daar die nimmer faalt? Het personage de welke wij op 's werelds toneel verwonderen zal brengen en zijn faam zal bazuinen in ontelbare oren. Staande voor de alderstatigste gevel aan Plantagies Muidergracht, daterende van het jaar ons heren 1894, gekroond door vier kloekmoedige en vervaarlijke leeuwbaarden alsook enige Neptuinen, overwoekerd door klimplanten bloeiende in overvloed, maar enigszins duister wezende, beidden zij, in spanning afwachtende, de komst van deze zeer geestige en bootsige man, wild en vrolijk van geest. Daar verscheen in het pikzwarte raamkozijn op de derde en tevens hoogste verdieping de naem-weerdige doorlughtige schilder, immer uytmuntich geweest in loffelyk deugtsaem oeffenyngen en geleertheyt en het conterfeiten met olieverve, waarin hij vele gracelijke tronies wrochtte, al waren zijn gagiën niet bijzonder groot of bij verstrekkende meter niet overeenkomstig zijn geruchtige vermogens en dat te beklagen is. Hij stak zijn markante kop naar buiten door het omhooggeschoven raam en ziende wie hem daar opwachtten en wat hun queeste was, verklaarde hij zich aanstonds bereid met het tweetal op te trekken om de avond stuk te slaan alsmede een flink aantal daarbijbehorende koppen en glazen, om gichtigheid en graveligheid te verdrijven, terwijl ondertussen kostelijke en lieflijke bieren zouden worden geschonken. Geboortigh is hij in dit huis zelven, in het jaar ons heren 1945, op de veelzeggende zestiende junij, niet wijd van de heerlijke riviere de Amstel, die allenig al om deze reden zich kan meten met de Arno, de Tiber, de Po zowel als de Mase aan welcks oeveren de gebroeders Van Eyk het ooghverblindende levenslicht zagen dat zij zo wonderrijk en prachtvol op hun schilderijen wisten te vangen. En Aart, op onbekrompen wijze, gelijk de alweetgierige dokter Vuist die hij is, spoedt zich mede opdat deze dag tot een goed en ordentelijk en passend einde gebracht kan worden naar beneden.

Ziet de nacht komt aan. Zacht als een deken. En de wind zoekt de maan in slaap te suien. Hooft en hart verheugen zich. Maar de vrienden willen niet nog wat marren om te kijken naar de starren. Sneller dan de harten van de honden die met open keel de hinde volgen door het woud zetten zij hun gang naar de parallelle straat, hun schreden richtend door de *Kerkelaan* aan gene zijde van de vermaarde *Hortus Botanicus*, al revelkallend en koutend in beknopte zinspreuken, de drie burgers in de dagelijkse hantering, gelijk kalveren in hun melk, ingegeven. *Nocet empta dolore voluptas,* zeide de wijste en heuste van het drietal, Clerkx, bij anderen Clericus genaamd, waardig dienaar van Pictura en lekkere Poëzij. *Publica privatis discernere, sacra profanis,* viel een der andere hoplieden, gebijnaamd Henkie, hem bij, tot voortteling van eerlijke, stichtelijke en nuttige daden. Zijt gij heren? Gij zijt schelmen, presumeerde de derde, Aap gebijnaamd, kwansuis olijk, edoch op sprietogen in het vallende duister. Daarop zwegen zij en maakten zij zich ter hoogte van de fraaie metselarij van het voormalige Werkhuis van de naamhaftige plantkundige Hugo de Vries fluxwijs een voorstelling van wat deze dinsdagavond onweerlijk brengen zou, en dat kon, behalve het drinken van de geduchte Duitse dronk, niet veel soeps zijn, niet iets waarover loopmare of doemschrift de volgende uchtend in een ommezien zou berichten of iets dat reukelozelijk diende te worden opgetekend in annalen of historiën ten behoeve van vernuftelingen, stadhuishavenaars, taalmannen, huisjesmelkers, vertrouwenaars of schuldenaars die in zulks geïnteresseerd zouden zijn.

Want over ene wereld, waar reeds enige eeuwen het licht der rede scheen viel nu alras weer het zwartste duister; waar de grote zon haar stralen wierp drukken thans weer dikke wolken neder; en de wetenschap en kundigheden, taal en literatuur die eeuwenlang werden gekoesterd als schoonste sieraad van de menselijke geest, ontwrongen aan de materie, werden in deze dagen door een schimmel der onverschilligheid en het afzichtelijke gedrocht der domheid verontreinigd. Een wrede dwingelandij van sofisten waar vleierij en gildebroederschap als hoogste goed golden deed weer opgang, en de eertijdse verheffing uit het moeras der onkunde werd tot staan gebracht en verworden tot een peilloze val in achterlijkheid. Een akelige rilling bevangt de onbevangen beschouwer, dit ziend, de volheid der aarde en haar eindeloze tegenstrijdigheid ontledend en aanvaardend.

Nadat de eerwaardige medeburgers hadden vermerkt dat enige Kamerbroeders van het Gezelschap *Music-Hall* IN VRIJZINNIGHEID PROTESTERENDE vlak om de hoek door het innestelen van uitheemse talen laat in de avondstond bezig waren met het waar mogelijk verminken, verarmen, verbasteren en ontbinden van de schone Nederlandse spraak, onze fiere moerstaal die naar het zeggen van BECANUS de moeder aller talen is, besloten zij kloek en moedig, het hoofd koel houdende en opruiende liederen uit het Groot Liedtboek zingende, derwaarts te tuigen. Welnu, binnen komt het drietal alras in de voormalige vermaledijde verbouwde bioscoop met gratis toegang voor het *live*-Publiek. Aan een der smalle bruine tafelen in het kroeggedeelte van de studio, zonder enig klaarblijkelijk verband met de schandelijke pracherij die zich luttele meters dieper in de krochten van de zaal afspeelt, zitten drie galante heren getooid met de namen IJSBRAND WILLEMS, ADRIAEN WÖLFFLI en een slempdichter bij de naam van JAN-ERICK HARMENSZOON, een op het eerste oog passieve meelacher van laag allooi, gestoken in een blauwgeruite kiel en een rode zakdoek om de hals waarvan de punten werden bijeengehouden door het buitenste omhulsel van een doosje lucifers van het merk *Zwaluw*. Zittend temidden der groten der aarde moet hij zijn best doen erbij te horen en niet uit de toon te vallen. De begroeting is hartelijk maar er wordt niet aangeschoven. Nog gefeliciteerd met je verjaardag, ouwe omroeper! Dat was gisteren, maar toch bedankt. De eerste woorden uit hun kelen gekropen als insecten uit de sla, waren in de trant van: ze hangen heel erg aan een lezerspubliek. Ja, dat is wel zo, maar... Het triumviraat had een akkefietje waarbij zij bezwaarlijk gestoord wilden noch konden worden. De gelederen bleven gesloten. Hatsjoe! De adelborst van zeer verlichte zinnen had zichzelf ene korte wijle die een lange stonde werd vrijaf gege-

re Peter Pontiac die de zeven hoofdzonden en de zeven hoofd-
deugden verbeeldden, blies reeds de fanfare ter ere van de schaar.
Zo de ouden zongen piepten de jongen. Het publiek, dat de ruimte zo'n vijftigkoppig vult, is in kwalijke rookdampen gehuld, en
met de rook vervliegt de geest. Wij nemen waar vele oude bekenden, maar ook nieuwe onbekenden zijn daar. Tevens de broer en
zus uit Oost die van het programma hun wekelijkse culturele
vakantiebestemming hadden gemaakt waren er weer. Zij hadden
dit keer een vage kennis meegebracht die fronsend het tafeltje met
hen deelde, een Indo in een gele mantel. De voorlezers zaten strikt
gesegregeerd aan een ovale tafel met daarop een kan aquapomp-
water en een schaal met broodjes ham en camembert. Zij luister-
den met een nonchalante flair naar het orkest. Dat kon je zien, dat
deed zijn best. Aan het hoofdeind, maar zo ver dat je van een ont-
hoofdeind kon spreken, zat de vierde lezer, een schimmig figuur,
meer kon je er niet van zeggen, te bladeren in een dik rood boek
en verwoed ezelsoren te leggen. Op gaat het doek. Dames en
heren, applaus voor de wan en oonlie. *Sure he's a cat.* Enige weken
geleden... Er zijn nog dingen waar je op kan bouwen in dit leven.
De dood, de belastingen en deze schrijver. Hij zit en suizebolt, zijn
woorden blijven steken, het schijnt dat werkelijk zijn hart begint
te breken. Voor de derde keer gezakt voor zijn theoretisch rijexa-
men. Amen. Wie is de man die naast hem verbleken kan. Men
vraagt zich af waarom de een wel succes heeft en de ander dertien
boeken schrijft. Zet een kikvors op een stoel, het is en blijft een
stoel. Zijn tienduizenden elpees tellende platencollectie is enige
tijd geleden een willig prooi van de rode haan geworden en in rook
opgegaan toen de opslag afbrandde, verworden tot een verwron-
gen berg stinkend plastic. We worden tot stilte gemaand door de
zwarte zuster van dienst, Wil. Dan zet het blikken harmonieorkest
weer in voor sommigen ten teken dat de zaal een moment verlaten kan worden voor een versnapering aan de bar. Wie dorst heeft,
hij drinke. Zo gezegd zo gedaan, want wie het kleine niet eert is

een peerd zonder steert. Admiraal Mirck spreekt als volgende in dit kwadrant de bemanning toe. O jeugd waar is uw dode hondje? Hier, in miljoenvoud. Geschuifel bij de klapperende deuren naar buiten die voor sommigen dienst doen als de deuren naar binnen. *Il faut qu'une porte soit fermée ou ouverte*, paraciteert Jan Tit sententieus uit een oud toneelstuk. Een held uit lang vervlogen tijden die maar niet willen herleven begint te oreren over kleine misstanden in de wereld zoals daar zijn winkelwagentjes, afstandsbedieningen en nagelvijltjes. Een kleine wolk van omfloerst ongenoegen trekt over de gezichten. Wegwezen! *Been there, seen it.* Die eeuwige ironie. Misschien moeten we eens met zijn uitgever gaan praten. Ze halen de kat in het bakkie-affaire op. Met Age Zellig en Le Grand Uk aan de grote ronde tafel. Keihard onderhandelen was het motto. Dachten wij dat alles in kannen en kruiken was, beginnen de heren over de topauteurs van de uitgever heen te pissen en te zeiken en hun gal te spuien. Zeg maar dag met je handje. Gedag, tegoed! Meesters in het ingooien van eigen en andermans ruiten. Gebroeders Jezus & Co. Ook voor tempelreiniging en zielsverhuizing. Een kat uit het hele ouwe bakkie. Maar de mensen komen er wel voor. In de voorhof is nog een hoeksken vrij aan de lange middaguitzendtafel, met vage uithoor op belendende gesprekken, alsmede op de zware bevalling van het programma binnen dat via hangende luidsprekers wordt rondgestraald.

Zij sidderden van schrik, zij vloden niet, zij vlogen. Vindt een ander heer. Ons ziet u hier niet meer. We hebben een minuutje over, rekent de presentator voor. Tijd dus voor een intermenselijk intermezzo in de vorm van een improviserend interviewtje. Nog eenmaal van hetzelfde. De heerschappen van 't orkest zetten in en kraaien uit, zielen gloeiend aaneengeschakeld en verbonden in lief en leed. Die constante prijskwaliteit-verhouding van de muziek. Het kost niks en het is niks. Mij interesseert steeds meer de prijskwantiteitverhouding. Het kost niks, maar het is wel veel. Wat 's d'oorzaak? Vraagt men, wat? De eigendunk alleen, die 't algemeen verzuimt en slechts haar eigen vordert. Juffrouw! Drie biertjes. Don't you juffrouw me. Deez blauwe balpen van Desmet doop ik in gal zonder verlet. Jij zegt dus eigenlijk... Precies. Flarden van gesprekken dringen om de gunst van 't oor — misverstaan is hun een kunst. Nou nog eentje dan. De batterij lege, volle en halfvolle glazen groeit aan, het vocht daarin hemelend op ieders lippen. Door de fluistersprekers komen woorden van heinde en verre. Achtergrondruis. Of zijn het tekenen van een buitenaardse of zelfs ondermaanse beschaving. Krommingssnelheid warp vijf. Het drietal is al ver heen op weg naar andere melkwegstelsels, buiten bereik van de zenders. Ab Ollo aan A3. A3 antwoordt niet meer. Een uitdijend universum aan bordkartonnen figuren gefiguurzaagd door de homo triplex. Een doorluchtig hoofd der Hollandse poëten gaat aan de staak. Een kneppel op een hoop hoenderen gesmeten. Rare man is dat toch, legt de omroeper neffens uit. O jemy, o jemy. Natuur baart den dichter, de kunst voedt hem op. Een klokkie aan z'n kont voor twintig jaar trouwe dut. Voorwaar, een hele tijd — indien deze kortheid tijd mag heten tussen heil en eindeloos verdoemen. Maar 't is te spa, en hier geen boete voor ons smet.

– Hoort hier, een taal zonder volk, een volk zonder taal.

– Wie zijn laatste haar verliest is kaal.

– Ach, tis nooit zo slecht of 't kan nog slechter.

– En al wat echt is kan nog echter.

– Wie schrijft die blijft, zo staat geschreven.

– Maar 't zijn de schrijvers niet die bleven.

– Ach wat, wie geboren wordt die sterft ook weer.

– Ja, in eeuwige eeuwige wederkeer.

Wie weet niet, dat door de kracht van de gewoonte 'tgeen voor beschaafd in 't ene land doorgaat, in 't ander juist even hard als ongemanierd wordt aangezien en dat ieder Volk hetzelfde recht heeft om de gewoonte van zijn landaard boven die van andere Volkeren te achten? Maar zal iemand kunnen loochenen dat het merg van de hedendaagse beschaafdheid bestaat in valse loftuitingen en morele pluimstrijkerij? Neen. Neen. Driewerf neen. Het nieuws bericht over de begrafenis, die een ongekend succes is geworden. Miljoenen kijkers hebben de uitvaart gevolgd, in voorkamertjes, bedsteedjes, achter horretjes, in straatjes, steegjes, dorpjes en stadjes. Men doorlope alle historiën om een dergelijke weldadige koningsgezindheid in ons dappere volk te vinden.

Hemel! Paul van galerie annex vulkaan de Etna. In een lappendeken van wolfskleren, nieuwsgierig uit bed gevallen. Ben je weer op zoek naar talent, waarde broeder? railleerde de afgedropen verslaggever nummer één. Ik ben altijd op zoek naar talent, *mon cher*. Doordrongen van dit denkbeeld, hoop ik dien tijd nog te zien aankomen dat mijn Kunstenaarsvereniging zijn eigen schrijvers zal hebben, maar wij ondernemen teffens om een oorspronkelijk Rapenburgs tijdschrift uit te brengen, een tijdschrift dat berekend is voor de meridiaan des huiselijken levens. Daarin geschilderd Nederlandse karakters, bollebuizen en Tartuffs, *en bref*, mensen die men in ons multiculturele vaderland werkelijk vindt. *Scènes* getekend zowel figuurlijk als letterlijk, door de vader, zoon en heilige geest van de Nederlandse undergroundcomicstrips die zo gelukkig is medegekomen vanuit zijn creatieve schuilplaats. Het zal u niet uit de hand vallen! Maar geduld! En heb je wat gevonden? Gisteren nog: Sinjeur Koos Koets en Dokter Deter, maar die laatste wilde alleen naar de Afgodische Etna komen als jullie ook kwamen, aangediend zijnde om de heugelijke gelegenheid te baat te nemen hem derwaarts te vergezellen. Toen dorst ik Koos te zeggen wat jullie zeiden, voorleden week, *à l'ordinaire*, dat jullie alleen kwaamt als hij niet kwam. Jullie bent rare jongens, *vraiment*. Ach heden! Maar dat was een geintje! Een trek die wij 'm speelden! Zo komen de oorlogen in de wereld. De mens is de mens een wolf. En het werd hun bang in het burgerhart te moede. Maar dat Beatleboek van jullie was mooi jongens. Breng me hiervandaan, breng me naar Tuindorp Oostzaan.

Heertje in zijn gele jas loopt naar de plee. Hij moet een plas. Voor de deur van het toilet is een koffer neergezet met erin de basgitaar door een eikel zonneklaar. Wie niet uitkijkt bij 't vertrek breekt daarover licht zijn nek. Heertje plukkend aan zijn hemd is hierover zeer ontstemd en verschuift de koffer vlug enkle decimeters terug. Niemand hoeft er nu onzacht neer te komen hedennacht. Moraal: dit doet een mens nog 't meeste goed, als je ongezien het goede doet.

Pauken en cymbalen! Gezang, gepaard met snarentuig! Een klaterend avondlied! Vergeefs! Maar echter — ! Daar werd met donderend geraas doorgetrokken, in groter heil!, wat Meanders gulden water door zijn kronkelbochten schiet, alle dijkbouw ten spijt, en alle moleculen en atomen zongen daarbij luid hun lied, en de wijze woorden uit de dwaze kelen als karavanen verdertrokken. Na zo wreed een levensloop, was dat hun laatste hoop: gehoord te worden en begrepen, maar hun geest, vrienden, was te benepen. In 't voorleden ligt het HEDEN, in het NU, wat worden zal! Vaarwel dan arme stulp!

Hoe gezellig het was. Ondertusschen, aan de andere tafel, werd gekout en gedelibereerd dat het een aard had. De gemoederen liepen fiks op en het leek of aan een zo plezierig begonnen late maartse lenteavond alras een minder gelukkig einde zou komen. 't Was dégelijk een schrijver die voor het eerst bij een redacteur kwam, zoals verluidt. Jongeman! hernam een andere mannelijke stem op de theatraalst mogelijke toon, zich moeite doend niet uit de koets te vallen, dwing mij nou niet temidden dezer welige natuur een *bon mot* te gaan vertellen. Dat zou de hele sfeer onherstelbaar teniet doen. Maar wie gaat daar zo gauwen henen op zijn benen? Het is de luitspeler van blaaspoepende kapel De Zielige Zijkerts, voorheen ZZ en de Sissies, billijk verbaasd zichzelf hier te bevinden, zei de een met zoveel overtuiging, dat de anderen op slag begonnen te twijfelen aan het waarheidsgehalte van de mededeling. Kopieën zijn het uit de kopieermachine, onmiskenbaar hetzelfde en der-

woonde op de Prinsengracht, op de hoek bij Gunters en Meuser. Hij stond hoog op zijn poten en was hoekig in zijn bewegingen. Buiten zijn glimlach die als een verschrikt konijn tevoorschijn sprong als hij goede sier wilde maken maar vreesde dat dat niet zou lukken, viel er niet zoveel bijzonders in hem te ontwaren. Schaarse zwarte krullen had-ie, die al veel te lijden hadden gehad en inmiddels hopeloos verspreid stonden over zijn stadskleurige schedel en het was goed te begrijpen dat hij niet direct de indruk gaf een zeldzaamheid te zijn in zaken van het hoofd en hart. Hij stond snel met zijn oordeel klaar en wist wat er te koop was in de wereld. Hij wist dat overal een prijskaartje aan hing en met zijn onverzadigbare eerzucht wist hij tevens welke prijs er op dat kaartje stond. Hij was een vriend van verdienste en voor het leven voor de leden van zijn netwerk maar zijn vijanden hadden niets van hem te vrezen. Tegen dode ezels schoppen lag niet in zijn aard. En waarom zou je ook, waarde lezer, ze zeggen toch niks terug! En berg je maar als ze dat wel doen — dan zijn het net lezers. Hij wist de belachelijke en de ernstige zijde van het leven in een oogopslag te doorzien, zodat het ernstige belachelijk werd en het belachelijke ernstig. Zijn gematigde sarkasme was de vlag op zijn *Weltschmerz*, die bij hem echter nooit overging in *Weltscherz* — daarvoor bezat hij een te grote sociale intelligentie. Hij was ambitieus in de goede zin des woords. Al zijn ambities waren gericht op het schrijverschap en hij wilde boven al *gelezen* worden. Vijf lezers, dat schoot niet op. Een miljoenenpubliek, dat hoefde nou ook weer niet: iets ertussen in, iets tussen vijf en miljoenen lezers, dat moest toch een haalbare kaart zijn, toch? Hij geloofde sterk in de maakbaarheid van de samenleving, en in zijn eigen maakbaarheid bovendien. Permanent was hij op zoek naar onderwerpen om over te schrijven maar uit trots en vertrouwend op zijn geheugen droeg hij geen aantekenboekje bij zich. Verzinnen lag meer in zijn lijn. Improviseren, daar hield hij van, als man van de muziek. Hij was namelijk trombonist en jazzy, en woonde op Prinsengracht, om de

ste of degelijkste, de pittigste of puntigste, maar zeker de prettigste galeriehouder-tijdschriftenmaker in spé die onze tijd rijk was. Hij vertelde hoe hij in de pauze van de voetbalmatch Volendam-Volenwijckers *Penny Lane* door de stadionluidsprekers hoorde schallen, ten tijde dat het 45-toerenplaatje uitkwam. Waarop het gesprek als vanzelf kwam op de dingen die wij nog goed weten. Een van die dingen was dat er in Noord twee platenzaken waren. Een ander ding dat wij nog goed wisten is dat wij al flink wat hadden gedronken maar hoeveel precies, nee dat wisten wij niet zo goed meer. Het geheugen diende nodig opgefrist te worden met een koele, door niets te vervangen of te vergoeden slok uit het vat dat nooit opraakte. Ook de geschiedenis en de literatuur raakten nooit op. Dat ging ook maar door. Dat is de vooruitgang in de kunst volgens het filosofische duizenddingendoekje. Toen kwam *I feel fine* uit. Singeltjes in witte hoesjes. *Sergeant Pepper* was daarentegen een grote vergissing, een dipje in hun muzikale carrière. Juist gezien en goed gezegd, al zullen er onmiddellijk Beatlianen opstaan en zeggen: toch niet, het is een hoogtepunt, maar 't is er één in een hooggebergte; een plaat met Amerikaanse rotsen en Britse heuvels; met Indiase schrijnen en apocalyptische uitspansels; een plaat waarbij gij regelrecht de lucht in gaat en boven uw hoofd niets anders gevoelt dan het azuur van de hippiehemel van '67, doorkringeld met de fijne geestrijke damp van wierook en thee, door niemand geëvenaard... dan door henzelf! Een pijnlijke zaak werd aangesneden, want de oude meester dreigt door de S.D. ('Sosiejale Dienst') te worden ingezet voor de Arbeitseinsatz. Welk een mooie projecten liggen er in het verschiet! De Bosbaan weer dichtgooien! Of kleien met bejaarden! Terwijl niemand op dit ogenblik in ons vaderland zo eenvoudig, zo vloeiend, zo helder tekent als hij. Klaar, integer en met samenhang. Hij is de welluidendheid zelve, sprak de ander. De Gleichschaltung der samenleving bleek daaruit dat je unverfroren werd kaltgesteld. Centjes verdienen. En dat was louter samenzwering, geen theorie, merkte hij nogmaals op.

Voor de psyche naast de straatdeur, tussen de aralia's en de palmen die de uitweg markeerden, stond zus, met haar kortgeknipte kopje, haar fijne gezicht bleek in het felle licht van de buitenlampen, als uitgespaard in de donkere omlijsting van haar donkere jas met capuchon: vertrek, in één seconde van noodlot besloten en nu aanstaande, stroomde naar binnen als de verkwikkende buitenlucht door de deur die zij alvast openhield. Maar zij sidderde in haar verkwikking toen op de lucht kwalijke geuren meegevoerd werden: scherp als dodelijk gif uit onderaardse krochten, door een duivelse vloek naar boven geblazen om zich te vergrijpen aan de frisse koelte van de maanglans op de Middenlaan, nabij de slaapbedompelde diergaarde. Nu was opstand in haar reukzintuig. Het wilde deze geur niet, het bliefde die giftige pestilentiënstank niet, het was een echt orgaan, het was geschapen voor lavendel en zeelucht, het wilde alleen zoele ziltprikkelende zeeluchten en paarsgeurige lavendel, maar zij wilde niet de geur uit de gifkrocht van de uitlaat. Telkens dacht zij weg te glippen, zonder haar broeder; zij dorst niet. De geur was bruinkoolbruin, de tijd was laat, en het voorportaal waar zij wijlde, wademde ternauw verstikt in het aroom der uitlaatgassen van de verchroomde taxi die hen beiden wachtte. Ze deed de deur weer dicht.

– Haast je dan toch! zeide ze, een weinig ongeduldig, met een blik op haar polshorloge. Zo komen we nooit thuis! De taxi kan niet eeuwig wachten!

Broer, de bestemmeling van haar uitroep, stond voor de zoveelste keer afscheid te nemen van jan en alleman, alsof hij dat niet al tíen keer gedaan had. O wat was het toch moeielijk om vrouw te zijn! Ze doen alsof je een blok aan hun been bent, maar intussen kunnen ze geen vijf minuten zonder je. Allemaal willen ze bemoederd worden.

Het gezelschap schaterde intussen om een kwinkslag van de een of ander. Broer had *Mister Radio*, alias *De Mol* in eigen persoon, de hand geschud en die had hem aimabel gegroet met zijn haast tastbaar herkenbare stemgeluid dat, shag- en cigaretvrij, een luttel zachter was geworden, maar niets aan tijdeloze bovenmenselijkheid had ingeboet. Thans sprak hij met hun vriend die ze vanmorgen zo toevallig waren tegengekomen en die ze hadden uitgenodigd om het wekelijkse schouwspel eens van nabij mee te maken. Of hij het had weten te waarderen wist zij niet precies, maar haar intuïtie zei van wel. De geheimzinnige drukte van zo'n directe radio-uitzending, het geroezemoes en het glimlachende gefluister, het droeg allemaal bij aan de bijzondere sfeer van de dinsdagavond. Zij zag hem aanschuiven bij een drietal dat daar zat als ten dode opgeschreven kakkerlakken, vastgeplakt in hun lokdoosje en van wie zij er één herkende als de omroeper die vroeger wel eens dit programma had gepresenteerd, toen het nog werd uitgestraald vanuit de locatie aan de Amstel. Was dat al zo lang geleden? Wat vloog de tijd!

Zus voelde toch dat er in haar gemoed nog iets onopgelosts verborgen lag, en ze zocht naarstig naar de oorzaak. Dáár had ze het! Het was geen aangepast programma geworden, en érgens stak haar dat wel. Tenslotte was een moeder des vaderlands te grave gedragen vandaag, een van de laatsten van het sterke zwakke geslacht die een voorbeeld hadden gesteld voor de vrijmaking der vrouw.

Daar kwam broer aangehobbeld, een brede glimlach om de kaken.

– Waar bléef je nou!

– Hoezo? Hier ben ik toch? Als altijd was broer zich van geen kwaad bewust. Zij kon hem wel vermoorden! Maar toen hij zijn arm liefdevol om haar schouder sloeg smolt haar hart weer en vergaf zij hem alles.

– Het is wat, hè?

– Wat bedoel je, broerlief? vroeg zus met een waardig gelaat want ze wilde zich niet laten kennen.

– Nou, als je nagaat wie er dit jaar al de pijp uit zijn gegaan.

Broer drukte zich wel vaker ongemanierd uit, maar hij meende het niet zo. Hij somde op:

— Fiep Westendorp. Fanny Koen, die zich Blanckers-Koen moest laten noemen, juffrouw Lily Pedersen van Kleutertje Luister, en nu onze vorstin! Vier! Klaas rekende het me zoëven voor. Allemaal moederfiguren!

Het was alsof broer haar gedachten had geraden. Alsof hij was verdergegaan waar zij was gestopt. Want inderdaad, dat was wat haar gemoed bezig hield. Dat was de steen die zij op de maag had liggen. Zij vlijde zich tegen hem aan en zei teder:

— Nu zul je het helemaal met mij moeten doen als moederfiguur.

Arm in arm liepen zij naar buiten, waar de wachtende taxi zijn dampen al geruime tijd in de heldere Hollandse hemel aan het verstuiven was, alsof het stuifmeel betrof van witte leliën.

Hufters waren ze — maar aardige hufters. Ze hadden hem moeten bevrijden uit zijn huis. Anders kwam-i er niet uit. 'Het moet af' had i gezegd. Maar het was zo verdomde moeilijk. Daar heb je het leven, dat gaat door en door tot het stopt om geen enkele reden, maar een stripverhaal moet een einde hebben en dan nog zegt het niet wat het van je wil. En daar zit ik dan te tekenen en bewandel alle zijpaden die ik kan vinden. Wat i ook probeerde, het verhaal hobbelde maar door. Als het leven zelf, zei zijn naaste buur. De tekenaar beaamde dat. Het leven staat erbij en lacht me in m'n gezicht uit. Een einde, hield-i vol, was de mokerslag van de wrede schepper. Maar tegelijk het mooiste wat er was. De quaestie was deze, hij kon geen afscheid nemen, dat was het, zei zijn andere naaste. Dat was nou weer zo'n onzin, vond-i. Dat had er niets mee te maken. Je moest eens zien hoe goed hij afscheid kon nemen, strakjes. Hij was gewoon een prutser. Hij deugde nergens voor. Ja, aan de andere tafel kon je horen hoe men iemand wilde worden, zonder er iets voor te hoeven doen. Dat was de verstandigste weg, maar een einde maken aan een eindeloos iets, daar hoefde je bij hun niet om terecht. Ze zouden je met holle ogen aankijken en zich afvragen of-i getikt was. Hij had het weer flink te pakken. Hij mocht niet meer wonen waar hij wou, maar een zwembad aanleggen in de binnentuin bij hem achter, dat mocht wel. Dát wel. De beheerder van de vulkaan vertelde over de punkbarones, die haar idealen trouw was gebleven. Niet iedereen laat zich inpakken. Maar hij vroeg of Dr. Rat zich dan wel had laten inpakken. Die was immers dood, gestopt om geen enkele reden, als een verhaal waar alleen de eerste bladzijden van over zijn. Als hij zo was, hielp niks meer. Misschien leefde hij nog wel en was getrouwd en werkte als verkoper van levensverzekeringen, opperde de een. Net als Jezus in de Laatste Verzoeking. Maar dat was een droom. En dit? *The nightmare continues.* Stamgasten zover het oog reikte. Zo was 't. Ze namen er in stilte nog een en keken naar de peilloze diepten in hun glazen, terwijl Majoor Tom zachtjes aftellend aan zijn baan om de aarde begon en God zich nog eens omdraaide.

Elk gezelschap kent wel een man die de dankbare rol van gangmaker op zich neemt, soms tegen wil en dank. Meestal is het degene die al in zijn jeugd parodieën van bekende Nederlanders ten beste kon geven tussen de schuifdeuren, niet onvermakelijk maar tot walgens toe herhaald, op het ziekelijke af, en daardoor ook zeer vermoeiend. Daarmee oogst hij dan wel de lach en de lof van het huisgezin, maar het is een valse beloning, gestoeld op amusement in plaats van intellect. De vierde man, klein en parmantig en met iets te losbandige wallen onder de ogen, maakte een terughoudend gebaar met zijn drukke handjes, alsof hij een voorbijschietende gedachte wilde onderscheppen. Hij klopte op het goedkope fineer van het tafelblad om de aandacht te vragen van het groepje voor zich uit starende slappe drinkebroers. Ken je die van die vrouw met de stinkende kut? Zonder op antwoord te wachten krulde hij zijn weke hanglip en begon vochtig zijn verhaal te slissen. Komt een vrouw bij de dokter met een vreselijk stinkende kut. Ze kleedt zich uit, gaat liggen in de antieke gynaecologische stijgbeugels. De dokter pakt een enorme lange stok met een enorme haak eraan. Dokter dokter! zegt de vrouw, het doet toch geen pijn? Nee, maar ik zet even een raampje open. De verteller trok zijn volstrekt onbeduidende gezicht in een plooi die een tevreden glimlach moest verbeelden. Zijn laagschedelige makkers hadden genoten van de scabreuze anekdote en lieten dat door hinnikende geluiden merken. Er werd natuurlijk meer bier gehaald.

Wanneer de stemming stijgt, daalt het peil. Het begon naar een parfum van tropische grassen te ruiken. Aan de bar stonden twee slungelige figuren in versleten vuile jekkies, die ook nog gescheurd waren, een wietsigaret te roken. Het slot van elke avond, dacht hij. De mens trekt zich terug in het hol van zijn hoofd, in de kringen en kronkels van de particuliere hel van zijn hersens. Hij keek in zijn portemonnee die niet meer dichtging omdat hij de ritssluiting al heel lang geleden in drift had stukgetrokken. Er zat alleen nog wat kleingeld in, niet eens genoeg voor nog een rondje, laat staan voor een voortzetting van de avond op andere plekken. De laatste gasten kwamen uit de studio en liepen naar de uitgang. Afspraken voor morgen werden gemaakt. Ik heb niets. Met niemand iets af te spreken. Met niemand iets te maken. Wie zou er ook iets met mij te bespreken hebben? Overal zie ik hetzelfde walgelijke groezelige. De naargeestigheid die ik waarneem is in de trekken van mijn gezicht gaan zitten en al van kilometers afstand af te lezen. De buitendeur viel dicht met het geluid van een kist die van de baar valt. Die zat dicht. Het ongeluk kwam nooit alleen. De killer van de heide had een lied gemaakt dat hij de anderen trachtte te leren. Het huzarenstuk heette de Willem Brakman-rap en al snel konden ze het spreekzingen op de toen in zwang zijnde manier, even toonloos als verongelijkt. Het libretto was als volgt. Willem Willem Brakman, wat ben je toch een zak man, je zit onder de plak man, je stinkt naar kouwe kak man, ik sla je in de prak man, Willem Willem Brakman. Willem Willem Brakman, je kan van mij op het dak man, aan lui als jij daar heb ik lak an, je schrijft als een naakte slak man, ik gooi je in de bak man, Willem Willem Brakman. Willem Willem Brakman, weet je waar ik nou naar snak man, dat je hangt aan de hoogste tak man, dat die tak dan gaat van krak man, en dat jij je ruggegraat dan brak man, Willem Willem Brakman, Willem Willem Brakman, Willem Willem BRAKMAN! Hiermee hadden zij naar eigen inzicht een hit in het literaire circuit gescoord. Onder de riem en de gordel. Het is toch niet te geloven, zei hij, dat die dikke papzak met zijn verhaspelde herformuleringen van het vanzelfsprekende het jaar mag afbijten in de filosofiescheurkalender? 'Tijd hecht zich aan het leven, op de dood heeft hij geen vat. Geen klokken daar beneden, net zomin als scheurkalenders.' Dat haalt je de koekoek. Ook geen hometrainers, kroketten of schrijftafels 'daar beneden', zelfs geen 'daar beneden' 'daar beneden' want waarom zou de dood geen tijd mogen hebben maar wel een plek? En van die flauwekul eten we het hele jaar door, dag na dag. Hup, weer een blad voor de kont. Het enige waar zo'n kalender goed voor is.

Aan het slot van de 30ste maart van het jaar onzes heren en zijner moeder tweeduizendenvier, toen de dag reeds hard op weg was naar de kleine uurtjes van de nacht, werd er in het voorportaal van de hoofdstedelijke radioopnamestudio D. te A. nog steeds vergetelheid en vertroosting in bier gezocht, met het averechtse gevolg dat verdoolde geesten juist immer meer op zichzelve werden teruggeworpen om het licht der genade deelachtig te worden. Een zielige plek om kaal te worden. Hij keek de ongeschoren jongen die alleen daarom straf zoude verdienen op zijn achterhoofd waar het haar begon te wijken in de vorm van een tonsuur. Eigenlijk zouden ze jouw broekje moeten afstropen om te kijken of je daar ook haar hebt. En in gedachten had hij de edele achterdelen reeds ontbloot en danig getuchtigd met een opgerolde oude krant die anders toch maar in de kattebak terecht zoude komen. Matroos Y kende er ook nog een waarvan hij getuigenis wilde afleggen ten overstaan van de kleine menigte. Komt een vrouw van onbesproken gedrag met geschaafde ellebogen bij de dokter. Dokter, dokter, hij wil het steeds op z'n hondjes doen. Kunt u het niet eens andersom proberen, stelt de dokter voor. Ja dokter, zegt de vrouw dan, maar dat vindt die hond niet lekker. Er is nog niets verloren, dacht hij. De nacht is nog lang. Klimop, zei de pik van de commissie in koor en hij klom klip en klaar in de hoogte. In excelsis deo. Je moet toch wat zeggen. Laatste ronde!

Degeneratiegenoten! Degradatiegenoten! Hoort den eikel spreken. Bier, meer bier. Waarom hebben vrouwen geen piemel? Geven jullie het op? Omdat ze niet kunnen inparkeren. Voilà. Dit zou eventueel nog proefondervindelijk uitgezocht kunnen worden, hoewel we het nooit kunnen falsifiëren. En in transsexualibus? Lampje licht op: er moeten wijken komen met straten die naar lichaamsdelen zijn vernoemd of naar seksuele handelingen. Het cunnilingushof. We hadden het over speculeren aan de beurs. De slemper had een ideetje. Een goed ideetje. Een leuk ideetje waar ze best nog wel eens wat mee konden doen. Als een oorlog in Irak begint, moet je aandelen kopen in gevangenissen. Dat weet dus niemand. Het kan alleen in landen waar de gevangenissen geprivatiseerd zijn. En maakt het verschil of je familieleden in de gevangenis hebt? Een praktische vraag tussendoor van de praktische man. We moeten eens capuccino gaan drinken, ouwe scout. Okee, ouwe omroeper. Dat roep ik nu al jaren, maar dat gaan we nu echt een keer doen. De vertrekkende bassist groet de meestertekenaar. En wij dan? Ik zou willen pleiten voor een nieuwe Nederlandse roman, de eerste Nederlandse roman zonder God, seks, koningshuis of WO2. Nou dan heb ik wel een leuke openingszin voor je. Moedermadonnajezusgodverdommefuck, zei de Oberstumbahnführer terwijl hij een crucifix in de door de hoge commisaris voor de vluchtelingen danig uitgelubberde kut van hare koninklijke kroonprinses Beatrix joeg. Paßt nicht! Neenee, in de kont van de kroonprins, Willem den Domme, Prins Oliebol. Beter, veel beter, dear. Smakeloos maar hilarisch. Hilarisch maar triest. Genade!

Meisjesgenade? Ik kan niet meer. En dat op een dag als vandaag.
Hoho, het is al morgen. En jullie, vulkanologen? Wij gaan verga-
deren, als het thans hierbij op- en afgericht etnagrafisch gezelschap. Er moet gestrijdschrift worden. Dan gaan wij die kant op. In
gelijkluidende tegenoverstellende richting. Vaart u wel. Met de
literaire liposuctor, met z'n vieren naar de hoeren, ja gezellig! Ja
die gaan we interviewen. We zijn toch allemaal hoeren? De hoeren
zeventien. Hoe dubbel zie jij eigenlijk wel? Voor een nieuwe aflevering van de afwerkplek. Joechei, van Super de Hoer naar Dirk uit
den Broek. Gewoon vrouwen die het fijn vinden anderen enthousiast over hun werk te horen vertellen. Livereportage. Jaja, rukke-
rukkerukke. Fukkefukkefukke. De kroeg kotst de laatste harde
restjes gasten uit. Heertje volgt op afstand. Rubriek voor rukkers
en fuckers. Als de doden dronken zijn en Pierlala verschijnt. Geen
licht is goed licht. En die lulhannesen? Hupsakees laat hun de boel
de boel de boel. Wij fietsen huiswaarts via de Nieuwe Moorde-
naarsgracht. Even kijken of ik twintig jaar geleden thuis ben. En
nog gefeliciteerd! Goed gewerkt! Dat kromt wel recht, dat ge-
castreerde stierenhoofdstuk. *Too drunk to fuck*. De Ramonas! De
Ramones bedoel ik. Nee, de Dead Kennedys! Nee de Ramones!
Dead Kennedys! Ramones! Joy Division! ...

—|⊕⊗⊕⊗⊕⊗⊕|—

(*Het begin van de permanente oorlogszone van het doolhof van de Wallen, voorbij
de pyloon op de Dam, onze nationale penis, in de schaduw waarvan de dochter van
Anna Enquist sneuvelde in haar heldhaftige strijd tegen het verkeer, langs Krasna-
polsky waar James Joyce logeerde in mei 1927 toen de bliksem insloeg in de Nieuwe
Kerk en er haring gegeten werd op de Dam, lachend, achter de parkeergarage van
de Bijenkorf, de Warmoesstraat in, langs de opgebroken Sint Jansstraat, deels
geblokkeerd door een roodwit verkeershek, voorbij de Condomerie Het Gulden Vlies,
gestut door vilein gekapte boomstammen, waar in het achterhuis voorheen Studio
Gezellig en Leuk gevestigd was, voor zaal-hotel-bar Winston rechtsaf, bij een geel
onthoofd krot, de met twee stenen paaltjes en cameratoezicht beveiligde gleuf van de
Sint Annenstraat in. Op de hoek van de straat staat een behaarde zeebonk op blote,*

zwarte voeten met een oranje gitaar. Hij lacht om de voorbijgangers en kijkt dan weer vertederd naar de twee robuuste stenen paaltjes die de ingang van de straat markeren. Anton Wachterromans met mondharp, IJsbrand Willems met opname-apparatuur in een schoudertas, Adriaan Wölffli en Jan-Erik Harms wurmen zich door de mensenmassa die voor het grootste deel bestaat uit katholieke toeristen, opge-schoten jeugd, autochtone kerkgangers, allochtone moskeebezoekers, nieuwsgierigen, drooggeilers, doehetzelvers en professionele en toevallige, amateuristische, onhandi-ge hoerenlopers van velerlei pluimage, onder wie de heren Leemgoor, Strodijk en De Leuke. Graffiti: Benoit the King of the Coit. Over de halve lengte van de bouwval-lige buitenmuur van de Winston is met schoolkrijt een tekst aangebracht. Ogen val-len op de woorden dinsdag klaar komt voor elkaar en dito met kip? ja die staat hier nummer 32. Een gerafelde tekst van Loesje op een meterkast spreekt van Vrede tegen-over de afgesloten Oliphantsgang, een van de geheime voormalige vluchtgangen van het smaldeel van prins Hendrik.)

DE AUTOMATISCHE WEGBLOKKERING

Niet zo snel! Rustig aan! Waar gaat daar toe? Mag ik even je identi-teitspapieren zijn? Alleen voor bestemmingsverkeer! Hèhè, effe uitzakken, ik kom niet meer overeind vandaag.

DE STENEN PAALTJES

Daar hebben wij gelukkig geen last van. Wij staan pal. De hoek-tanden van de straat.

DE RODE LICHTJES

Hier moet je wezen! Hier moet je zijn!

DE MONDHARP

Dingdongdingedingedingedingdingdongdongdong.

DE MONDHARP VAN LAMBERT DE BACKER

(*antwoordt zacht, enige opgravingslagen diep*) Pooooink! Pooooink! Pooooink!

WÖLFFLI

Treedt binnen in het altaar van de hoer, de Hoere Hoere.

HARMS

Zijn we er al?

[*Vijftiende episode*]

ANTON

Om ergens te komen, moet je eerst vertrekken. Een betere vraag
zou dan ook luiden: zijn we al weg? Al wat niet is is niet noodza-
kerlijkerwijs niet gekomen. Ga bijvoorbeeld nu maar even kijken
of je thuis bent. Kijk, daar zit je, voor je varkensstal. In je potje te
roeren. Snuit in de lucht. Wat ruik ik? Op de lentewind waaien je
de zoetste aroma's aan. Schroeiend linoleum en Gods bloed!
Braaksel en edelweiss! Stront uit de po... de po... de po... de poëzie!
Een gedicht! Hoera! Weer een dag niet voor niets geleefd!

IJSBRAND

Ja hoor, zo lust ik er nog wel een. Zo kan ik het ook. Luister nou
effe...

HARMS

(*monotoon bulderend als een verdrinkende koe*) Wie niet weg is is gezien!

DE VERDRONKEN KOE

Meueueueueueueûh!

WÖLLFLI

Wie niet slim is moet dom zijn! Westerse en niet-westerse wijfbe-
geerte in de Warmoesstraat!

(*Een dwerg met een leren cowboyhoed en een lange zwarte jas speelt op een fluit een
deuntje van de Beatles.*)

DE FLUIT

En rond en rond en rond en rond.

WÖLFFLI

Hij die zonder zonde is, schiete het eerste zaad.

HARMS

Matea Kezmans moeder is een hoer, moeder is een hoer, moeder
is een hoer!

JOHN LENNON

(*kruipt op z'n knieën over het trappetje uit de Goldbergersteeg en hijst zich op aan
het ABC-hekwerk*) No pissing about! Satyricon on tour!

PEOPLE

Good morning, John.

AGENT ONRUST

(*Zwaaiend met de bullepees.*) Links houden! Niet samenscholen!
Rouleren!

AGENT DE RUITER

(*Idem.*) Links aanhouden! Geen samenscholingen! Doorlopen!

(*Het groepje slaat linksaf bij de Smartzone Paddo Smartshop. In een deuropening
staat geleund tegen een deurpost een zwartharige prostituee in zwart zijden ondergoed waaroverheen een organza peignoir is gedrapeerd. Anton bewondert epifanisch
gefrappeerd haar pose en de blacklightbelichte kleur van haar huid. Lichtoranje met
een zweem van kloofjes op de grens van elastiek en naaktheid rond de heupen maar
verder glad en jong. Ze lacht. Aan de overkant wenkt een hoer met roestkleurig haar,
geschoren oksels, een rode jurk en drie horloges een schichtige hoerenloper wiens buik
over de broekriem heenpuilt en tuit de lippen.*)

DE LIPPEN

Hierheen mijn prins van de Dolle Begijnensteeg!

DE PRINSESSEN VAN DE STOOFSTEEG

Zeg maar gewoon hoeren hoor. Maak het niet mooier dan het is.

DE BROEKRIEM

Verlos mij!

DE HOER

SM? Plas- en poepseks? Bondage? Anaal? Fetish?

DE KLANT

Waarde juffrouw, mag ik u voorstellen enige handelingen met mij
te verrichten met als causa finalis en ultiem einddoel een ejacula-
tio semenis mijnerzijds inter vas naturales uwerzijds volgend op
het afknijpen van de bloedstoevoer naar de zwellichamen in het
recreatieve zowel als procreatieve orgaan en het vervolgens te
doen oprichten deszelven, middels zoveel als daartoe benodigde
diverse lustopwekkende handelingen zoals daar zijn het masseren
van uitgelezen plekken op het menselijk lichaam en andere ma-

nuele handelingen maar ook orale activiteiten zijn zeer welkom, waarna de inseratie van mijn geslachtsdeel in het uwe kan plaatsvinden en na een korte wijle ritmisch pompen voornoemd einddoel bereikt kan worden?

DE HOER

Deruit! Smeerpijp! Ik ben een net werkend meisje. Doe die viezigheid maar bij je vrouw!

(In de belendende deuropening wordt de transactie met een volgende naar verlossing smachtende na een in-take gesprek wel beklonken. De man gaat naar binnen en het gordijn gaat dicht.)

HET GORDIJN

Poppetje gezien, kastje dicht.

BLOEM

Poppetje gezien, kastje dicht. Waar zijn die jongens gebleven? Ik had niet zo hard moeten fietsen. Die gasten rijden als gekken. Geen licht op de fiets en van de ene weghelft naar de andere. Als daar maar geen ongelukken van komen.

DE ALWETENDE VERTELLER

Zulks is inderdaad niet zonder risico's en kan mogelijkerwijs de gezondheid van henzelf maar ook die medeweggebruikers in gevaar brengen. Het illustere viertal ging linksaf, voor u rechtsaf, het kleine kutsteegje in, de Sint Annendwarsstraat, en begaf zich richting Oudekerksplein. Bloem spoedt zich verder.

DE NIETSWETENDE VERTELLER

Janou, dat kan allemaal wel wezen, maar ja... ik wist van niks en toen kreeg ik dit voor mijn neus en nu zit ik hier dus en eh ja zeg het maar. Maar ik heb een contract.

BLOEM

Alles hier vervallen. De zegeningen van de maffia. De enige buurt die enigszins in oude staat is gebleven en niet ten prooi is gevallen aan projectontwikkelaars.

[*Circe*]

KWAJONGENS

Daar gaat ie! Bloem-pie! Bloem-pie!

(*Hij botst bij de Goldbergersteeg, die bestaat uit vier ramen achter een* ABC*-hek-werk, bijna tegen ex-wethouder Rob Oudkerk die zijn lul achterna loopt de Trom-pettersteeg in, die zo nauw is dat één man met zijn erectie er nauwelijks in past.*)

ZIJN LUL

Rechtsaf! Daar zit een hele lekkere! Mjamme jamme! Als we d'r in passen met z'n tweeën.

ROB OUDKERK

Kutlul!

(*Twee ambtenaren uit het pittoreske havenstadje Hoorn, de woordspelige West-Friese gebroeders Blubber en Glubber, laten zich in de buurt rondleiden door een voormalige soapster, een zekere Cor, Cor Rupsie.*)

COR

(*als een omroeper op de kermis*) Neem het er maar goed van, heren! It's on the house! En daar gaan ze weer, damus en heruh!

BLUBBER & GLUBBER

(*glazig, in koor*) Reken maar van yes, Cor! Op jou kunnen we bou-wen!

MENEER VISSER

(*ter epigonische hellevaart geeft zijn ogen de kost*) Deze viezerds zijn haast onovertrefbaar weergegeven. Het is haast in de karikatuur overge-gaan.

SIMON VESTDIJK

(*Icarus achter de kinderwagen vol boeken, klunend in het spoor van Joyce en Proust, terwijl het brandt op de Boschplaat*) Ik had Ulysses net gelezen en natuur-lijk werkte dat wel na.

E. DU PERRON

(*even terug uit het land van herkomst*) Die schijthuisepisode! Du Joyce pur, en van het gemaniëreerdste!

185

[Vijftiende episode]

(*Het wordt pikkedonker. Pikkendonker. L'heure bleue slaat. Op een muur van de Bethlemsteeg verschijnen wajang-poppen. In één daarvan herkent Bloem zijn geëuthanaseerde vader.*)

BLOEM JUNIOR

Oh papa! Oh papa!

BLOEM SENIOR

Tetapi ini petuah yang tua tua: Berpetang-petang di sabolembo itu pantang bisa kesambai bisa keteguran sama hantu.

BLOEM JUNIOR

Ik versta je niet meer, papa! Oh papapapa!

BLOEM SENIOR

Semalam ketika aku membaringkan diri di tempat tidur tiba-tiba aku berubah menjadi per empuan. Dadaku bersusu dan perutku bercelah.

BLOEM JUNIOR

Oh papapapa! Sudah lama kau kunanti!

BLOEM SENIOR

Mati aku, mati aku!

BLOEM JUNIOR

Roh! Hanyah roh! Hanyah roh!

BLOEM SENIOR

Het is bitter koud. (*Hij verdwijnt door een luik in de grond en stommelt nog wat na.*)

HET GESTOMMEL

Kendang! Brrrp. Nitnot. Gluk. Brrrp. Nitnot. Gluk.

(*De geest van Egbert Meijer verschijnt met een raaf op zijn linkerschouder en een veldhoen op zijn rechter in de ingang van Sexy World, waar 24 uur per dag, 7 dagen in de week videozuilen de geslachtsdaad in vele variaties tonen, heterohomobi, van fellatio tot cunnilingus en van rechtopenneer tot anaal op zijn hondjes en met hondjes, of andere huisdieren, van Kama Sutra tot Kamagurka, ook als de Marokkaanse schoonmakers de vuilnisbakken legen en de boel aan kant brengen als de dag begint.*)

[Circe]

EGBERT MEIJER

Geen minuut stilte voor Egbert Meijer! Ik wil lawaai! Leven! Leven
in de brouwerij! Het was altijd al zo stil, godverdomme. Er kwam
nooit een hond op bezoek. En nou gaan jullie met je zuinige
mondjes een minuut stilte voor me houden. Sodemieter toch op!
Was langsgekomen toen ik zat te creperen op mijn balkonnetje. Ja,
de buurvrouw zal wel gedacht hebben. Watzietiewit! En watmeur-
tethier!

DE STEM VAN FRANK STARIK

Deze e-mail en zijn bijlagen zijn uitsluitend bestemd voor de
geadresseerde(n) als op dit e-mailblad vermeld. Het is mogelijk dat
deze e-mail persoonlijke en/of vertrouwelijke informatie bevat.
Wanneer u niet de geadresseerde bent, verzoeken wij u dringend
ons daarvan te berichten.

DE RAAF

Nimmermeer!

HET VELDHOEN

Tok! Totok!

DE KLOKKEN VAN DE OUDE KERK

Ding dong! Ding dong! Ding dong! Ding dong! Ding dong! Ding
dong! Ding dong! Ding dong! Ding dong! Ding dong! Ding dong!
Ding dong!

(*In de barre kou en het bange duister van de orgiekelder van de Oude Kerk is een
zwarte mis in volle gang. De stadsspeellieden spelen zeer lieflijk op pijpen en schal-
meien. Leprozen klepperen met hun ratel. Kreten. Klaagroepen. Getrommel. Ge-
ween. Ganzen. Relikwieën aan de muur: ingelijst, de paling van het Palingoproer
(in februari 1913 geveild door veilinghuis Bom en verkocht voor ƒ 1,75); gewaarmerkte
stukjes voorhuid van Sam en Moos; de met stront bevlekte ganzeveer van de
Goddelijke Markies de Sade. De hele Gijsbrecht wordt opgevoerd met Jeroen
Krabbé als Badeloch en de geest van Ko van Dijk als Gijsbrecht van Amstel. Hi-
larius Hofstede eet een banaan. Patrick Healy doet een dansje voor de regen.
Broeder Wolfert en Eric de Noorman braden een reiger. Zij zitten op een gele
harington, met daarin de hoofden van negen onthoofde wederdopers en de hoofden*

van Lebak. Meester Simon, duiveluitbanner te Medemblik, houdt de procedures
scherp in de gaten. Boetprediker Johannes Brugman hangt aan zijn haren aan het
plafond. Uit zijn aarsgat steekt een pekstok waarin een haantje van brood is geprikt.
In een allerheetste en een allergloeiendste oven ligt Dionysius de Kartuizer, naakt
zoals hij van de moederschoot geboren was, om nooit van zijn pijniging te worden ver-
lost. De waterheilige Sinterklaas en Pietermanknecht gooien werktuiglijk stukken
rauw kindervlees in een blauw babybadje. Broeder Gandalf van Etersheim drupt
kaarsvet op een vastgebonden nakende jongedame, zuster Natasja, die bezeten wordt
door een syphilitische geitebok. Er weerklinken kreten van gruwelijk genot en ach-
terwaarts gezongen hymnen van Mötörhead. De tieten van Birgit Maasland worden
kraansgewijs afgetapt door een gebedsgenezer, terwijl op het heiligdom der heilig-
dommen de heilige Mitrius zijn eigen hoofd kust. Hij zet het op het altaar en begint
zichzelf te pijpen.)

GELOVIGEN

Heel knap! Want hoe doe je dat?

DE HEILIGE MITRIUS

Mumblmumlmlblmmlmblmbmnp!

GELOVIGEN

O! Kruisigt hem!

FRANS DOELEMAN

(met visseogen) Zo, de mijter op!

(*Anton wendt bruusk zijn blik af. Een dikke mist van twijfelachtigheid en onzeker-*
heid doemt op. Op het Oudekerksplein staat een Ford Cortina met pech. Daarachter
en op de Oudezijdsvoorburgwal een lange file wachtende taxi's met passagiers. Op
en om het plein is het druk, als op de Albert Cuyp op een mooie warme lentedag.
Afgeladen vol met mensen en koopjesjagers dus. Je kan je kont niet keren. Schotten
staan lachend en joelend te pissen in de openbare grijze plaskruizen. Een man in pak
staat op de brug mobiel te bellen; hij probeert een kennis over te halen zich hier-
naartoe te begeven.)

DE MAN IN PAK

Ja, ik zag hier een lekker wijf...

(*Het gezelschap loopt door de Oudekennissteeg, een steeg met alleen maar glazen*
deuren.)

[*Circe*]

ANTON

There are things that are known and there are things that are unknown. In between there are doors.

HARMS

Pompous ass.

WÖLFFLI

O, die lange paardelul van de Doors. Alles was leuk in de popmuziek tot die de feestvreugde kwam verpesten. En toen kwam de punk, godverdomme. Twaalf jaar lang had ik trombone leren spelen en toen bleek je ineens helemaal geen les meer nodig te hebben om het te maken.

WILLEMS

(*lachend*) Wie gaat er dan ook trombone spelen, man!

HARMS

Geef mij maar de luchtgitaar. Jimi Hendrix is ook op bezemsteel begonnen.

DE BEZEMSTEEL

Pwang pwoioioing pwingpwing. Pwang pwoioioing pwingpwing.

EEN BORDJE IN HET RAAM

Kamer te huur.

EEN ANDER BORDJE IN EEN ANDER RAAM

Alleen meisjes uit EEG landen met geldig paspoort.

(*Op de hoek met de Oudezijdsachterburgwal is de Star Shop Red Light Souvenirs gevestigd. In de etalage staat een batterij dildo's in slagorde, een keur aan tijdschriften, video's en dvd's alsmede allerhande parafernalia die het genot van het geslachtsverkeer afwisselend stimuleren en, door het te rekken, temperen.*)

EEN UITHANGBORD

Kom hier naar binnen! Maagdelijke video's. Twee voor zes euro. Drie voor een tientje. Alle denkbare genres. Heden: SM-specials.

DE DILDO'S

Laat ons erin! Laat ons erin!

(*Linksaf de wal op, passeren zij het Erotic Museum met de permanente tentoonstelling Sex through the Ages, Café Bar Pool de Burgh, met op de gevelsteen het motto God is mijn Burgh, uitziend op de tegenoverliggende Bananenbar, vervolgens Coffeeshop Excalibur en een filiaal van Casa Rosso.*)

CASA ROSSO

Real live fucky fucky!

BLOEM

(*in de Oudekennissteeg*) Hoe lang hangt dat bordje hier al niet? Wie heeft het nu nog over de EEG? Het blijft treurig. Maar als je een bordje zou ophangen met 'illegale Oosteuropese en Midden-Amerikaanse seksslavinnen' zou het nog drukker worden.

EEN ILLEGALE OOSTEUROPESE SEKSSLAVIN

Job tvajoe matj! Goei!

BLOEM

Wat heeft ze nou met Job Cohen? Of met Ed de Goey? Verdomme, van dat masturberen word je alleen maar geiler.

CHANTAL

(*met blauwgelakte nagels*) Dag buman!

BLOEM

(*terzijde*) Ik ken dat mens niet.

NANCY

(*zit met gespreide benen op een Blokker-tuinstoel voor een videocamera op statief en bevredigt zichzelf. Ze slaakt daarbij ijselijke kreten*) Jajajajaohohohohoooo-hahOEAAOHAAAAAOEAARGLLblOBLOO-oh-oh-ooooo-oh!

DOKTER TULP

(*met een koop'ren hoorn aan het oor*) Zonderling! 'k Meende nochtans...

(*Bloems mobieltje gaat af.*)

BLOEMS MOBIELTJE

Wil je van achteren genomen worden door een kameel, toets dan een 1. Wil je je laten pijpen door een piranha, toets dan een 2...

[Circe]

(*Bloem werpt zijn mobieltje in de gracht.*)

BLOEM

Jou heb ik ook niet meer nodig! Geen tijd meer.

BLOEMS MOBIELTJE

Blrp br br bublblrpblmblmblm...

FRANS DOELEMAN

(*Aanschouwde het tafereel en dacht onmiddellijk: zonde! Volgens mij was ie nog goed!*) Daar hebben we onze atheïstische republikeinse hoerenlopende Indo warempel. Merdeka! Bent u hier ambtshalve uit nieuwsgierigheid naar de geheimzinnige werkingen van de proostitutie of slechts verdwaald?

BLOEM

(*hakkelend*) Hallo, jij bent toch... jij bent toch...

FRANS DOELEMAN

Nee ik ben... ik ben...

(*Hij kijkt in een gebarsten spiegel, gekocht bij de Stichting Dodo aan het Anja Joosplein. Er verschijnen twee gezichten, die van Ernst en Bobbie en de rest. Een zonder meer geslaagde psychedeling. Ze lachen breeduit.*)

ERNST

Ik zal even op mijn vingers fluiten als een vogel.

BOBBIE

Dat kan helemaal niet, Ernst. Een vogel heeft helemaal geen vingers.

DE TROMBONE

Pwap pwap pwaaaaaaap!

BOBBIE

Toen ik vanochtend wakker werd, zat ik in ene rechtop in m'n bed.

ERNST

Was je ergens van geschrokken?

[*Vijftiende episode*]

BOBBIE

Nee, ik was vergeten te gaan liggen!

(*Hilariteit.*)

DE TROMBONE

Pwap pwap pwaaaaaaap!

FRANS DOELEMAN

Had ik nou mijn roodzwart-geblokte broek maar nooit uitgeleend. Ik ben ... ik ben ... Job Cohen.

(*Hij verandert in de alom geliefde burgervader, rinkelende met zijn ambtsketenen.*)

DE BENEDENBUURVROUW

(*vanaf een keukentrappetje*) Achetez mes roses, achetez mes fleurs!... Je suis si seule!...

JOB COHEN

Wat mijzelf betreft: prostitutie is niet iets wat ik geweldig vind, helemaal niet! Persoonlijk spreekt het mij helemaal niet aan. Het gaat hier om man/vrouw-verhoudingen, die mij niet bevallen. Dat neemt niet weg, dat dit soort dingen wel bestaan in de samenleving en probeer daar nu maar op een zo goed mogelijk manier mee om te gaan in een prostitutiebeleid. Met alleen maar verbieden schiet je niks op. Daarom overhandig ik u deze ketenen van de stad. Draag ze met waardigheid. U bent degene die wij verwachten. Degene op wie wij bouwen.

BURGEMEESTER BLOEM

Het is te veel eer. Ik beloof hierbij plechtig dat ik mijn uiterste best zal doen het vertrouwen dat u in mij stelt niet te beschamen.

OMSTANDERS

Leve Bloem! Ooolé olé olé olé oléé. He is de champion!

BLOEM

De komende week zal ik Amsterdam reinigen van de gesel van de criminaliteit. De week daarop leg ik de Noord-Zuid-lijn aan, met winst. Over drie weken moet het gedaan zijn met de hondepoep en onder mijn bewind zal er geen straat meer opengebroken worden. De werkeloosheid zal ik afschaffen. Voor de hygiëne zal ik dagelijkse wasbeurten verplicht stellen in van gemeentewege gerunde bordelen die gratis toegankelijk zijn op vertoon van 65-pluskaart, CJP, stadspas, railactiefkaart, voordeelurenkaart, museumjaarkaart, lidmaatschapskaart van de openbare bibliotheek, parkeervereniging, makroklantenpas, Artisjaarkaart, zorgpas van het ziekenfonds, Blue Travel Polis of Bijenkorfklantenpas. Maar zelfs op vertoon van een AH-bonuskaart zal u de toegang niet ontzegd worden tot deze visionaire vorm van sociale hulpverlening. U, Amsterdammers, zult zich schoon en gelukkig voelen, en veilig zijn. Welvarend, gezond en tevreden. Eh, heldhartig, standberaden en nog wat.

OMSTANDERS

O, verplicht stellen hè! Hi ha hondelul! O wat een spreker is die man! Weg ermee! Lazer op!

BLOEM

Ik doe toch echt m'n best! Het zijn mijn ambtenaren die me verkeerd hebben voorgelicht! Waar is m'n traumahelicopter?

(*De omstanders lopen weg in alle windrichtingen. De burgemeester van de Willemsstraat, Ko Mens, bijgenaamd De Bokkebek, gaat op de schouders. Achter een van de ramen ziet Bloem een meisje zitten dat hij ergens van kent, maar hij weet niet meer precies waarvan.*)

BLOEM

Is het een barmeisje? Het meisje dat bij de slager werkt? Nee... Ze is...

(*Rosa Zeeman in minimale bikini en met authentiek Overijssels kapje op het hoofd.*)

ROSA

Ik had je wel gezien hoor, met je geknakte tullepie. Kom je ff mee naar binnen, schat? Mijn vriendinnetjes zijn er ook.

[*Vijftiende episode*]

BLOEM

Dit is niet echt.

JOYCE

We zullen je eens lekker verwennen.

TAMARA

En elkaar en onszelf natuurlijk.

ROSA

Eerst maak je allemaal grapjes en dan geef je me kusjes en dan stop ik je lekkere warme berelul hé-lé-máál in m'n nauwe tiener-mondje terwijl mijn vriendinnetjes elkaar ff lekker bff!

ROSA, JOYCE EN TAMARA

(*zacht kreunend*) Mmmmmmm!

BLOEM

Nou, kijk, zie je, dat is wel een heel aanlokkelijk voorstel, o schone sirenen, nimfijnen, meisjes van plezier, vrouwtjes van het leven, maar a) wat kost dat? b) hebben jullie wel een geldige verblijfs- en/of werkvergunning? en c) ik heb een missie.

ROSA

En wie mag dat missie dan wel wezen?

BLOEM

Nee, een missie. Een opdracht, een taak...

(*Rosa gaat kirrend suggestief met een zwarte dildo spelen. Er komen wat aangeschoten jongelui uit de Europese provincie voor het raam staan. Ze maken obscene gebaren en roepen.*)

DE JONGELUI UIT DE EUROPESE PROVINCIE

Picture! Picture! Picture!

(*Ze klinken met halve literblikken Carlsberg bier. Een van de jongens laat zijn broek zakken en doet of hij zich gaat aftrekken. De jongste van het stel drukt zijn neus tegen het raam en maakt met gespreide handen vragend het gebaar voor tien euro. Verontwaardigd trekt Rosa het gordijn dicht.*)

ROSA

Wat een ontzèttende rótjongens!

(*Bloem is dan allang op de Oudezijdsachterburgwal. Hij wist waar ze waren.
Achter vier met rode lampen verlichte gesloten rode pluche gordijnen bevinden zich
vier peeskamerttjes, met daarachter de kille ontvangstkamer van het aldaar gevestigde Paleis der Lusten. Twee bankjes langs de zalmroze gesausde muren. Een leestafel
met een leesmap harde porno en een doos Kleenex. Een nummertjesautomaat. Een
zwartlederen dame komt met een zweep uit de deur naar het binnenste binnenste, op
spijkerspitse naaldhakken en een glinsterende saffier op haar voorhoofd, vanwaaruit
een verborgen camera alles opneemt en doorgeeft. Haar chakra. Het is Lucifera,
beyond the call of beauty, in het dagelijks leven Lucy uit Doesburg, ook wel het
Mirakel van Amsterdam genoemd, expert in Opstanding en Wederopstanding, met
name met de zweep. Zij spreekt met een krachtig en streng Achterhoeks accent.*)

LUCIFERA

Kom mee naar mijn behandelkamer. Dan gaan we eerst een eeuwig aandenken aanbrengen op de tempel van jouw lichaam. Kom
maar hier. Hier! zeg ik! (*Zij laat de zweep klakken.*) Of wou je er meteen
veertig?

BLOEM

Ja! Nee! Soms!

LUCIFERA

(*striemend*) Soms wat?!

BLOEM

Soms Madame!

(*De muren van de behandelkamer hangen vol zwepen, karwatsen, knoeten, katten
met negen staarten, gesels, gewichten, Cyclops heavydutymotorsloten voor de mooiste
blauwe plekken en andere pijnigingsattributen. Bloem moet plaatsnemen op een
antieke gynaecologische stoel waarop hij vakkundig wordt vastgebonden met opwin-
dende dameskleding, terwijl in een belendende ruimte de minidiscspeler wordt aan-
gezet door IJsbrand Willems, die de kreten van angst en pijn van de seksueel gekwel-
de en opgewonden medemens wil opnemen voor zijn radioprogramma Sounds of the
Zeroes. Anton zit er wat afwezig ongemakkelijk bij. Harms slaapt en Wölffli is
terug naar zijn Sabijnse moeder de vrouw.*)

LUCIFERA

We kunnen je een ringetje zetten, een knopje, een staafje, een plug
of een spike. We kunnen je brandmerken of littekenen. Branding
en scarification. We kunnen je balzak piercen, je eikel splitsen net
als je tong, of je een staaf zetten horizontaal door je eikel. Zesde
pijngraad, zes maanden genezingsproces. Als je geluk hebt. (*Ze ijs-
beert op haar hoge hakken rond, denkend en overleggend.*) We kunnen ook je
hele handel weghalen en ombouwen en je een Prinses Christina
geven.

BLOEM

(*klappertandend van genot*) Een Prinses Christina? Wat is dat?

LUCIFERA

Een eenvoudig doch pijnlijk clitoriskapje. Dan surface weaven we
tegelijk je buitenste en binnenste schaamlippen met prikkeldraad.
Dan heb je je eigen vagina dentata. Hahaha! Als je daarentegen je
ozo mannelijke, kostbare eikel wilt behouden, mannetje, kunnen
we je een Prins Albert zetten. Dan voegen we meteen wat flesh
stapling op de betreffende plekken toe in een mooi, verleidelijk
nietjespatroon.

BLOEM

Is het wel veilig? Is het wel hygiënisch?

LUCIFERA

Zwijg, aardworm! Anders zet ik je neusvleugels aan je oorlellen
vast! Een implantaatje op je voorhoofd lijkt me ook wel wat. Wat
dacht je van twee horentjes? Hahaha! Of we schroeven een dildo in
je schedel. Laat de suspension show beginnen!

(*Bloem wordt met haken aan zijn tepels en zijn balzak opgehesen boven het roze
hartvormige bad dat voor plasseks is bedoeld maar ook dienst doet als reservoir om
het stromende bloed op te vangen. Na een pijnlijke seksoperatie wordt zij weer neer-
gelaten, beslagen met spijkers. Een baboe in minisarong, haar gezicht oud en gerim-
peld, op marmeren gympen en met vleugels op haar rug en in haar ene hand de fal-*

lische bloem van des duivels campernoelje en in haar andere hand een bosje clitoria
ternatica met kleine blauwe bloempjes in de vorm van schaamlippen met een wit pun-
tje erin, roept Klazina Bloem aan.)

DE BABOE

Siapoeoeoeh!

KLAZINA BLOEM

Ah! Kuntilanak!

(*De boomgeestbaboe slaat met haar flora Klazina Bloem op haar hoofd, en verdrijft*
haar uit het paradijs, waarna Bloem zijn primaire mannelijke geslachtskenmerken
weer voelt aangroeien. Het hoofd van de baboe valt van haar romp, vervolgens ver-
kruimelen haar armen en een van haar benen. In de spiegel ziet Anton hoe een van
de balsem glimmende ex-koningin ex-prinses ex-pornstar Juliana van achteren wordt
genomen door veelschrijver Adrie van der Heijden in Smurfenkostuum en met een
maagband om en een tros Chiquita-bananen in zijn achterwerk. Zijn gigantische
natuurstenen blauwe penis, voorzien van een toepasselijke dooraderde tekst van A.
Roland Holst, sopt in en uit de koninklijke demente Aersholte tot Innelanden.)

ADRIE

O lief ouwetje met je scheve kroontje. Ik zal je bejaardenstront
even aanstampen!

DE TEKST VAN A. ROLAND HOLST

Stik, zei de pik van Victor E. van Vriesland
En schoot van de naai- in de piesstand

ANTON

Vade retro, bananas!

ADRIE

Ja, in me retro. Lekker toch.

(*Anton smijt zijn mondharp door de spiegel.*)

ANTON

Sexcalibur!

(*Er klinkt een voortrollend onweer, de denderende donder van de siemenscombino-*
tram die binnen komt rijden, met schicht toe. De nieuwe schicht. Gegarandeerd

geluidloos. Behalve in de bochten, dan komt er een hels gepiep los. Er stapt een amb-
tenaar van de milieudienst uit, gekleed in lichtweerkaatsend oranje hesje, in gezel-
schap van zijn hogedrukspuit.)

DE AMBTENAAR

Dit is mijn wap. Dit is mijn wapen.

ZIJN HOGEDRUKSPUIT

Driehonderd bar druk. Honderdtachtig graden heet. Alle tempels
spuit ik schoon. Alleen zandstralen is effectiever... Go!

(*De hogedrukspuit gaat aan met een schril gepiep als van auto's die een bocht te*
scherp nemen. Langzaam vervagen de ambtenaar en zijn spuit tot zij helemaal ver-
dwenen zijn, zelfs hun contouren. Time to go! Time to go! IJsbrand Willems is hem
gesmeerd, met het compromitterende materiaal. Jan-Erik Harms blijft slapen in de
armen van Morfeus, zoals de speciale opsluitkast voor masochisten heet, om de vol-
gende ochtend met een barstende koppijn en een leren masker op zijn hoofd wakker
te worden.Eenmaal op straat krijgt Anton het in de Stormsteeg aan de stok met twee
matrozen om een meisje, dat door Anton aangeboden wordt om begeleid te worden
naar huis, naar veilige haven, weg van deze minkukels, waarbij hij haar zijn arm
aanbiedt.)

MATROOS BART

Wie is die klootzak. Sodemieter op, schele! Ik zeg het maar één
keer.

MATROOS MILKO

(*Draagt een doosje met daarin een keur aan schoonheidsprodukten.*) Hou me
tegen of ik bega een ongeluk! Hier, hou vast.

(*Hij geeft het kartonnen, met krullende linten versierde doosje aan zijn meisje.*)

DE VUIST

Ram.

DE KAAK

Kraak.

DE BRIL

Zwiep. Kaplunk.

[Circe]

(*Anton zijgt neer. Er ontstaat een opstootje. Agent Onrust en agent De Ruiter maken een einde aan de samenscholing. Bloem betaalt de schade aan de manager van Lucifera en spreekt de hoop uit dat het niet weer zal gebeuren. Als hij de deur uitloopt ziet hij een jongeman met een klewang in zijn hand en in toga, omdat hij op dat moment promoveert in de theoretische natuurkunde. Een baanbrekend proefschrift over de snaartheorie en de fundamentele wiskundige logica. Hij is in vol ornaat, met paranimfen en bewonderende professoren. Het regent oorkondes.*)*

BLOEM

Frederik!

FREDERIK

Papa! o papa! Wat ben ik blij dat je er bent! Ik dacht dat je al niet meer zou komen!

—⊢⊕⊗⊕⊗⊕⊗⊕⊢—

III

Voorafschaduwend aan al de rest repareerde meneer Bloem in het gezelschap van Anton in de algemene richting van de Nieuwmarkt. Daar aangekomen bleken alle cafés dicht. Goede raad was duur, en welhaast onbetaalbaar. En men, dat wil zeggen, Anton en voornoemde beschermengel, togen linksaf over de Geldersekade. Dat wil zeggen linksaf voor de kijker als die zich ter hoogte van de Kloveniersburgwal bevond (aan de overkant, bij Toko Joyce zeg maar, naast het Loosje, waar Natasha werkt, de dochter van Betty, die dus gelukkig helemaal niet vermist is). Daar, wist meneer Bloem, bevond zich een nachtcafé voor taxichauffeurs, zich te herinneren. Het heette niet *De Vriendschap*, want dat was een andere maar soortgelijke kroeg die ergens anders was gevestigd, maar wel *Het Tuinfeest*, dat in de verte herinnerde aan een gedicht van een van 's vaderlands grootste en fijnste dichters, die juist dit jaar honderdtien jaar geleden het eerste levenslicht zag op de dag dat de heer A. Hitler de gezegende leeftijd van vijf jaren bereikte in zijn Oostenrijkse lederhosen. Was het daar maar bij gebleven, overpeinsde Bloem, dan was de wereld veel onnoemelijk leed bespaard gebleven. Je hoefde alleen maar aan de concentratiekampen te denken, of aan de talloze slachtoffers van de bombardementen, maar het was een onloochenbaar feit, dat zo vast als een huis stond: ook de heer A. Hitler was ooit een jongetje geweest dat een hondje had en in de sloot kikkervisjes ging vangen. Je kon het je ook van al die topmannen met megasalarissen en dito bonussen en premies van de ABN-Amrobanken nauwelijks meer voorstellen dat die ooit kind waren geweest. Het kind en wij. Het kind in ons. Al begraven voordat het goed en wel geleefd heeft. Maar sommige mensen blijven kind, dacht Bloem letterlijk en figuurlijk hoofdschuddend terwijl hij zijn nog lang niet ontnuchterde metgezel van top tot teen mentaal in zich opnam, het beste hopend maar het ergste op dit gebied vrezend, want doorstane agressie, van wat voor soort dan ook, ging een mens niet in zijn of haar koude kleren zitten.

Op Bloems vraag of Anton geen bezwaar had tegen de excursie an sich naar de kroeg van zijn keuze, hield de laatste zich oostindisch doof, daar deze nog steeds enigszins in de lorem was, om niet te zeggen zo kachel als een kanon. Na het in ontvangst nemen van de oplawaai die hem was toegediend van overactieve marinierszijde, zijnde de arm der wet te water, voor koningin en vaderland, en die was gekomen als een donderslag bij heldere hemel, al was het dan midden in de nacht, stond Anton nog steeds onvast en eigenlijk steeds onvaster op de benen, zodat een steuntje in de rug meer dan welkom was. Welnu, dat steuntje werd hem geboden door de helpende hand van de man uit de Anjeliersstraat. Antons companen waren hem reeds lang gepiept en hadden de zeebenen genomen, om plaats te nemen achter kaap kont bij moeder de vrouw in hun respectievelijke bedsteden, verspreid over de kaart van de stad, behalve de scheepstoeter van het drietal, die was nog steeds zoekende naar huis en haard, want hij bezat welbeschouwd kip noch kraai, en leefde zoals het spreekwoord luidt van het talent dat de wind hem bracht.

Na een pas of vijf-zes in de aangegeven richting realiseerde Anton zich dat hem een vraag gesteld was en hij realiseerde zich vrijwel tegelijkertijd wat die vraag geweest was en dat hij die met een volmondig beamend ja zou kunnen beantwoorden, omdat hij immers geen bezwaar had tegen de voorgestelde route en bestemming, als niet op dat moment zijn ingewanden hem duidelijk maakten dat er een straal braaksel schier onstuitbaar op weg was omhoog, zodat hij die even moest wegslikken om de onbelemmerde doortocht van zuren en restsubstanties van alcoholhoudende dranken alsmede een genoten broodje döner-kebab (maar liefst 100% helal!) in de walgelijke kiem te smoren. Geslikt hebbend kwam er iets uit zijn mondopening wat op een antwoord leek.

— Een vreemde gewaarwording. Het leek wel geluk.

— Hè? vroeg meneer Bloem, die het niet één-twee-drie had gehoord of kunnen verstaan, maar wel meteen een en al oor was.

— De juni-avond opent een hoog licht, bracht Anton in het midden, niet begrepen door zijn gesprekspartner, die allang blij was
dat deze weer een waar woord wist uit te brengen, wat dan ook.
Kennelijk had de klap geen blijvende schade toegebracht aan het
hersenweefsel en was de hersenfunctie niet of maar in zeer gerin-
ge mate gestoord, hoewel je daar nooit zeker van kon zijn. Hem
schoten zich plotseling de instructies van de door het Oranje Kruis
verleende EHBO-cursus *Wat te doen bij ongevallen als er (nog) geen arts in de
buurt* is te binnen.

— Weet je nog hoe je heet?

— Mijn naam is Ab. Ab Surd. Het is vandaag 30 maart 2004 en onze
bestemming is het sublieme ondeelbare moment tussen 30 en 31
maart. En de Noordse stern trekt van de Noordpool naar de Zuid-
pool: een afstand van 45.000 kilometer, als hij rechtdoor vliegt.

Het deed meneer Bloem goed te moeten merken dat Anton zijn
gevoel voor humor nog niet aan straatstenen was kwijtgeraakt
maar integendeel had weten te behouden. Tegelijkertijd deed het
hem pijn te zien wat de drank deed met een mens, wat voor ont-
menselijkend effect het sorteerde, zelf zo nuchter zijnd als een
broodje jonge kaas, bij wijze van spreken. Niet dat meneer Bloem
nou direct van de blauwe knoop was, maar Indiërs, en de Javaan
was daarop geen uitzondering, zijn nu eenmaal sneller dronken,
dat was bekend, dus moeten zij ook meer oppassen met drankin-
name en alcoholconsumptie. Een gewaarschuwd mens telt voor
twee, en in dat opzicht telde meneer Bloem wel voor drie, zeker in
verband met zijn maagproblemen die hem alcohol slechts mond-
jesmaat deden verdragen, en eigenlijk helemaal niet. Vandaar dat
hij er ook niet naar taalde.

Een scheve schaats reden de meesten en dat ging vaak over van
vader op zoon. Antons vader scheen naar verluidt ook een onver-

beterlijke dronkelap te zijn die men al menigmaal tevergeefs op het juiste pad had proberen te dirigeren. Het is nog een wonder dat niet veel meer mensen een steekje los hebben, als je naar hun ouders kijkt, dacht meneer Bloem. Als het kind de vader van de man is, wat wel schertsend maar toch met een ondertoon van ernst wordt beweerd, dan is de man ook het kind van zijn vader, welbeschouwd, want appels vallen zelden ver van de boom.

Er was enig bloed gevloeid bij de afgelopen schermutseling op de openbare straatweg, maar het bloed was gestelpt en de wonde verbonden met een provisorische pleister, waarvan meneer Bloem er altijd een paar bij zich droeg in een zijvakje van zijn nooit teleurstellende portefeuille. Voorts was de bril door hem opgeraapt na afgezwiept geweest te zijn door de onzachte aanraking met de knuist in de schermutseling.

Het was niet dat je zei druk in de kroeg. Er zaten drie heren, een van onbestemde Antilliaanse afkomst en twee journalistachtige types, aan een tafeltje met daarop drie fluitjes in meer of geringere mate van lediging of gevuld zijn, het is maar hoe je er tegenaan kijkt. De Antilliaan wond zich op en sprak wijd gebarend:

– Hitler was een blanke die de blanken aandeed wat de blanken de negers aandeden. De enige die dat zag was Boebi Brugsma, die nu waarschijnlijk mag je hopen aan zijn volgende reïncarnatie bezig is. Straks zijn ze al vijftig jaar bezig om te herdenken wat die gebleekte negers elkaar allemaal aandeden. Dus waar ene G. Mak het vandaan haalt om het over solidariteit te hebben... Waarom moeten die negers en zandnegers daaraan meedoen? Is dat soms integratie? Axum is dat, meneer! Niets!

De enige andere gast was een zeeman van een zekere leeftijd, eerder middelbaar dan onbestemd, en dito kapiteinspet, getooid met een vervaarlijk warrige witte baard die zo te zien tevreden zijn pijpjen zat te smoken aan de toog met een glas whiskey voor zich en een longdrink-glas waarin zich een bodempje van een ander lavement bevond. De kapitein, of wat daarvoor door moest gaan, keek meneer Bloem en Anton met een tersluikse blik van opzij aan toen het tweetal de matglazen deur kwam binnenstappen, ongetwijfeld met zijn waarschijnlijk enigszins omnevelde brein twee potentiële gesprekspartners registrerend voor als de conversatie met de barman zich op een dood spoor dreigde te begeven.

Niet lang nadat voornoemd Samaritaans tweetal zich aan het tafeltje bij het raam had geïnstalleerd kwam de barman de bestelling opnemen, van wie fluisterend gezegd werd dat het Dr. Rat was, de graffiti-artiest en superkraker uit begin jaren tachtig, die onder verdachte omstandigheden aan zijn einde heette te zijn gekomen maar van wie de identiteit nooit met honderd procent zekerheid was vastgesteld. Meneer Bloem bestelde twee grote mokken dampende koffie, die prompt werden gebracht. Daarbij kon hij de observatie niet onderdrukken dat de barman inderdaad wel wat van een rat weghad, met zijn schichtige kraaloogjes, hazetandjes en warrige haardos.

— Een zeeman moet varen maar komt altijd weer naar zijn vaderland terug, observeerde meneer Bloem, die diep in zijn hart een grote bewondering had voor het vrije bestaan van zeeman.

— Nederland is mijn vaderland niet, beantwoordde Antons glazige blik niet geheel ter zake dienende deze algemene opmerking. Dit kutland Jutland Nederland.

— Natuurlijk niet, was meneer Bloem snel in zijn reactie, bang om slapende honden wakker te maken in de vorm van boze gedachten of kwade herinneringen bij Anton. Het is maar waar een mens zich thuisvoelt. Ik begrijp wat je bedoelt. Ik snap wel wat de allochtonen doormaken. Ik ben er in feite ook een.

— Ik ook. Zo allo als de pest, sprak Anton daarop weer, met onvaste, bijna in paniek overslaande stem.

— Een vreemdling zeker die verdwaald is zeker, in de illustere stad Amstelodamum, van oudsher aangespoeld.

— Heel Nederland is aangespoeld. Het komt erop aan het door te spoelen.

— Oost west thuis best, ik bedoel een mens neemt zijn thuis mee in zijn hart, zoals de Engelsen zeggen.

— Au! En van dat hart maakt hij een zitkuil, omwald door leugens en bedrog, zei Anton na een ogenblik stilte waarin hij had geprobeerd of de koffie al zodanig was afgekoeld dat hij eventueel drinkbaar was, wat niet het geval bleek.

— De eerste brandstapel hier ter stede, op een steenworp, enige parasangen slechts hiervandaan, werd opgericht om een boek tot pulver te verbranden, omringd door drie concentrische cirkels, sloot Anton om onduidelijke redenen en lichtelijk in het luchtledige af, daar meneer Bloems gedachten rollend en stampend werden meegevoerd naar zijn voormalige vaderland, zijnde de gordel van smaragd die zich als een groene draak om de evenaar kronkelt, zoals een onzer grootste schrijvers het ooit onverbeterlijk verwoordde, Hij Die Veel Geleden Had. Het paradijs dat hij had verlaten. Het kwam hem nu allemaal als een verstilde droom voor, alsof het geluid was uitgezet. Mensen die zich geluidloos op blote voeten heenspoeden en af en toe de kreet van een vogel in de nacht. Meneer Bloem herinnerde zich nog goed de voorstelling die hij van Nederland had gemaakt met zijn koeien, weiden, bloemen, platte eindeloze land en grachten in het zonnetje. Het viel allemaal nogal tegen toen ze ontscheepten. Grauwe dagen werden het en een contractpension in Schijndel.

— Een mens voelt zich gewoon en net als alle anderen, tot het moment dat je omgeving je laat merken dat je anders bent.

Meneer Bloem zag zichzelf weer in zijn jagersgroene corduroy schoolkostuum met plusfour broek en de loodzware schoenen waarin hij gestoken werd toen hij hier te lande werd onderworpen aan de onderwijsplicht. De tijd, die van elastiek was in Indië, was hier van hout. Djam karet in het petjoh.

— Ontheemd. Daar geen huis en hier niet thuis. Maar misschien is het eerder iets psychisch, want als zelfs jij als ras-Amsterdammer, als ik het zo mag stellen, je niet thuis voelt, dan moet het met de persoonlijkheidsstructuur zelf te maken hebben, en wat dat betreft tast de wetenschap nog steeds met de handen in het haar. Geld maakt ook niet gelukkig, dat zie je aan het gezicht van Beatrix.

— Maar wel rijk.

Het kwam er, kort door de bocht, op neer, in de zachtmoedige filosofie van meneer Bloem dat het geluk een gevoel was waarvan het bestaan of niet-bestaan geheel in eigen handen lag: Wil je gelukkig zijn? Wees het dan. Levensles één, maar zoals te doen gebruikelijk bij levenslessen, praktisch onuitvoerbaar omdat niemand er iets aan kan doen of verhelpen.

Anton kon in zoverre meegaan in deze filosofie als hij er iets van begreep. Bloem sprak vervolgens over synapsen en dendrieten, de kalium-natriumpomp en de electromagnetische pulsen (gemeten in webers) waarin wellicht de individualiteit van eenieder van ons school.

— De sluier van Maya die wij dienen af te rukken. Wij zijn allen Papoea's, postuleerde Anton apodictisch.

— En het gekke is dat zelfs daar, in Nieuw-Guinea, niemand wrok of haatgevoelens koestert over wat er gebeurd is, pikte meneer Bloem de laatste woorden van Anton op. Dat is hier wel anders. Anton zweeg.

— Het was een leuk stuk vanavond, over A.F.Th. van der Heijden, zei meneer Bloem, op een heel ander onderwerp overstappend, omdat hij voelde dat hij Anton over het vorige met rust moest laten, al had het er natuurlijk wel zijdelings mee te maken. Nou ja, leuk is het woord niet, het was goed. Ik hoef dat boek tenminste niet meer te lezen, na jouw bespreking.

Anton bleef voor zich uit zwijgen. Niet omdat het onderwerp hem niet interesseerde, maar omdat hij zijn gedachten er niet bij kon houden. Wat maakte het allemaal uit? Intussen was de zeeman opgestaan om de stijve benen te strekken nadat hij met een half oor de geografische aanduidingen op had gevangen die meneer

Bloem en Anton over tafel hadden laten gaan maar aan dat halve oor had hij genoeg om het een en ander te berde te brengen.

– Indonesië! Vergeven van de zeerovers en piraten. Geen lolletje. En de internationale gemeenschap houdt z'n waffel.

De goede man die het gesprek zonder kloppen kwam binnenwandelen stelde zich voor met de naam van Iglo, Kaptein Iglo, schipper van professie en misantropoloog uit roeping. Hij was enig gezagvoerder en bevelhebber van het varend opleidingsschip voor moeilijk opvoedbare matroosjes *De Visstick*. Hij was nu aangevlogen met het luchtschip *De Boroeboedoer*, omdat zijn eigen (water)-schip op dat moment afgemeerd lag ter breeuwing en opkalefatering in de dokken te IJmuiden, de plek aan het Noordzeekanaal die toevalligerwijs of niet ook zijn geboorteplaats bleek te zijn, vele jaren her. Maar aan de werkzaamheden zou elk ogenblik een einde komen.

– Nog een paar nachtjes doorhalen en dan zien ze mij hier niet meer.

Eerlijk gezegd gaf de aanwezigheid van de ongevraagde kapitein meneer Bloem behoorlijk de zenuwen, want je wist nooit waar je aan toe was met dergelijke mensen in een dergelijke staat. Als de tros wordt losgesmeten, als de plank wordt weggesjord, zat je op een wereld met geheel eigen wetten.

– Mensen kletsen maar wat aan. Er worden tegenwoordig boeken over de zeevaart geschreven door mensen die nog nooit een druppel zeewater hebben gezien.

Anton, geeuwend, antwoordde, misschien omdat hij zich ergens in zijn achterhoofd toch aangesproken voelde, als schrijver of dichter, en de opmerking op zijn fatsoen trok:

– U heeft helemaal gelijk. Het is nog erger. Er worden ook veel dingen over schrijven en over boeken gezegd door mensen die nog geen pen kunnen vasthouden.

– Zo is het, bromde de Captain. Schoenmaker hou je bij je leest. Gelukkig, dacht meneer Bloem, duidde de kapitein de onmiskenbare schrobbering die Anton hem ten deel deed vallen, allerminst euvel. Het was zelfs maar de vraag of hij deze had opgemerkt. Het scheen een strenge kerel te zijn, had hij van verhalen vernomen.

— Streng maar onrechtvaardig, zei Bloem, terwijl de kapitein alweer op weg was naar de toog teneinde zich te laven aan het geestrijk vocht dat alleen te bevaren is door het spreekwoordelijke schip in de fles en dat door de Jordanezen zo treffend een pikketanussie wordt genoemd, dat er bij hun altijd in schijnt te gaan. Het is geen sinecure, kapitein te moeten zijn. En zeker op een opleidingsschip vol met matroosjes in opleiding, bedacht Bloem peinzend. Dan moest je af en toe wel eens streng uit de hoek komen. Meneer Bloem herinnerde zich een motto van een bekende opvoeder.

— Die wel bemint, kastijdt zijn kind, zei Cats, zei hij.

— *The King of the Cats*, antwoordde Anton out of the blue en hij begon te zingen:

One way wind, one way wind

Are you trying to blow my mind

— Een mooi lied. Jammer dat het Engels is. Is dat niet wat voor jou, om dat in mooi Nederlands te vertalen? Jij hebt toch alle liedjes van de Beatles vertaald?

— Nee, dat waren die twee eikels met wie ik net in Desmet zat.

— O, ik dacht dat jij er ook bij betrokken was.

— Nee, vertalen doe ik niet meer. Vertalen is voor de dommen. Welkom in Vertalië! geeuwde Anton.

— En zelf teksten schrijven, doe je dat? In je moerstaal bedoel ik. Volgens mij is er een grote behoefte aan goede en betere liedteksten in het Nederlands.

— Aan de teksten mankeert meestal niks. Het is de muziek die het verpest voor mij. Waarop Anton voordroeg, uit het blote hoofd, zoals hij gewoon en gewend was, een strofe uit het wat hem betreft inmiddels allang klassiek geworden of anders snel te worden libretto:

Zwarte Dino, jij wou Nina
Die met Rocco was verloofd
Maar toen Rocco werd gevonden
Werd jouw onschuld niet geloofd

– Schrijf dit uit in een boek van honderdduizend woorden en je hebt de doorsnee Nederlandse roman, resumeerde Anton de achterliggende reden van zijn plotselinge muzikale uitbarsting, die, tussen ons zij gezegd en gezwegen, trouwens niet om aan te horen was, daar zijn stem absoluut niet bij machte was zijn ongetwijfeld nobele intentie bij te benen, om niet te zeggen: kattengejank.

Meneer Bloem, blij en aangenaam verrast een punt van overeenkomst gevonden te hebben in hun beider levenssfeer waarop hij kon voortborduren, hun liefde voor de Nederlandstalige muziek, al was het in Antons geval slechts de Nederlandstalige muziektekst, en dan ook lang niet alles daaruit, vroeg of Anton het Jordanese lied een even warm hart toedroeg als het zojuist ten gehore gebrachte *Brandend Zand,* dat in hem (meneer Bloem) reminiscenties losmaakte aan de plek waar hij het levenslicht zag, hoewel (en dat beseffen veel mensen niet) zich afspelende aan Siciliaanse en niet (abusievelijk) aan Indonesische kusten.

– Ik ben er geen expert in, antwoordde deze, op zijn hoede, want ofschoon hij bij menig Jordaanlied de oren dichtschroefde, voorzover dat mogelijk was, wilde hij zijn gesprekspartner ook niet al te ruw voor het hoofd stoten, en evenmin kon hij zijn bewondering voor althans sommige van de geschreven teksten eenvoudigweg onder stoelen of banken steken, hetgeen hij dan ook niet deed, integendeel.

Meneer Bloem vertolkte daarop, in een 'voor wat hoort wat'-operatie, zij het stemvast en met een doorvoeld timbre, zoals Willem O. Duys dat altijd zo mooi placht te zeggen op de steevast naar koffie en draadjesvlees riekende doorsneezondagochtend, enige woorden uit *De Radijswals,* waarvan hij vermoedde dat ze bij Anton in goede aarde zouden vallen, wat het geval bleek:

'k Heb witte en rooie radijs
Geen voze maar mooie radijs
Loop ik langs de grachten en straten
Heeft ieder me zo in de gaten

— Dat is gewoon je reinste de Nederlandse Molly Malone, concludeerde Anton op het eerste oor. De Jordanezen zijn de Ieren van Amsterdam.

Of dit aforisme als compliment gemeend was of niet, kon meneer Bloem niet bevroeden en hij vond het op dat moment ook niet buitengwoon noodzakelijk dit uit te zoeken, gezien het vergevorderde en immer voortschrijdende tijdstip van de nacht. Wel vertelde hij vervolgens een en ander over een ander gevoelig lied uit oud-Jordanese sferen dat ook als equivalent van het zojuist genoemde kon doorgaan, namelijk het *Grote Garnalenlied*, dat met name een favoriet van hem was, over een garnalenpelster die al haar opgekropte agressie kwijt kon in het breken van garnalen. Die activiteit werd dan ook zo beeldend beschreven dat je bijna je eigen ribben voelde kraken en je ingewanden hardhandig verwijderd voelde worden als je het lied hoorde.

Andere frappante overeenkomsten tussen het Ierse lied en het Nederlandse inzonderheid Jordanese levenslied passeerden de revue over hun tafeltje aan het met vieze vitrage voor de onderste helft toegedekte raam. Vaak handelden de liederen over een tochtje dat de doorgaans aan hun plek gebakken buurtbewoners in de buitenwereld maakten, naar Artis of het strand bijvoorbeeld, tochtjes die altijd op rampspoed en onheil uitliepen. En even vaak betroffen de liederen uitgebreid de tijdpasseringen van drinken en feesten, waarbij ook niet alles onschuldig toeging. Dat was een feit.

— De enige ontsnappingsmogelijkheid uit een als beknellend en armoedig ervaren wereld, meende meneer Bloem.

En ook niet vergeten mocht worden dat er in beide culturen nogal eens dodenwakes werden bezongen, die steevast in grote vechtpartijen eindigden waaraan de hele buurt vrolijk deelnam.

– Het draait trouwens altijd op knokken uit in het Jordaanlied, merkte meneer Bloem inzichtelijk op. Ook daarin kan het Amsterdamse levenslied het Ierse een ferme hand reiken.

– Net als de werkelijke werkelijkheid, bromde Anton, daarbij met zijn hand over zijn pijnlijke wang strijkend, waarop de beide heren een glimlach ten beste gaven die zowel verwees naar de gemeenschappelijke herinnering van hedenavond als naar de blijdschap over het goede aflopen van de gebeurtenis die tot die herinnering aanleiding had gegeven.

Meneer Bloem vertelde Anton in het kort wat hij zelf had wedervaren, eerder op die zo enerzijds noodlottig anderzijds fortuinlijk besloten dag, als gevolg van onverdraagzaamheid en misverstand enerzijds zijnerzijds maar vooral van de kant van zijn autochtone naasten in de kopieerwinkel.

– Je kan maar beter de aftocht blazen, voordat de grond je te heet onder de voeten wordt. En misschien is het nu ook beter de pijp aan Maarten te geven en zich uit diezelfde voeten te maken.

Ook Anton was de pacifistische richting toegedaan, al nodigden zijn verschijning alleen, zijn hooghartig aandoende houding en zijn niet van sarcasme gespeende woorden niet zelden uit tot commentaar van meer volkse passanten. En zijn pen had hij natuurlijk ook niet bepaald in melk gedoopt.

Meneer Bloem keek op de caféklok. In gedachten trok hij de gebruikelijke twintig minuten à een half uur van de aangegeven tijd af, want in cafés zette men de klok altijd voor, om niet telkens overuren te hoeven draaien door dralende klanten, waarop trouwens tegenwoordig fikse boetes stonden en ook daadwerkelijk werden uitgedeeld. Hij zag dat het al flink laat in de vroege uurtjes werd, dus hij stelde Anton voor te vertrekken van hier. Zo gezegd, zo gedaan was het adagium en zo geschiedde. Er werd met het voorgeschreven decorum afgerekend, met fooi en al, nog steeds uit de zak van meneer Bloem, daar Anton tamelijk insolvabel en pecuniair platzak geworden was na zijn laatste aanvaring met

koning Alcohol de Tweede en vrouwe Lucifera de Eerste (vooraf
betalen graag). Anton hield de deur voor meneer Bloem open bij
het vertrekken uit de openbare gelegenheid en eenmaal bij de
taxistandplaats op de Nieuwmarkt aanbeland, besloten zij er een te
nemen (een taxi), richting domicilie Bloem.

De chauffeur, die Bloem net nog had zien zitten in de nacht-
kroeg, was een beetje een ruwe kwant, maar geen racist, dat zag je
zo, dacht meneer Bloem. Of zou hij zich inhouden omdat ik. Het
gesprek dat Bloem gewoontegetrouw aanknoopte, ging over het
weer van morgen en dat van vandaag en over de (onvermijdelijke)
uitvaart, al merkte hij, tot zijn onuitsprekelijke opluchting, dat
hem (de chauffeur) dat geen ene malle moer of sodeflikker kon
interesseren. Als hij onder de grond ging stonden er toch ook geen
zesentachtig camera's bij. Nou dan. Zulke dingen daar hij irriteer-
de hij zich mateloos aan. Bloem beaamde dit en wierp ondertussen
een blik op de meter. Hij bedacht dat de meesten van ons natuurlijk aan de goede kant stonden in het leven, tegen agressie en zinloos geweld, maar dat exorbitante en van boven opgelegde bewijzen dat dit zo was, zoals koninkijke begrafenissen, dodenherden-
keingen, stille marsen en dergelijke, eerder een averechts effect
konden hebben. Zo werd de vijand in ons misschien wel gewekt.
Zulks gold in elk geval niet voor Anton, want die was inmiddels
neuriënd in slaap gevallen tegen het portier van de auto *en zo reden
zij door de straten.*

--------◌⊗◌⊗◌⊗◌--------

Hoe verschafte meneer Bloem zich toegang tot zijn woning, zijn
sleutels vergeten zijnd de ochtend van het vorige etmaal en ze
daarna niet meer opgehaald hebbend?

O NDANKS HET GEMIS aan toegangverschaffende middelen
(sleutels, lopers, koevoeten, ruitentikkers, aksen, storm-
rammen, explosieven, anti-tankwapens, mortieren, schoenen van
het merk Jehova's Getuige) wisten zij langs ingenieuze weg de

Geert Mak, *Een kleine geschiedenis van Amsterdam* (Olympus, 2000); Marion Bloem, *Vaders van Betekenis* (Arbeiderspers, 1989); *Indië in Holland* (De Bijenkorf, 1992); *Manifestasi Puisi Indonesia-Belanda* (Penerbit Sinar Harapan, 1986); W.F. Hermans, *In de mist van het schimmenrijk* (CPNB, 1993); *Poëzie en Proza uit Noord- en Zuid-Nederland deel I* (Wolters-Noordhoff, 1967); *Je moet schieten, anders kun je niet scoren, en andere citaten van Johan Cruijff* (Bzztôh, 2000); Hans Visser, *Simon Vestdijk, Een schrijversleven* (Kwadraat, 1987), Simon Vestdijk, *Door de bril van het heden* (Bert Bakker, 1963); idem, *De Poolse Ruiter* (Bert Bakker, 1958); *Prisma van de Sterrenkunde* (Het Spectrum, 1992); Jan Roelffs e.a., *De Oude Wester 350 jaar* (Tiebosch, 1981); *Bijbel, dat is de gansche heilige schrift bevattende alle de canonieke boeken des ouden en nieuwen testaments* (Het Bijbelgenootschap, 1935); *Nederland-Indonesia 1945-1995, een culturele vervlechting, suatu pertalian budaya, met een voorwoord van de heer J.B. Soedarmanto Kadarisman, ambassadeur van Indonesië in Nederland* ([Z]OO produkties, 1995); Jenny Pisuisse, *Jean-Louis Pisuisse, de vader van het Nederlandse cabaret* (Unieboek, 1977); *Straatmadelieven, Een bundel met oude & nieuwe voor het merendeel nog niet in boekvorm gepubliceerde volks- en straatliederen* (Het Spectrum, z.j.); *De Grote Geïllustreerde Wereldgeschiedenis in 17 delen met 2000 afbeeldingen* (Amsterdam Boek, 1972); Pieter van der Zwan, *Hadjememaar, Amsterdams straatleven en straatfiguren tussen 1900 en 1940* (Postgiro en Rijkspostspaarbank, 1979); G.K. van het Reve, *Vier Pleidooien* (Athenaeum—Polak & Van Gennep, 1972), *The Wordsworth Book of Days* (Wordsworth Editions, 1995); *Napoleon,* in de serie *Groten van alle tijden* (De geïllustreerde pers, 1968); Willy Vandersteen, *Suske en Wiske* 89, *De Dolle Musketiers* (Standaard uitgeverij, 1971); James Joyce, *Dubliners*, vertaald door Rein Bloem (negende, geheel herziene druk, Athenaeum—Polak & Van Gennep, 2004); *Stadsplattegrond voor fietsers in Amsterdam* (Cito-plan bv, Fietsersbond ENFB, Gemeente Amsterdam, z.j.); Windig & De Jong, *Heinz* 14, *Hij Wel* (Oog en blik, 1995); David Wallechinsky e.a., *'t Lijstenboek* (Skarabee, 1982); *Heb ik dat gezegd, Meer dan 500 opmerkelijke klantenopmerkingen* (Uitgeverij Drogisterij Hermanusje van Alles, z.j.); Nescio, *De uitvreter en andere verhalen* (Nijgh en Van Ditmar, 1956);

[*Zeventiende episode*]

Studies 1, red. Christine van Boheemen); *Masculinities in Joyce Postcolonial Constructions* (*European Joyce Studies 10*, red. Christine van Boheemen-Saaf & Colleen Lamos); Karl Kraus, *De laatste dagen der mensheid*, klassiek geïllustreerd door A. Clerkx; Isaac Asimov, *Book of Facts*; *The Pleasures of the Torture Chamber* (het standaardwerk van John Swain uit 1931 en vele malen herdrukt, red. Christine van Boheemen); een Riha-cursus gamelan-spelen; Theo Thijssen, *Kees de Jongen* en *Het Grijze Kind*; *Gifslangen en Noord-Amerikaanse presidenten*, door Theo Hayes; *Wie verre reizen doet, Nederlandse letterkunde over Indonesië van de Compagniestijd tot 1870*; *Zelf bloedneuzen genezen*; *De Nederlandse literatuur in drie woorden*, gevolgd door *De Vlaamse literatuur in een lekkende notedop op hoge zee*; Paul Claes, *Laten we het in de familie houden: Incest - hoe doe je dat?*; Albert Hagenaars, *Pedofilie op een koopje, de grote vraagbaak voor de pedofiele doehetzelver*; *Een geschiedenis van het Nederlandse Levenslied in bommenwerpersvlucht*; *Recepten van Nora Joyce*, voor de Indische keuken bewerkt door Albert Mol en Bep Vuijk; James Joyce, *Finnegans Wake*; James Joyce, *Haal meer uit andermans boeken: Knippen en plakken deel IV*; Kempowski, W., *Bloomsday '97*; Duck, K., K., en K., *Het jonge woudlopershandboek* (de niet uit elkaar te houden neefjes); L. Ron Hubbard, *Dianetics* (word een beter mens); *Toen wij van Rotterdam vertrokken*; *The Book of Serenity*; Ludwig Wittgenstein, *Het Blauwe Boek*; idem, de *Tractatus Logico-philosophicus*; idem, *Het Bruine Boek*; *Kleren hangen 1500-1800, een cultuurhistorische verkenning* van Leo 'Kwakwakwa' Noordegraaf; H.J. Buytendijk, *De tractor, haar wezen, haar verschijning*; *Het evangelie van Jan*, door Jan Obbeek; *De wereld van de apen*, door G.O. Rilla en Maarten Doorman; *In het land der peren*, door P. ('Pruimpje') Peer de Prutser en J.J. Peereboom; *Me rug op* van J. Bernlef; *Zelf dameskapper worden, het onluisterende levensverhaal van Connie Palmen*; *Het dagboek van Anne Frank*, door Harry Mulisch; Nietzsche, *Werke*; W. Shakespeare, *The complete works of Shakespeare*; *Tomben* van Jan Kuijpers (voor het eerst sinds 3000 jaar gelezen); Jan Cremer, *Ik, Jan Cremer*; Simon Vestdijk, *Surrogaten voor Murk Tuinstra*; *Mijn leven als genie* door Salvador Dalì; *Mijn leven als genie* door Rudi Fuchs; *Mijn leven als fluitketel* door Anna Enquist; *1001*

breipatronen door A.F.Th. van der Heijden; *Wie dit leest is gek*, de autobiografie van A.F.Th. van der Heijden; *Tuinieren Stap voor Stap* door
Voltaire; *100 leuke, makkelijke en vooral goedkope recepten met witte bonen en
tomatensaus voor de magnetron vanaf de prehistorie tot heden* door Thomas
Rosenboom en Frans Doeleman.

Welke Nederlandse tekstliedzanger bewonderde meneer Bloem
het meest?

E IGENLIJK WAS ER MAAr ÉÉN, DIE met kop en schouders, romp en
benen boven alles en iedereen uitstak, en dat was de zanger
van *Het Land van Maas en Waal*, geschreven door Lennaert Nijgh, die
daarmee zo treffend de toestand van het ten einde raad zijn
beschrijft, het zo in de rotzooi zitten dat er eigenlijk geen uitweg
meer is, de vrolijke wanhoop. De liedjeszanger, eeuwig-jeugdige
Nederlander, moderne jongen, pacifist, protestzanger annex trou-
badour, het levend monument over wie wij het hebben werd
geboren op twintig mei 1944 in een Jappenkamp bij Batavia, waar
zijn vader postambtenaar was. Na de oorlog keerde de familie
terug naar Nederland, woonde enkele jaren in Haarlem en daarna
in Heemstede. Hij bezocht daar het lyceum. Hij heeft het einddi-
ploma HBS-A. Dit jaar zal hij veertig jaar in het vak zitten en zestig
jaar in het leven staan.

Van welke Nederlandse liedtekstdichter hield Anton het meest?

S CHERPZINNIG, SAMENSMELTEND, SABOTEREND simpel, slange-
menselijk was dat de liedtekstdichter van *Het Land van Maas en
Waal*, geboren op 29 januari 1945, die zoveel bekende liedjes op zijn
naam heeft staan dat zijn naam vaak in een adem wordt genoemd
met degene die het lied uitvoert. Hij maakte naam als tekstdichter
voor Boudewijn de Groot, een jeugdvriend met wie hij samen
opgroeide in Heemstede en later op school ging in Haarlem. Daar
werkten ze muzikaal voor het eerst samen in een schoolrevue. Dat
Boudewijn de Groot in de jaren zestig kon uitgroeien tot trouba-

dour van de flower power en protestzanger had hij mede te dan-
ken aan zijn teksten. De eerste hit, *Welterusten Meneer de President*, ves-
tigde de naam van De Groot als protestzanger, iets wat bij de zanger gemengde gevoelens opriep, want hij zag zichzelf niet alleen
als vertolker van maatschappijkritische liedjes. Hij schreef en ver-
taalde daarnaast musicals en maakte songteksten voor tal van
Nederlandse artiesten: Astrid, zijn vrouw van wie hij later scheid-
de (maar die nog steeds boze reacties krijgt op haar *Ik doe wat ik doe*),
Jasperina de Jong, Liesbeth List, Ramses Shaffy, Jenny Arean,
Flairck en Rob de Nijs. Een kleine greep uit de bekendste liedjes:
Malle Babbe, De Trompetter, Dag Zuster Ursula, Een Meisje van Zestien. Op
28 november 2002 stierf hij na een kort ziekbed. Hij was toen pas 57
jaar oud.

Hoe verhield zich de leeftijd van Bloem tot Anton?

IN DE TIJDRUIMTE VAN DE RUIMTETIJD, in anomalistische jaren
gemeten, die het tijdsverloop aangeven tussen twee opeenvol-
gende periheliumdoorgangen van de aarde, met een tijdsduur van
365,25963584 dagen, verschilden zij 22 jaren in het leven, 22 zijnde de
leeftijd waarop Bloem voor het eerst vader werd van zijn eerstge-
borene die op die leeftijd zijn zelfverkozen afscheid van het leven
nam in de hoop de rust te vinden die hij altijd had gezocht, het
jaar van 20ste eeuw waarin Howard Carter en Lord Carnarvon zich
de vloek van de mummies op de hals haalden door als eersten in
meer dan 3000 jaar de tombe van farao Toetankhamon te openen,
het jaar waarin Anton Wachterromans -40 zou zijn en James Joyce,
die Ierland op 22-jarige leeftijd verliet, +40 was en *Ulysses* publi-
ceerde bij Shakespeare & Company te Parijs.

Hoe verhield zich de leeftijd van Anton tot Bloem?

CONTINU CONTRAIR CONTRADICTOIR WAS Anton de jongere van
de twee, hoewel hij inmiddels van middelbare leeftijd was,
al worden in de krant verdachten en/of slachtoffers van om en

nabij die leeftijd nog immer als jongeman aangeduid. Blijven mensen langer jong? Willen zij als langer jong blijvend of gebleven zijn doorgaan? Of worden zij later oud? Wie stelt hier eigenlijk de vragen?

Noem tien wetenschappelijke feiten en/of theorieën en/of nog niet afdoende beantwoorde en/of bewezen vraagstukken waaraan meneer Bloem gedurende de dag heeft moeten denken

NAPOLEONS AAMBEIEN. DE tekortschietende hygiënische zelf-verzorging van Lodewijk XIV alias de Zonnekoning. Het darwinisme als niet-falsifieerbare en daarom nooit bewezen kunnende worden theorie, vooral in het licht van de teleologische component daarin en het achteraf redeneren, vanuit het resultaat: om te. Heel raar, dat om te. Terwijl het is wat het is omdat het is wat het is. Het Doppler-effect, het verschijnsel dat het trillingsgetal en de golflengte van de door een bron uitgezonden trillingen zich schijnen te wijzigen als die bron zich van de waarnemer verwijdert (of omgekeerd). Zijn wij allen papoea's (ik in elk geval niet). Draait de tijd terug. Kan men zijn eigen vader worden. Waarom lijken ouders op hun kinderen en kinderen niet op hun ouders? Heeft dat dezelfde reden als waarom baasjes op hun honden lijken en honden niet op hun baasjes? Is dat laatste wel zo? Of gaat dat alleen op voor rashonden, in de zin dat de grootste gemene deler van het mensdom – gelukkig – tot het vuilnisbakkenras gerekend kan worden. Worden wij geleid door driften of door idealen, met andere woorden loopt onze inwendige mens zijn lul achterna of liggen er diepere gronden aan ons handelen en/of niet handelen ten grondslag? Moet de vuilniszak nog naar buiten? (Nee, het is woensdag en dat is geen vuilnisophaaldag.)

Noem tien Nederlandse schrijvers en/of dichters die Anton Wachterromans vandaag door het hoofd hebben gespookt in het spookhuis van zijn verbeelding.

[*Zeventiende episode*]

H ARRY MULISCH, GEBIJNAAMD The Alien omdat hij loopt, spreekt en schrijft alsof iemand de opwindsleutel een slag teveel heeft doorgedraaid in zijn rug. Simon Vestdijk, de calvinistische woordkakker. Adrie Van der Heijden, gebijnaamd De Slanke Den, De Menselijke Vetrol, De Uitsmijter-Binnenwipper, De Vleesgeworden Liposuctie, Hamstertje, Kampioen Slechte-Eerste-Zinnen-Schrijver en Het Michelinmannetje van de Nederlandse Letteren. Thomas Rosenboom, slap stijlfiguur of liever geen stijlfiguur, wiens ogen altijd groter zijn dan zijn maag op kan. W.F. Hermans, de Stijve Jezus van de Eerste Helmersstraat. Gerard Reve, de viervoudig vervloekte martelaar van Schiedam. Henk Romein Meijer, rare jongen. Joost Zwagerman, daadwerkelijk. Arnon Grunberg, verzopen in meningen. Geerten Maria Meijsing, die dacht dat hij kon schrijven want hij zat graag op zijn krent. Multatuli, de veelgeledene in zijn kuisheidsgordel van smaragd.

Wat verbond dan wel onderscheidde Bloem met dan wel van Anton in de ogen van Bloem?

D E VERBINDENDE FACTOREN DEWELKE Bloem vond tussen hem en zijn gast waren: vredelievendheid, opengeestigheid, dierenliefde, taalgevoel, frederiknabijheid, narrigheid, woonachtigheid (nl. in een woning en in Amsterdam), sexe (mnl.), kenniszucht, de onuitgenutheid van talent, herinneringslust, feitenfetisjisme, veelweterij, kennis + kunde = kunnis, isolement in de samenleving als zodanig, argwaan ten opzichte van achteravistische redeneringen en autoritaire autoriteiten, geestelijke ontheemdheid en ballingschap in zelfverkozen oorden en woorden, anarchisme, zelfdenkzaamheid, *un certain je ne sais quoi*. De onderscheidende factoren dewelke Bloem aantrof waren: de leeftijd, het artistieke temperament, agressiviteit, drankzucht, de verkeerde vrienden, een stukje extra belezenheid, charme, vrouw(on)vriendelijkheid, verantwoordelijkheidsgevoel, relativisme, praktische, sociale, emotionele intelligentie.

Wat onderscheidde dan wel verbond Anton van dan wel met Bloem in de ogen van Anton?

Intussen dacht Anton dat hij nooit *De Ballade van de Gewone Man* kon zingen omdat hij niemand als zodanig beschouwde. Ze waren allemaal stapelgek. De wereld wordt bevolkt door buitenstaanders, buitenbeentjes, halve en hele zolen, onaangepasten, neuroten, psychoten, en mensen met alle mogelijke tekortkomingen op menselijk, intermenselijk en transmenselijk gebied. Zou er ooit nog een ander soort mens mogelijk zijn? Op de planeet Harry misschien.

Welke plannen koesterde Bloem?

Ieder mens moet zijn tuintje wieden. Daarom is het zaak een tuin te hebben. Wat valt er anders te wieden? Derhalve had hij zich ingeschreven voor het volkstuinencomplex De Amstel, een van de enige volkstuinencomplexen die niet met onmiddellijke bedreiging werden bedreigd door de immer moetende groeien economie en daarmee samenhangende landhonger van de gemeente. Meer in de nabije toekomst richtte zijn onverdeelde aandacht zich op zijn aanstaande huwelijksfeest, zestien juni 2004. Hij zag in de (hernieuwde) kennismaking met Anton een mogelijk opstapje naar verbetering van de spraakkunst, dictie en vocabulaire van mevrouw Bloem.

Welke plannen koesterde Anton?

Een tweede evangelie. Een autobiografie van de polemist als jongeman. Een Oranje Vrijstaat tot aan de Molukken met open zeehavens in de winter. Brabant vrij tot aan de Moerdijk. Een fiets voor iedereen. Een Nederlandse *Ulysses*. Een boek over een Natuurhistorisch museum in Zürich. Vrijheid ongelijkheid liefde (met constitutie naar goede oude gewoonte gebonden in de huid van aristocraten en monarchisten).

[*Zeventiende episode*]

Welke handelingen verrichtte Bloem in de keuken?

Gerommel in de keukenkastjes met keukengerei, specifiek
gericht op het zetten van thee. Het uitzoeken van de blikjes met onderscheidene theesoorten, het pakken van de fluitketel,
het wenden van de waterkraan en het plaatsen van de fluitketel
zodanig dat de waterstroom uit de waterkraan, mits opengedraaid
zich zou voegen naar de inhoud van de ketel en de spierkracht en/
of gevoeligheid van zijn pols niet zozeer zou belasten dat daar een
pijnlijk gevoel aan overgehouden werd, het openen van de koud-
waterkraan, het aansteken van het gas middels opendraaiing van
de gaskraan en het gelijktijdig herhaaldelijk drukken op de piëzo-
ontsteking van het pitje, net zolang tot de vonk in het gas sloeg;
het plaatsen van de fluitketel op de inmiddels brandende gaspit;
het afwachten tot uit de ketel een regelmatige krachtige uitstoot
van damp tevoorschijn kwam en het water de natuurwettelijk
voorgeschreven kooktemperatuur van honderd graden Celcius
zou hebben bereikt. Ledig afwachten en aanzien? Neen. De theepot
moest worden omgespoeld, de bodem bedekt met een vingergreep
geurige gedroogde en verschrompelde theebladeren, de kopjes
moesten uit de kast worden gepakt, waar zij achter de drinkglazen
stonden, de suiker ging op tafel, de kat die hem met de staart ferm
omhoog en kopjes tegen de onderbeen kwam begroeten moest
worden toegesproken en op de hoogte gebracht van de aanstaande leverantie van brokjes in zijn bakje en tenslotte diende de gast
geestelijk beziggehouden te worden met vragen naar huiselijke
omstandigheden, werk en de dag van morgen. Tegelijkertijd nam
meneer Bloem gelaten, berustend nota van het feit dat de keukentafel enige centimeters verschoven was en dat zich op het aanrecht een fles rode wijn en een fruitmand bevonden die zich daar
eerder die dag in zijn aanwezigheid nog niet hadden bevonden.

Wat was Antons reactie, psychisch, fysiek, sociaal, in woord en in
daad, op meneer Bloems vraag of hij zin had in thee?

gracht, Rozengracht (worst!), Akoleienstraat, Bloemgracht, Lijn-
baansgracht, weer thuis. Tweede Anjeliersdwarsstraat, Westerstraat (zeep), Prinsengracht (thee), Bloemstraat, Eerste Bloemdwarsstraat, Bloemgracht (even zijde), Eerste Leliedwarsstraat,
Tweede Egelantiersdwarsstraat, Tweede Tuindwarsstraat, thuis. Op
de fiets: Raadhuisstraat, Singel, Paleisstraat, Spuistraat, Spui,
Rokin, Amstel, Halvemaansteeg, Rembrandtplein (Maarten),
Utrechtsestraat, Westeinde, Van Woustraat, Ceintuurbaan (mogelijke *rencontre* met Anton, die immers om de hoek woont), Amstel-
dijk, Zorgvlied (eindhalte). Terug via Mr. Treublaan, Weesperzijde,
Ringdijk, Pauwenpad, Wibautstraat (krant; *rencontre* met Anton).
We pikken zijn spoor weer op in de Nieuwezijdsvoorburgwal, Sint
Luciënsteeg, Kalverstaat, Rozenboomsteeg, Spui (lunch). Spuistraat (roep der natuur. *Rencontre* met Anton). Kloveniersburgwal,
Oudemanhuispoort, Staalstraat (De Doelen). Westerstraat (dat
liep nog maar net goed af). Vondelpark West (soort lijm). Plantage
Middenlaan (radio; *rencontre* met Anton). Wallentocht: Oudezijdsvoorburgwal, Sint Annenstraat, Sint Annendwarsstraat, Oudekerksplein, Oudekennissteeg, Oudezijdsachterburgwal (*rencontre*
met Anton en gezamenlijk verder optrekken). Stormsteeg, Geldersekade, Nieuwmarkt (in de haven). Anjeliersstraat (met de
taxi). De straten en plekken waar Bloem niet was geweest maar
waar hij wel Anton had kunnen tegenkomen waren, in chronolo-
gisch-topografische volgorde: Van Ostadestraat (vroeaaaap!),
Ruysdaelkade, Reinier Vinkeleskade (Schilderskade), Apollolaan
(gebogen hoofd, *hic sunt lennones*, vijfendertig jaar geleden, geef
vrede een kans), Olympiaplein, Amsterdams Lyceum (wieowie),
Valeriusplein, Emmalaan, Vondelpark, onbekend, Weteringschans,
Sarphatistraat, Professor Tulpplein, Heinekentunneltje, Weesperzijde, Wibautstraat, redactieburelen van het dagblad Trouw, zelfde
route in omgekeerde volgorde, op de Sarphatistraat rechtsaf, langs
de Amstel, de Stopera, door de Staalstraat, over het Binnengast-
huisterrein, de Grimburgwal en het Rokin naar het Spui, Athe-

naeum Booksellers & Nieuwscentrum (waar Anton keek of de nieuwe *Beatles Unlimited* al uit was), Bungehuis, (derde verdieping) café Het Schuim, onbekende verblijfplaatsen en routes die hebben geleid naar de Plantage Middenlaan.

En wat stond er op dat blaadje dat Anton op de wc las?

NIKS DAT HIJ ZICH ACHTERAF NOG KON herinneren, laat staan op dat moment in zich op kon nemen. Het was laat, remember! Hoe moet hij nou weten wat er allemaal op zo'n stom filosofiescheurkalenderkontafveegblaadje staat! Alsof je na 1 januari nog verder wilde lezen! Sodemieter toch op man! Jury! Jury! Scheids! Ga toch slapen! Weet je wel hoe laat of het is! De illusoire, fantastische en hemelse positie van de mens die in de praktijk tot onderwerping leidt vervang ik door de tastbare, actuele en uiteindelijk ook sociale en politieke situatie van de mensheid!

— We got a situation.

Aldus sprak Allard Pierson met de mond van Edmund Husserl in het wiegje van Friedrich August von Hayek, waarbij twee dodelijke slachtoffers te betreuren waren, te weten Willem von Rumboldt en John Stewart Mill.

— This is an emergency. Officer down. He's got a knife! Calling for backup!...

Wat serveerde meneer Bloem bij de thee?

INDISCHE SPEKKOEK! OOK WEL KWEE LAPIS geheten, aldus bereid: roer in een kom 16 eierdooiers met 20 eetlepels suiker door elkaar tot een gladde boter. Doe er al roerend 8 eetlepels bloem door en bij kleine stukjes 250 gr. boter. Sla de 16 eiwitten tot schuim en voeg die al roerend toe aan het beslag. Doe in de tweede kom 14 eierdooiers met 10 eetlepels suiker, 7 eetlepels bloem, anderhalve eetlepel rode rijst (ang-khak), 1 theelepel kruidnagelpoeder, een halve theelepel kaneel en 250 gram boter. Maak hier eveneens een glad beslag van. De spekkoek wordt laag voor laag gebakken. Leg eerst een laag van het ene beslag in een springvorm, laat deze goed gaar worden en leg dan de andere laag erbovenop, na eerst de vorige laag met een kwastje olie te hebben bestreken. Prik zo nu en dan met een breinaald in elke laag. Blijft er deeg aan hangen dan is het gebak niet gaar. Selamat makan!

Waaraan dacht Anton bij het lezen maar het blijkbaar niet in zich opnemen of het zich achteraf herinneren van dat blaadje?

IK SNAP HET NIET IK SNAP HET NIET. Mijn naam is de Maartse Haas. Vandaag is het dertig maart. Geen eenendertig, geen tweeëndertig, de dag van vandaag die al de dag van gisteren is. De oude Grieken rekenden tenminste per zonsopgang. Vandaag, gisteren dus, was het exact 22 jaar geleden dat hij was begonnen met het opmaken van het testament van zijn jeugd. Dat dacht hij. En hij keek nogmaals op 8 april, maar snapte het toen nog niet.

Nodigde meneer Bloem Anton uit om te blijven slapen en ter bestemder plekke de nacht door te brengen op het opklapbed in Tilly's oude kamertje, dat nu dienst deed als opberghok?

DAT DEED HIJ ZEKER DOEN, IN HUIZE BLOEM, ontbijt op bed, de thee wordt vers gezet. Sorry, koffie.

En werd de uitnodiging tot een overnachting van Bloem aan Anton door Anton aanvaard?

SORRY, MANGE TAK VOOR INGETING, spasiba bolsjoj, maar het was al bijna de moeite niet meer zo laat als het was en bovendien er is nog zoveel te doen op de

Op de? Waar? Waar is nog zoveel te doen? Of zijn we klaar? De S op 12 dus? Nee erachter:

●

⊢⊕⊗⊕⊗⊕⊗⊕⊣

wastobbe en bij het trappen dweilen dan liep ik altijd te gillen nou
en toen is ie door het opklapbed gezakt gelachen dat we hebben ik
had geen asem meer wat is er toch met je vroeg ie nee niks voor
mijn ben je gek zullen we ons allebei in het water laten plompen
mijn augurrekie hup sansee de karrewatsie o zure haringen en een
rolmops nou toen had m nog van die wijven aan zn kont hangen
van die uitgedroogde taartjes met wolken van parfum die je een
dikke zoen op iedere wang geven maar intussen gaan ze proberen
je naar beneden te halen die ingekrompen schele ouwe vrijster ik
stond met mn haarspeld in mn jatten klaar om die der ogen uit te
prikken ik was kwaad kwaad de tranen zitten me nog in de schoenen die wijven mn zusters idem dito hetzelfde jaloers niet te fil-
men negen zusters en broers ga maar aanstaan en een kolonie
neven en nichten jopie met zn witte bonen in tomatensaus tonnie
die alleen maar wittebrood met maggi vreet tante pietje die tot r
navel uit het raam hing om over de hele buurt uit te schreeuwen
dat carla met een indo ging mengse mengse wat een familie zulke
dingen verzin je niet nou ik ben anders blij als ik er even van ver-
lost kan zijn ik was een schrander meissie zei moeder altijd maar
toen we dan trouwden over het gootplankje heeft het lang ge-
duurd voor ik weer in genade werd aangenomen tegenover mij
spanden ze één lijn waar je niet tussen kwam ja van je familie
moet je het maar hebben je zou het niet van ze denken maar ze
kunnen je gemenig peeën echt laaghartig het bloed zit aan de
deurknop maar genoeg daarover ik zeg maar niks meer toen ze
dood ging om stipt twaalf uur snachts ging ze in ene rechtop zitten in bed en keek ons allemaal doordringend aan nou haar ogen
rolden heen en weer er kwam een straaltje bloed uit haar mond
haar arm viel langs het bed en toen was het afgelopen dat was een
smart maar ik hou erover op voor ik weer begin dat zijn dingen
waar je liever niet aan denkt simmen kan je je hele leven nog ja
toch het angelus klept in de verte heb ik gezongen bij de uitvaart
mooi was dat klaassie was dol op zn moessie moet je weer 'n tietje

halen zeiden ze tegen hem als ie dr naartoe ging drie keer op een
dag maar die heb ik nooit gekend die is al heel snel heengegaan van
de heimwee denkelijk

nou als ik even vrij heb en het het wat warmer is gaan we hup
weer naar de caravan ik ga sowieso graag naar bakkum naast fietje
stopwol nou ja ze heette eigenlijk pieterse van der van een echte
kakmadam de barones noemden we der omdat ze altijd straal
langs ons heen keek en der man keek ook al zo zuur maar toen die
plotseling was overleden was het toch een fijne vrouw we hebben
der toen uitgenodigd mens zegt ze het was een maagpatiënt daarom keek ie zo zuur toen hebben we met zn allen een potje zitten
grienen daar op bakkum me koffie was na afloop gewoon zout van
de tranen eerverleden jaar was dat ja nou saberiosia en niemand
weet wat het betekent klaassie ook niet al weet ie meestal alles als
ie iets niet weet kijkt ie altijd naar de grond alsof ie zich ergens voor
schaamt en er wel doorheen kan gaan lief is dat nou ik kan ze niet
vergeten die liedjes van weleer ik kan ze niet vergeten dus daar
gaat ie nog een keer saberiosia saberiejejeje hup de beentjes van de
vloer uitgeteld in het bos in het bos op het geurig zachte mos nou
hij was zo bruin als chocolade maar lief lief lief gewoon stapelbe-
wolkt was ik op hem ik liep helemaal met hem weg gewoon een
soortement van goudschat die je vindt en die helemaal voor jou is
al is hij ook een beetje vreemd van ras toch ben ik danig met hem
in mn sas echt een dotje onze harten sloegen in driekwartsmaat
kijk zoon man was en is het nog steeds en dat zal ie blijven ook té
goed en dómgoed geeft zn hemd van zn gat hij is een mens dat als
je hem een pak vloeitjes geeft dan krijg je het morgen in goud
terug mijn hulp en toeverlaat en hij is voorzichtig op zichzelf niet
drinken niet teveel eten en niet te snel want dat maakt winderig
omdat er lucht mee komt en zn obatje op tijd innemen als ie het
zuur weer krijgt in zn maag zo zegt ie dat zn obatje en nou zeg ik
het ook zo je gaat wel op elkaar lijken na zoveel jaar terwijl ik
vroeger zou spreken over meducijn zoals iederenig in de straat

doet vaak zeggen ze tegen mij ik begrijp niet dat je niet zus of zo
doet maar dat kan ik niet daar is het een te grote goeierd voor en
dan nog als je denkt dat je de goeie hebt dan heb je de verkeerde
zo denk ik erover en omgekeerd gaat dezelfde vlieger op nou t is
niet gemaakt van ons het is real van ons

ik mag hem zo graag lijen na zn operatie gingen we toch naar
mallorca op vakantie ook al hadden de heren doktoren het afge-
raden het pus bleef maar stromen in de hotelkamer en verband is
daar feitelijk onbetaalbaar dus probeerden we het het te stelpen
met maandverband dus daar ging klaassie als een ingezwachtelde
mummie gelachen dat we hebben we hebben zo gelachen het hele
soepie was dronken nou ja dat mag ook wel wat ben ik nou helemaal een mens van dik zestig dat best wel een heel zwaar leven
achter de rug heb dus dan mag je wel een keer een beetje op je
eigen verwend worden en in de watten gelegd nou en dat doe ie ik
kan niks anders gelukkig hebben we dezelfde smaak van kleding
en juwelen allemaal het mooiste van het mooiste wat ik van hem
krijg daar heb ik recht op dat heb ie zelf gezegd hij zegt dat verdien
je schat ook op inrichtingsgebied komen onze smaken goed over-
een hij houdt veel van porselein en dat heb ik ook en hij houdt van
pluche kleden en franjes en ik ook dat is zo eigenaardig dat was
van begin af aan al zo we hebben mekaar daarin niet gevormd of
zo of ermee aangestoken wat je ook wel ziet nee het is allemaal
echt

wat ook een hoogtepunt in mijn leven is geweest wilhelmina ze
heeft een diepe indruk op me achtergelaten bij de troonsafstand
ben ik nog naar voren gelopen en heb een versje opgezegd vier was
ik nee drie en bijna vier het was vlak voor mn verjaardag toen ik
een fietsje kreeg wat was het ook alweer iets met een stramme voet
en doorgestane smarten m'n gemoed schiet nog vol als ik eraan
denk dan kan ik even geen woord meer uitbrengen wat een mooie
begrafenis was het en zoon lief mens in feite een heel eenvoudige
vrouw die van der sherrietje op dr tijd hield en niks geen poeha

klaassie moet er niks van hebben de rakkerd rooie hond iets met zn maag de doktoren hebben nooit iets kunnen vinden maar als ie een borreltje neemt wordt ie straal dood en doodziek hij vindt het niet lekker ook

ik zeg tegen klaas dat ik het erg vond maar in mijn hart ben ik net zo blij dat ik even uit de sleur ben want die tv is ook niet veel soeps meer vroeger had je nog wel s iets waar je voor thuis bleef of iets waar je naar uit kon kijken bartje de onnedin lijn de stille kracht moesten we van m met de hele femmilie naar kijken omdat dat zo leerzaam was jaja pleuni touw in dr blote kont helemaal nakend heel leerzaam dr is wel veel veranderd nou is alles open en bloot op de tv van de daad tot en met de bevalling tot en met uitscheuren en hechtingen aan toe en wat niet al je kijkt zo bij die meiden naar binnen alles laten ze zien tegenwoordig de anatomische les van professor gulp sommige zijn best mooi het zijn niet allemaal sloeries met neptieten van gewapend beton bedoel ik gisteravond hoogtepunten uit sex court edelachtbare ze wil niet dat ik r in dr kont neuk weet ie wel hoe dat moet nou laat s zien en daar gaat ie met zn tampeloeris tot ie dr bijna uit dr keel weer uit komt met publiek en alles drbij insmeren met chocoladevla wat is het pruimenpap op sap vinden ze ook lekker en dan maar aflebberen nou dan heb ik al gegeten en gedronken alle pruimen liggen te schuimen ik heb het geproefd maar dat is ongezond ik kreeg het schuim al op mn mond net als die video waar die laatst mee aan kwam zetten allemaal amateursex twee uur sex van eigen bodem kijk hoe chantal helemaal uit haar dak gaat in een vurig intermezzo met de buurman en nancy die de camera op een statief plaatst en zichzelf naar een ongekend hoogtepunt toewerkt jaja geloof je het zelf echt gelogen en niet waar en straks onze bruiloft drank en toestanden hoeft voor mij allemaal niet daar houden wij niet van wij houden van echt weet je wel geen toestanden ik ben benieuwd wat ie voor uitnodiging aan het maken is het zal wel weer wat bijzonders worden hem kennende zoals ik hem ken zijn

haan moet altijd koning kraaien als ie een idee heeft krijg je het er
met geen twintig paarden uit misschien huurt ie wel een piere-
ment altijd heeft ie wel wat in zn mars zoals hij me alles uitlegt
voor mn algemene ontwikkeling naaiks nee nikeh was het knap
hoor waar die het allemaal vandaan heeft van een ander zou ik het
niet kunnen velen hij zou mee moeten doen met weekendmiljo-
nair of twee voor twaalf of zoon andere kwis waar je wat mee kan
verdienen want het groeit me niet op mn rug

we hebben het toch goed financieel hoeven we ons geen zorgen
meer te maken en dus koop je dan dit en dan dat en dan moet er
een schemerlampje komen en een pulletje en een vaasje en dan
nog een porseleinen beeldje en dan nog iets daar komt nog bij dat
hij in zakelijk opzicht verschrikkelijk oer en oer dom is hij kan
niet voor zichzelf opkomen hij laat zich elke keer weer piepelen en
tillen de macht van het woord zou hij het noemen zoals die keer
dat onze overheerlijke kipmaaltijd uit duiven bleek te hebben
bestaan we hoefden maar roekoe tegen elkaar te zeggen of we hol-
den alweer naar de plee om te kotsen waarom denk ik daar nou
allemaal aan nou het komt misschien van de arremoede vroeger
echte arremoede we hadden geen cent op ons geweten geen hemd
aan ons lijf geen nagel om onze reet mee te krabben en met de
muren waar de kalk uit verdwenen was en we de gaten moesten
stoppen met ouwe kranten onbewoonbaar verklaard maar onver-
klaarbaar bewoond met alderwegen wormstekig meubilair een
gribus was het nu heeft elk huis een does of bad geen mens heeft
meer lendewater de hele dag zaten we uien schoon te maken in
het portiek op die plek woont nicht nel nou maar die heeft het ook
niet makkelijk met der gokproblemen en der arme jongen die
dood is ik kwam binnen ik wist van niks en ik zeg wat zien jullie er
allemaal uit als dooie vissievreters o wat erg was dat ik wil er niet
meer aan denken ik heb het zelf meegemaakt je went er nooit aan
wat er niet is komt nooit meer terug altijd heb je wel even een
moment dat je denkt hoe zou dit of dat en ook altijd weer waar

samenwerking en de sfeer moet goed zijn voor het optimale geluid net als bij voetbal eigenlijk die mannen snappen het wel maar die wijven he die zeggen dat ik geregeld warmloop voor het fijnste lid en dan hebben ze het niet over de zangvereniging en moet ik er dan soms mee ophouden ik prakkiezeer er niet over nou ze kunnen van me zeggen wat ze willen maar jordanezen zijn niet slecht dat is echt waar natuurlijk heb ik ook fouten maar ik geloof niet dat het slechte fouten zijn anders zouden we toch niet zo lang bij elkaar gebleven zijn klaas weet er ook wel raad mee dat is gelukkig ook geen heilig boontje maar daar wil ik het eigenlijk niet eens over hebben je kan er eigenlijk toch niet over praten al was hij schathemelrijk geweest, of al zat hij met briefkaarten onder aan het centraal station zei mn moeder altijd dat zijn privédingen die ik niet kan uitleggen moet je horen als een man zn eigen aan een vrouw vergrijpt dat ie een keertje vreemdgaat ik zal eerlijk praten en het komt uit zn eigen vrouw komt erachter dan denkt die vrouw waarin ben ik fout geweest in mn huishouden in mn bed en dan kan ze dat misschien verbeteren tegen een vrouw kan je vechten ik heb de roomtijd gehad laten anderen de karnemelktijd maar nemen dat is toch zo hij heeft altijd wel wat vrouwelijks gehad iets breekbaars heeft ie iets mysterieus dat haalt je de koekoek hij is zo oosters als wat het is helemaal geen versierderstype zoals die macho bink de putter die zegt dat hij vrouwen in de tram kan laten klaarkomen door alleen maar naar ze te kijken of anders die zwoele gladjakker in zn grijze pak met zn zonnebril verbeeldt zich wonder wat zo istie helemaal niet godzijdank en hij heeft toch voor mij gekozen en die zeiklijster heeft ie nooit meer gezien of zou die nou weer bevlogen zijn van dat dichterlijke type wat ie weer mee naar huis heeft genomen als een verdwaalde straathond hij kwam me bekend voor het leek me wel een intelligent figuur waar je wat van op kan steken en anders kan hij van mij wel wat opsteken jarenlange ervaring heb ik op dat gebied dat vlak je niet zo maar uit het is ook vaak de afwisseling alleen maar dat maakt

met hem houd omdat ik altijd goed over hem praat en het altijd
erg vind als ie ziek is en als ze wat over hem zeggen daar maak ik
ruzie om dat kan ik niet verklaren het is gewoon niet anders dat is
de band tussen ons die gaat gewoon niet meer weg god zal me
straffen als ik lieg en hij verdient zijn verzetje want hij heeft het
niet makkelijk met dat manke lijf van hem het is gewoon een
stukje sociale dienstverlening zo zien ik het we zijn toch op de
wereld om mekaar te helpen nietwaar en die handen van hem dat
zijn geen handen dat zijn bossen wortelen aan je lijf heel anders
dan die fijne handjes van wim waarvan iedereen zei dat ie homo-
sueel was dat is ook alweer dertig jaar geleden die heeft ons echt
besodemieterd met zn groen en pimpelpaarse facie een brok kifte-
ling hij is nu dood en over de doden niets dan goeds maar ik blijf
zeggen het was een slecht mens alhoewel ik weet het niet alles is
zo betrekkelijk en het gaat zo snel weer voorbij dat je niet meer
weet waarom je nou ook alweer niet met elkaar door één deur kon
klaas zegt dat we blij moeten zijn als je belazerd bent geworden in
je leven want daardoor krijgt je leven een goeie inhoud je komt
door alle rotzooi zelf op het goeie terug wat van jou is en dan krijg
je medelijden met de mensen die je nare dingen hebben aangedaan of zoiets helemaal begreep ik het niet ja zoon man is het nou
voor iedereen een goed woordje over zelfs voor de ergste boos-
wichten en lamstralen en galbakken gelijk heit ie eigenlijk en als
ze der wat van zeggen zeg ik gewoon terug bemoei je dr niet mee
lelijke adder als ze aan hem komen dan komen ze aan mij dan
word ik zoon dierage dan ben ik bijkans niet te houden ik zou m
de mikmak slaan een hartverduistering ik pak m bij kop en staart
en ik breek m gewoon in tweejen o jongen mijn dikke zelfzorgen-
cyclopedie voor gezond leven zo noemt ie me ben jij gek zeiden
mn vriendinnen een meisje als jij kan toch zeker wel een andere
jongen krijgen ben je wel helemaal goed wijs ik zeg alles goed en
wel zeg ik maar ik hou nu eenmaal van hem helemaal kierewiet
was ik van hem en toen ie zei dat ie met me wilde trouwen kon ik

mn geluk niet op nou eerst huilen natuurlijk want ik ben vreselijk
sentimenteel altijd geweest en dat ben ik in feite nog ik was letterlijk en figuurlijk de koning te rijk eerlijk waar daar heb je dat leuke
muziekje weer dat elk uur op het halve uur slaat een moppie
mozart wat was het ook weer klaassie heeft het me wel gezegd nou
hij kan geen leed zien dat was de eerste keer al zo de eerste keer dat
we kusten toen ie helemaal van streek was omdat ie een kat onder
de auto had zien komen ik heb hem moeten troosten hij zei ik
denk dat ik flauwval hij was net een prinsje in mijn gedachten de
ziel ik denk ik wel eens bij mezelvers ik was liever dood als leven
zonder klaassie god zal me straffen als ik lieg en laten we wel
wezen zijn we voor ons verdriet hier of voor ons plezier nou dan o
maar die eerste keer mijn hartje geraakte vol vuur zo exotisch was
het erotisch bedoel ik maar exotisch ook hij rook naar vreemde
landen heerlijk de spanjaard en de turk die tussen ons verblijven
we zijn toch allemaal gelijk zeggen ze nou mooi niet en gelukkig
niet ik zou dr helemaal mal van worden de hemelzijdank zijn er
nog verschillen tussen mensen ik moet er niet aan denken dat we
allemaal gelijk waren bloempie uit de jordaan waar de huizen in
en boven op elkander staan met je huid als fluweel en je prachtige
mond ben jij een juweel als ik nog nimmer vond lekkere zakken
met krentenbrood en gewoon brood namen we mee en we stop-
ten onderweg voor een ijssie allemaal dat lekkere he snoepkobus-
sen waren we maanzaadkoekies en appelbeignets met een berg
slagroom eten in het zomertuintje van kras maar o o de prijzig-
heid je slaat er steil van achterover tegenwoordig ja de nare dingen
vergeet je de leuke onthou je en dat is maar goed ook ja wat nou

Van Ostadestraat-Anjeliersstraat-Henrick de Keyserstraat,
maart-april-mei 2004

Colofon

Bloemsdag werd in opdracht van Uitgeverij De Harmonie te
Amsterdam gedrukt door Drukkerij Hooiberg, Epe.
Omslagontwerp: Anne Lammers, Amsterdam.
Grafische verzorging binnenwerk: Maatschappij Platforum.
Foto achterzijde omslag: © Patrick Post, Amsterdam

Bloemsdag verscheen eerder in verkorte vorm als feuilleton van
7 tot 16 juni 2004 in het dagblad **Trouw**.

ISBN 9061697271

Eerste druk 16 juni 2004. Tweede, verbeterde druk oktober 2004.

www.deharmonie.nl